法医秦明

- 著 -

燃烧的蜂鸟

北京联合出版公司
Beijing Iqind Publishing Co.,Ltd.

1977年，寒冬。
刚当上警察不久，他就接到报案。
十几公里外，有一具腐尸。

大雪纷飞，天渐渐暗了，
路越来越难骑。
他大口地喘气，呼出一团团雾气；
脸颊越发红通通，
双手不停地颤抖……
从那天起，
这辆嘎吱作响的"二八大杠"，
载着他奔赴一个又一个命案现场，
风雨无阻。

几个月来，坊间流传着一个说法。
如果家门口被人涂上了古怪的标记，
就有可能要丢东西了，
有时候是一串咸肉，
有时候是几只活鸡。

看似鸡毛蒜皮的小案子，
但他们哪能不管呢。
六十九桩未破解的偷盗案，
结结实实地压在他们心上。
踏破了好几双解放鞋，
走访了每一个案件现场，
他们终于搜集来三千份指纹卡。
这一夜，谁也无暇入睡。

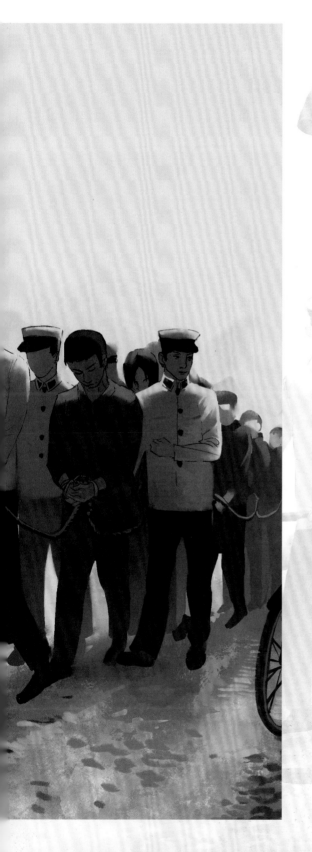

不知不觉，天已经亮了。

彻夜办案，已成了他们的日常。

十几名犯人戴着手铐、拴着麻绳，

被他们押送着，

前往二十几公里外的公安局。

这一路，

他们绷紧神经，生怕犯人逃跑。

刚进了城，忽然涌上来一群人。

原来，听到破案消息的百姓们都赶来了。

欢呼声、鼓掌声、鞭炮声连成一片。

忙碌了几天几宿的他们，

打心底里漾起了一种甜丝丝的感觉。

这些，
是发生在20世纪70年代的
人民公安的平凡往事。
在那个物资匮乏的年代，
办案，能依靠的只有双手。
黑暗中的路，是最难走的路。
但因为有他们，我们方能前行。

谨以此书
献给为我国社会主义建设事业
贡献出自己一切的公安前辈们！
这条路，你们不会独行。

国家安危，公安系于一半。

序言

写完守夜者系列四本书后，我似乎打开了新世界的大门。

在法医秦明系列的故事之外，我有很多想要尝试的新题材，却一直没有勇气下笔。

幸好有你们这些年来的鼓励和厚爱，我才渐渐有了足够的自信，去写下它们。

蜂鸟系列小说，就是我最早开始构思的故事。

它也是我最想写出来，甚至希望最快被改编成影视剧的故事。

因为这个故事的灵感之源，是我父亲的笔记。

我家是个警察世家，我的父亲是个刑警，也是一名技术警察，他的专业是痕迹检验鉴定，简称痕检。看过《法医秦明》系列小说的读者朋友们都知道，这也是林涛的专业。一起命案的现场勘查，往往是由法医和痕检两个专业来主导的。我还曾在一次媒体采访的时候开玩笑说，我和我爸两个人就可以出勘一个命案现场了。

父亲做了几十年刑警，对刑警这个职业的感情非常深厚。基于这种几十年的情结和热爱，父亲在退休后，翻阅和整理自己的上百本办案笔记，撰写了一本九万字的回忆录。当然，这只是给他自己和他的子孙后代看的一份"内部资料"。

回忆录里，父亲对案情的细节没有过多的描述，但对自己几十年从警生涯的心路历程，则记录得细致入微。我细细

读了好几个夜晚，完全感同身受：看到他破获一起陈年积案的兴奋，我为他高兴；看到他退休脱下那一身警服的不舍，我热泪盈眶。

读完后，我好几天都兴奋得难以入睡。

作为儿子，我感到这本回忆录里承载了太多的东西。它让我重新认识了父亲，也重新审视了我们共同的职业。我相信，它的精神力量，一定会在我们子孙后代中绵延传承下去。

但如果只是为了父亲，这本书的立意会不会太私人化了一些呢？

接下去的一场饭局，改变了我的想法。

那是不久之前，父亲和他那些痕检专业的战友约在一起聚会，我去搞服务。这些老公安中，有一些是我刚刚从警时候的老领导，也算是熟人。在我的印象中，他们都是横刀立马、驰骋疆场的英雄。可是现在呢，他们的身躯已经佝偻，头发已经花白。他们有的大病初愈，有的心脏一直不好，有的甚至满嘴的牙都掉光了。当年的豪饮变成了如今的小酌，当年的豪气干云变成了现在的小心翼翼。虽然说起当年的案件，他们还是津津乐道，但早已没有了当年的气势，当真是一种英雄迟暮的感觉，让人不自觉地心酸不已。我当时一直在想，他们年轻的时候，是什么样子呢？又是什么促使他们"献完青春献终身，献完终身献子孙"呢？

一场饭局，我收获了很多前辈的故事，也被他们的精神所感染了。

原来，我们视为理所当然的很多东西，都是他们在自己意气风发的岁月里，一点一点探索和尝试出来的。这些几乎被人遗忘的故事，是真正的宝藏，也蕴藏着可以鼓舞更多人的力量。

于是，我下定决心，开始了蜂鸟系列的写作。

身边的朋友会说，你写几十年前的故事，大家会感兴趣吗？我相信，看完蜂鸟系列的故事，你绝对不会感到枯燥乏味，反而能从陌生的时代中获得某种新鲜有趣的体验，还能感受到来自不同时代的共鸣。如今我已经迈入不惑之年，从警也有十六年了。作为一名老警察，我希望可以从前辈们的故事里，汲取年轻警察或者说是年轻人需要的那种激情。

我相信，当你们注视着故事里主人公的成长时，你们也一样会感受到成长。

我曾经写过一篇题为《灯塔》的博文，文中写道——

我父亲说，内心充满阳光，就不会害怕阴暗，因为你可以点亮它。父亲的背影，就像一座灯塔，指引着我在匡扶正义的路上前行。

而这也是我希望蜂鸟系列带给大家的东西，让年轻人们在守护光明的大道上，不懈努力，勇往直前。

最后，我更要把蜂鸟系列，送给所有警察和热爱警察事业的人。因为警察是在和平年代牺牲最大、奉献最多的职业，他们每天在承受超负荷的工作的同时，还要承担着很多质疑和委屈。我希望有更多的人可以真正了解警察职业，可以理解警察、支持警察，让警察们不要流血又流泪。

开头已经说了，虽然我现在还没有动笔撰写正文，但我有充分的信心可以写好它，因为我有充足的故事素材、有明晰的精神导向、有迫切的写作渴望，还有元气社这个强大的策划后盾，更重要的是，有万千读者无私的支持和鼓励。

谢谢你们，新的故事，这就开始。

2021年5月23日

目
CONTENTS
录

燃烧的蜂鸟

燃烧的蜂鸟

引子

端午没过多久，还不到七月，天气似乎进入了酷夏。

天空万里无云，硕大的太阳悬在半空，向这个城市里倾泻着热流。

双向四车道的长江路是一条刚刚完工还不足半月的柏油马路，也是龙番市的第一条柏油马路。柏油马路就是好，它不像水泥马路，需要切割成一块一块的，自行车骑在上面会不停地颠簸。

当然，顾红星到目前为止，还没有属于自己的自行车。当初学骑车，还是借用父亲战友的二八大杠①在家门口崎岖的水泥路上骑，自己不知道摔了多少跤，才摸索着学会的。命令顾红星学车的，是父亲，可是他并不负责教，因为他也不会。父亲说，当初他们打鬼子的时候，小米加步枪②，能有自行车骑的，那都是汉奸，所以大家都不会主动去学。等新中国成立了，他年纪也大了，当了干部，政府有汽车用，就不需要去学自行车了。但是家里必须得有个人会骑车，上街打个酱油什么的，也方便。自行车，顾红星是学会了，可是父亲每次分到自行车票券③，都让给了下属，到现在顾红星也没能骑上自己的自行车。当然，顾红星也不敢多说什么。

柏油马路也有不好的地方，比如在这炙热的太阳照射下，黑色的地面显得更黑了，油乎乎的，似乎一脚踩下去，就会陷进去，让人不敢伸脚。

沿着长江路边的砖砌人行道走了一会儿，就到了百货采购供应站。顾红星本来想透过玻璃橱窗看看里面的自行车，可是无意中看到了由玻璃映射出的自己。

雪白的长袖制服、蓝色的警服裤子，白色的大檐帽上一枚红色的国徽在太阳光的照射下熠熠生辉，领口的一对红领章锦上添花、恰到好处。帽檐下，是一副年轻而端

---

① 二八大杠：二十世纪六十到八十年代流行的自行车款式，因为车轮直径为二十八英寸，车前有一根钢梁大杠而得名。

② 小米加步枪：抗日战争时期，军队的条件非常艰苦，吃的是自己种的小米，用的是落后的步枪。

③ 票券：在物资不够丰富的时代，商品供不应求，人们需要先领票券，才有资格购买物资。

正的脸庞，浓眉大眼，棱角分明，高耸的鼻梁下，鲜红的嘴唇和红领章交相辉映。

只可惜，身高只有一米七三，体重刚过一百一十斤的顾红星知道，自己的这个体形，实在算不上高大俊朗，更别提什么男子汉气概了。

虽然一身洁白的警服可以给他带来一些阳刚之气，但在他去公安局报到领警服的时候，被装科①的老公安说是第一次发这么小号的警服，那言语之中，似乎有着一些戏谑，让正在等候的顾红星局促不安，一拿到警服就头也不回地逃离了公安局。

不过，这一身警服让顾红星自己还比较满意，比起工厂的工作服，又或是自己穿了两三年的那件绿军装来说，还是挺提振精神的。他下意识地整理了一下袖口，这才发现警服的袖子已经被汗水牢牢黏在了皮肤上，感觉一阵难受。他下意识地拿下帽子，在自己的脸旁扇了扇风，又觉得这样可能会影响人民公安的形象，于是赶紧把帽子重新压在了汗涔涔的头发上。

再走两公里，来到长江路的对过儿，就是妈妈厂子的大门了。今天是礼拜三，自己已经两天没有见到妈妈了。妈妈在玛钢厂上班，按照厂子的规定，每个礼拜只有礼拜三和礼拜六的晚上才能回家，其他时间都要回到厂子上班。1949年开始，妈妈就在玛钢厂里拼命工作，以致她今年才45岁，就已经一身毛病了。病痛折磨着她，让她早就产生了病退的想法。

母亲本来想着顾红星高中毕业后，可以来玛钢厂上班，顶自己的职，这样她既可以光荣退休，顾红星也可以不用待业在家，直接就有了工作。可没想到父亲却坚决反对顾红星去玛钢厂当工人。用父亲的话说，顾红星是家中独子，他必须接过父亲手中的枪，保家卫国，才是好男儿。

顾红星当然不这样认为，他认为工人阶级才是最光荣的。而且，以他的身板，无论是当兵还是当公安，那都是不合适的。可是，他不敢违拗父亲的意旨，不敢说出自己想当工人的这个伟大理想。

但是母亲说了。

虽然一直以来，父亲的权威在家里是无人敢于挑战的，但为了顾红星的一辈子大事，母亲还是和父亲发生了激烈的争吵。

可能是因为母亲从来没有这么坚决过，父亲居然退让了。只是退让，而不是认

---

① 被装科：被装就是被服和装具的合称，被装科主要负责公安被装的筹措、储备、补给与管理等。

可。父亲说，让刚刚高中毕业的、刚满19周岁的顾红星在工厂里工作一年，如果顾红星能吃得下苦，就让顾红星接着干，顶他母亲的职。

当时顾红星真是高兴坏了，自己成为一名光荣的工人的理想，就这么轻而易举地实现了。虽然从小在同辈人中算是衣食无忧，但吃苦是他从不惧怕的事情。哪怕自己被玛钢厂分配到最苦的岗位（这可能是父亲特意打的招呼）——炉前工，他也丝毫没想过放弃。

炼玛钢就是用高炉把生铁和废钢混合在一起熔炼出介于钢和铁之间的金属，高炉熔炼是关键工序。用了整整一年的时间，顾红星学会了看铁水判断温度；用脸和脖子被通红的焦炭粒烫了许多红斑和水泡的代价，学会了通炉眼；还学会了往浇铸包里放适量的铁水，让它不多不少又不溅到外面。总之，顾红星在最苦最累的玛钢厂炉前工的岗位上，一干就是一整年，干得不亦乐乎。

他自己还没觉得有多累，母亲却受不了了。每天晚上给他脸上、身上上药的母亲，终于还是在一年承诺期满的上礼拜六，自己主动去找了丈夫，放弃了让儿子顶职的计划。而似乎是天意，6月20日，礼拜天，恰好是公安局招工的日子，被顾红星给赶上了。

明明说好了的事情，母亲怎么就变卦了呢？

当然，顾红星不敢去问母亲，更不敢去问父亲，也许父母都是为了他好吧。在去公安局参加招工的路上，顾红星还是心存侥幸的。自己有那么多同学，都在家待业，一个个人高马大的，公安局这次只招两个人，怎么也招不到他的头上啊。如果公安局不招他，自己就可以理所当然地回去，当他干得好好的炉前工了。

不出所料，在龙番市公安局大门口的小广场上，已经有几十个人高马大的男孩子赶在顾红星之前抵达了，一个个翘首以待。顾红星暗自庆幸着，站到了队伍的最后。

"叫什么名字？"当排到顾红星的时候，一位身穿公安制服的老同志坐在桌子后面，用钢笔戳着桌子上的信纸，问道。

"顾红星。"顾红星说完，微微抬眼看了看老同志的表情。老同志一如既往地戳着信纸，头也没抬，更没有心照不宣的表情。看来父亲并没有给他这次招工打招呼。

"年龄，学历。"老同志似乎在讯问犯人。

"20，高中毕业。"顾红星说。

老同志挑了挑眉毛，似乎有些高兴，看起来今天来参加招工的小伙子们，能有这个学历的并不多。

"家庭成分，政治面貌。"老同志第一次抬起头看了看顾红星。

"嗯，军人转业①家庭，我是中共党员。"顾红星被老同志一看，显得有些拘谨，但还好能强行镇定地回答完了问题。

"党员，好，就你了。"老同志哈哈一笑，拿起钢笔唰唰地在信纸上写了几行字，再唰的一下扯了下来，递给顾红星，说，"你明天来局里报到，先去被装科领警服，然后去刑侦科找老穆，啊，找穆科长。"

顾红星顿时就蒙了，难道这位老同志抬眼看了一下他，没对他的瘦弱身材感到不满吗？前面那么多人高马大的帅小伙，怎么就决定招收他了呢？就问了这么几句，就招收他了？顾红星一时没有反应过来，甚至都忘了伸手去接那一张信纸。

老同志则似乎看穿了顾红星的心思，又是哈哈一笑，说："中国共产党为人民服务，公安民警也是为人民服务，公安心向党，懂吗？"

说老实话，顾红星没太懂。但他还是颤抖地接过了老同志递过来的信纸，那是一封介绍信，是他明天去认领被装和报到的介绍信。

我就这样，成了一名公安？从公安局走出来，在众多小伙子羡慕的眼神中，顾红星依旧脑袋嗡嗡的，搞不清所以然。

回到家里，妈妈做了一顿丰盛的晚餐，那道白菜炖肉里，恐怕有八两肉。父亲甚至拿出珍藏多年的老酒，小酌了几杯。顾红星感觉从自己记事开始，父亲的笑容加起来，也没有那晚的多。顾红星不知道自己应该高兴还是伤感，但是看到父母如此兴高采烈，自己实在是伤感不起来。

伤感重新回来，是在礼拜一的晚上。

当顾红星领了警服，去找满脸都是皱纹的穆科长报到之后，穆科长告诉他，让他回家打点行装，因为礼拜三的下午，他就要和那个与他一起招工入警②的小伙子乘火车赶赴沈阳。不是去办案，而是去公安部民警干校，参加为期八个月的培训。

沈阳离家有一千五百公里。

---

① 转业：特指中国人民解放军干部转到地方工作。

② 招工入警：二十世纪七十年代，被招入公安队伍的人是工人身份，而非现在入警即为公务员身份。

伤感的诱因，是要远赴沈阳，毕竟顾红星长到20岁，基本上没出过龙番。但伤感的主因，还是他终于缓过神来，发现自己并不是在做噩梦，而是真真切切地远离了自己成为一名工人的理想，成了一名公安。

直到刚才在橱窗里看见了自己着警服的身影，这种伤感才稍微减轻了一些。在家里穿上警服后，他甚至都没去照一照镜子。

不知不觉中，他已经走到了玛钢厂的马路对面。马路中央，一名和他穿着一样的交通警察，正拿着一根红白相间的指挥棍，站在路口中央的指挥台上指挥交通。当他转过身，看见正在路口站着的顾红星时，立正并敬了一个礼。

顾红星吓了一跳，顿时慌乱了起来。他手足无措，一只手紧紧攥着自己斜挎着的绿色书包。他没有接受过任何部队或公安的培训，甚至不知道自己要回礼。

交通警察笑了笑，转过身去，挥动指挥棒，示意顾红星过马路。顾红星低着头，红着脸，攥着包，三步并成两步从指挥台边走了过去。他希望能尽快走过去，躲进玛钢厂的大门，缓解自己的尴尬。

他觉得，大门门卫惠大爷应该还是那样懒懒地坐在门卫室里，听着那破旧不堪的半导体①，看见顾红星，肯定还是慈祥一笑，拿出登记本让他登记好再进去。玛钢厂的管理很严格，所有进入厂区的员工都是要签字登记的，如果不是厂内员工，甚至都不让进去。现在自己已经不是玛钢厂的职工了，不知道惠大爷还能不能让自己进去呢？不让进去，能不能让惠大爷叫母亲出来呢？毕竟下午就要乘火车去沈阳了，一去就是八个月，妈妈肯定会很想念自己的，别是一定要告的。

怀着忐忑，反复在心里组织着语言，顾红星走到了门卫室门口。让他意外的是，门卫室旁进厂区的小门是开着的，可是惠大爷并不在门卫室里。

这可就奇怪了，惠大爷几乎一年都不离开那个门卫室一步的，今天咋就脱岗了呢？这可不是惠大爷的风格啊。只不过，现在就很尴尬，既然惠大爷不在，那自己究竟是进去呢，还是在这里等着呢？一时不知道该如何是好，顾红星翘首向厂区看了看，恰好看见几个车间的人，都在往母亲就职的三车间跑。很显然，这不正常。

是出什么事了吗？顾红星思忖着，但是又不敢不按规矩登记，不敢冒失地走进厂区。正左顾右盼之际，两个一车间有些面熟的年轻人正好经过门卫室，看见了顾红星。两人一左一右拉着顾红星，走进了厂区。

---

① 半导体：即收音机。

"快点，快点，公安同志，三车间出人命了。"其中一个年轻人说道。

"不，不，不，我，我……"顾红星知道自己被误认为是来出警的公安了，连忙想要解释，可是又不知道该如何解释。

两个年轻人也不管那么多，边推边拉地把顾红星带到了三车间门口。走到这里，顾红星才反应了过来：三车间出人命了！妈妈是三车间的！

想到这里，顾红星的腿有点软，好在有两个人架着他，走进了三车间。三车间的东北角已经围了很多人，看不清人群里的情况。不过顾红星很了解车间的布局，这个东北角，放着一台技术革新的机器，是妈妈从朋友的机械工厂里定做的。所谓技术革新的机器，就是一个一人多高的大箱子，里面是两个相对运转的、上面满是抓钩的大滚筒。箱体的两侧是两条不停滚动的运输皮带。简单来说，这台机器的工作原理就是将大小不等的焦炭块，从一侧皮带运送到箱体内，较大的焦炭块就会被滚筒抓钩碾碎，变成大小相似的焦炭块，再从另一侧皮带运送出来。这样能保证烧炉子的焦炭块都是大小均匀的，可以充分燃烧。据说妈妈引进了这台技术革新的机器后，焦炭节省量是全厂最大的。

可是，这台技术革新的机器，看起来，是出事了。

"让开，让开，公安同志来了。"两个年轻人在人群中挤出一条通道，把顾红星硬生生地推到了机器的旁边。

接下来的这一幕，顾红星终生难忘。

机器已经断电、停止了运行，而机器皮带上的斑斑血迹、箱体上喷溅的血迹以及机器下方的血泊，似乎已经说明了一切。如果说从来没见过这么多血的顾红星，先是被血迹惊吓到了，那后面的场景更是把他给吓蒙了。

机器箱体的出口处，赫然露出一条大腿来。

大腿已经脱离了躯体，横截面处黄色的脂肪、鲜红的肌肉和白森森的断骨，让人在恍然间觉得这并不属于人类。但那腿上分明还套着工厂的工作裤，脚上还有一只崭新的解放鞋，这鲜明的衣着特征，似乎暗示着残肢的主人前一秒还和身边人一样地活着。

是谁遭了殃呢？顾红星不自觉地看向那只鞋子。

解放鞋在这个时代实在太常见了。不论是不是在厂里上班，大家都穿着一模一样的解放鞋，所以根本无法从鞋子上判断，断肢的主人究竟是谁。不过，鞋码很小，大概只有37码，工作裤也是女式的，不用说，死者是个女人。

而这个车间的女性，并不多。

此时的顾红星已经窒息了，就像是一块千斤的大石压迫在自己的胸口，使得他的胸廓根本就无法起伏。自己的脑袋就像是一个气球，此时正在被人用打气筒不断地向里面充着气，他的脸越涨越红，慢慢地开始变紫了。随着太阳穴处青筋尽显，他的心脏也越跳越快。慢慢地，他感觉到心脏似乎已经不再跳了，大脑里也是一片空白。

围观的工人们都离机器五米远，没人敢靠近，就像是害怕这个机器的箱体里会爬出一个无腿的女鬼。大家都知道，里面的人，肯定是活不成了。

这一条大腿已经把顾红星吓得够呛了，按理说他此时应该闭上眼睛，不再看眼前的惨状。可是不行，因为他没有搜集到足够的线索来证明，这个被机器碾死的女工究竟是不是妈妈。

顾红星努力喘着粗气，似乎想让他胸口的大石减轻一些重量，他拼尽全力迈动已经僵直的双腿，向机器走近了几步，瞪着已经血红的双眼，支撑着自己即将要崩溃的精神，寻找着什么。不是尽一名公安民警的职责，而是在做一名儿子该做的努力。

走近了，看得更清楚了。机器箱体的外檐抓钩上，挂着黄澄澄油乎乎的条状物体，如果没有猜错的话，那是死者的肠子。而箱体的一角，可以看到一团乌黑的毛发，那是已经被碾碎了的头颅，卡在了箱体和皮带之间。乌黑的头发丝之间，似乎还可以看到一颗黑白相间但被挤出眼眶外的眼球。

顾红星活了二十年，从来也没有想到过这么恐怖的场景，而如今，它就在离自己咫尺的地方。浓烈的血腥味，刺激着他的嗅觉神经。

大石头似乎又增加了一千斤，让他彻底喘不上气来。他能确切地感受到自己颤抖的双腿和不断撞击的上下牙列，本来已经湿透的制服此时牢牢地黏附在皮肤上，让他感到阵阵冷意。

他依然无法判断，那个已经支离破碎的人，是不是母亲。

"星星！"是母亲的声音。

顾红星没有回头，但那块压在他胸口的大石头，突然就消失得无影无踪了。取而代之的，是胃里的翻江倒海。一股热流从他的胃部开始，急涌而上，顺着他的食道冲击着他的会厌。

顾红星一手捂住了嘴巴，钻过了人群，向车间大门跑了出去，还没出大门，呕吐物已经从他的指缝中喷涌出来。

他痛痛快快地吐了一场。

"星星，你怎么来了？"母亲递过手帕和热水杯，问道。

此时的母亲面色苍白，看起来也是被吓坏了。

"妈，你去哪儿了？"

"带公安同志来这里。"

"这，这是怎么了？"

"负责管理机器的，你吴姨，被碾死了。"母亲的泪水在眼眶里打转，说道，"我猜是有焦炭卡在了机器轮轴，你吴姨就去用脚拨，结果自己被卷进机器里了。"

吴姨叫吴秋月，顾红星当工人的一年里，倒是每天都会见到她。在顾红星的印象中，吴姨就是个三十多岁、性格非常外向开朗的女人。平时挺爱打扮，虽然姿色平平。

"星星，你全身都在抖，没事吧？"母亲揽住了顾红星的腰。可能母亲还想像以前那样，把他搂在怀里，可顾红星已经不是一个小孩子了。

顾红星摇了摇头，说："妈，我下午就要去沈阳了，八个月。出了这事儿，您怎么办？"

母亲抹了抹眼泪，说："好，我的星星有出息了。妈妈没事的，车间是我管的，机器也是我引进的，我是要去你吴姨家里赔罪的。"

"这不怪你。"在妈妈的臂弯里，顾红星已经平静了一些，但他还能感觉到自己声音的颤抖。

母亲摇了摇头，说："你不用操心妈妈了，我没事的，出了事我就要面对。你好好的，在外面照顾好自己。妈妈会每个月给你寄粮票①。"

"公安局会寄的。"顾红星说道。

"公子哥儿，你怎么在这儿？"满脸皱纹的穆科长此时从车间里走了出来，看见了正在门口说话的顾红星母子。

在顾红星报到的时候，穆科长就说顾红星长得白白净净的，像是公子哥。没想到，穆科长居然就在大庭广众下这么称呼起他了。

"我，我……"顾红星顿时结巴了起来。

---

① 粮票：和前面的票券一样，是我国在特定经济时期发放的一种凭证，用于购粮。

"你啥你？"穆科长性子很急，听不了结巴。

"我是他妈妈，他来向我告别。"母亲说道。每次顾红星结巴起来的时候，都有母亲帮忙解围。

"哦。"穆科长应了一声，语速极快地说，"现场我们都拍照了，法医会把尸体从机器里弄出来。在此之后，你们要找一块大塑料布，把机器封存起来，别让人动啊。"

"好，不碰，不碰，刚才我就让所有人都别靠近、都别碰。"母亲说道。

穆科长点了点头，像一阵风一样经过顾红星的身边，连珠炮一样地说："脸都吓白了？嗐，这算啥啊，以后有的是这样的。"

这句话说得顾红星心里很不是滋味，但又不知道该如何反驳。是啊，直到现在，他的双腿还提不起力气。穆科长最后一句话，更像是威胁，顾红星想，自己究竟适不适合这份工作呢？

回家的路，似乎没有来的时候那么长了，因为顾红星一直在思考，如何将今天的所见所闻和亲身感受叙述给父亲听，又如何能让父亲收回成命，从而允许他重新回到工人的岗位，远离这份"血腥"的职业。

太阳明明比来的时候更烈了一些，但顾红星一点也不热，却反而感觉到丝丝凉意侵袭着他的心窝。他不再关注路口的交警有没有向他敬礼，也不再关注百货采购供应站里究竟有没有自行车，就这样一路走回到了家里。

父亲已经回到家里了，三菜一汤都已经做好。顾红星的家就在政府大院里，这个点已经做好了饭菜，说明父亲是提前下班了。虽然是两个素菜，一个小荤（素菜炒肉丝），但这样的规格足以成为给顾红星的钱别宴了。

"爸，今天……"顾红星为了鼓足这口气，几乎憋红了脸。

"你不用说了，今天玛钢厂的事情，公安局刚才已经打电话和我说了。"父亲一下子打断了顾红星的话，同时打断了顾红星的思路和勇气。顾红星实在想不通，自己从案发后走回来，也就半个多小时的时间，父亲居然更早地获得了消息。

"可是我……"顾红星欲言又止，他几乎无法重新组织起语言，来说服父亲放弃让他当公安的想法。

"你是想说，你吓坏了，所以干不了公安是吧？"父亲解下围裙，坐到饭桌旁，伸手示意顾红星坐下吃饭。

知子莫若父，顾红星点了点头。

"不过就是一起意外事故。"父亲跷着二郎腿，淡定地说，"就能吓成这样？"

"真的，很吓人。"顾红星终于挤出了五个字。

"你爷爷当红军的时候，是从战友们的尸体堆里爬出来的，他不怕吗？他也怕，但是他挺过来了，所以后来才能带着游击队打鬼子。"父亲说，"我像你这么大的时候，就扛着炸药包去炸敌人的碉堡了。踩着的，都是被炸变形的尸体，有的尸体还是前一天晚上睡在一起的战友！我不怕吗？我也怕！但是谁都怕的话，仗不打了吗？国家不解放了吗？后来，抗美援朝一声令下，我还不是义无反顾上了战场？怕不要紧，不过再怎么怕，那也只是你内心里的东西，关键是你能不能战胜你内心的恐惧。战胜了，你就是个战士；战不胜，你就是个懦夫。你说，你想当什么？"

顾红星原本已经设计好的一番措辞，被父亲连珠炮似的教育给冲得无影无踪。父亲虽然从小就对他十分严厉，但是很少拿自己过去的经历来给顾红星上课。眼下，这短短的几句话，像是点燃了顾红星心底的一束烟花，很快，烟花在顾红星的心里绽放，激发了他内心里无限的激情。

心底的烟花绽放，也照耀了顾红星的面容，他苍白的面容上，似乎有了几许红晕。父亲注意到了这一点，笑了起来，说："你放心，你妈妈，我会照顾得好好的，等下个月，我就让她退休，给她安排疗养。你呢，好好学，学来了本事，才能干得好公安。"

"嗯！"顾红星狠狠地点了两下头。他也搞不清自己为什么这么善变，明明十分钟之前，他还攒足了劲要说服父亲让他干回玛钢厂工人。

父亲叹了口气，神情有些忧伤，说："总理年初刚去世，但总理的教导，你一定要记在心中。'国家安危，公安系于一半'。不管现在的光景如何，你都不要置喙，你也没资格置喙。好好地学来本事，多多地为人民服务。该来的晴天，总会来的。到了那个时候，就是你该施展拳脚的时候了。好了，快吃饭吧，两点钟的火车，我送你去车站。"

说老实话，父亲的这番话，顾红星没太听懂，大概的意思就是让他不要议论别人，多多关注学业吧。

不过周总理的这句话，倒是深深烙在了顾红星的心里：

"国家安危，公安系于一半。"

燃烧的蜂鸟

第一章

绿皮火车

1

天气异常炎热，陶亮呆呆地坐在沙发上，心乱如麻。

他的手机扔在沙发靠垫边，游戏还没有关闭，激烈的背景音还在持续，手机依旧发出"战友"们的呼喊声："嗨，兰陵王，别挂机啊，这是我的晋级赛！"

陶亮咬了咬牙，将手机游戏从后台关闭了。房间似乎瞬间安静了下来，只剩下扫地机器人依旧在茶几前面来回穿梭，发出嗡嗡的噪声，让陶亮更加烦躁。

陶亮走到扫地机器人的旁边，将它翻了个底儿朝天，然后顺势坐在了地面上。

刚才和顾雯雯吵架的场景还在脑海里萦绕着。

在陶亮的印象中，这是他第一次和顾雯雯这么争吵，他竟然还破天荒地对顾雯雯吼了几句。回想起来，他心里依然不是滋味。

顾雯雯的情绪，应该是从全局电视电话会上来的。

陶亮和顾雯雯共同的大学同学——市局副局长高勇，在市局主会场，通过视频电话的模式，向全局传达了局党委对陶亮通报批评的处分决定。

事情其实也很简单。陶亮辖区里的一个老人拉肚子脱水，央求隔壁邻居骑摩托带他去诊所打点滴，邻居二话没说同意了。邻居从诊所载着老人回家的路上，摩托颠了一下，发生了意外——老人从车上跌落，头部受伤而死。

平时极少关注老人的三个儿子，居然闻讯赶来找邻居要钱。邻居因交通肇事罪被追究了刑事责任，由于家中贫困，实在无力支付对方提出的巨额赔偿。于是老人的儿子们开始以"邻居涉嫌故意杀人"为由不依不饶地上访。

上级把这个停访任务分配给了陶亮，陶亮气不过，觉得邻居助人为乐却得到这个下场，就把事情经过擅自和同村的村民都说了个明白，还把三个儿子的地址给了村民。同村村民义愤填膺，一起去找那三个不孝子的麻烦，警告他们不准再上访。

老人的儿子们暂时是不敢上访了，但他们把这事儿举报到了市局，就有了全局大会这么一出。

本来不过就是一个处分，陶亮是无所谓的。

但是这么上纲上线、广而告之的，还是让他觉得面子上有点过不去。最重要的是，顾雯雯作为市局刑科所所长，自己的丈夫拖了后腿，心里怎么也不是滋味吧。

陶亮觉得，要怪就得怪那个小人得志的高勇。36岁的年纪，身居高位，可谓春风得意。一得意吧，就会膨胀，膨胀了吧，就开始公报私仇。

他们三人曾经是刑警学院同班同学。当时，顾雯雯是全班乃至全校的焦点。在男女生比例十七比一的刑警学院，像顾雯雯这样长得好、身材好、成绩好、性格好的"四好姑娘"，又有谁不喜欢呢？在这种激烈的竞争之下，陶亮能让顾雯雯只对自己情有独钟，自然是有两把刷子的。而高勇也是喜欢顾雯雯的，只不过那个时候他是个透明人而已。

毕业后，三人都分到了龙番市公安局，顾雯雯搞技术，陶亮搞侦查，天作之合。而高勇被分去了治安支队，离开了刑警序列[1]。这些年，陶亮倒霉，碰见了一些事情，本来刚刚提升副科级的他，又被降回了科员。那时候顾雯雯鼓励陶亮，只要吸取教训，不要再耍小聪明，踏踏实实，就可以重整旗鼓。可没想到又碰到了一些事情。那时陶亮的级别已经是最低了，不能再降了，只能再背了个处分，直接从擅长的刑警岗位被调到了城郊派出所，到了高勇的麾下。

到了派出所当民警，和刑警天差地远。陶亮天天戴着单警装备、拿着执法记录仪跑来跑去，为了些鸡毛蒜皮，嘴巴都磨出了水泡。陶亮觉得，在这样的环境下，如何还能把公安工作当成自己的事业？当成自己的理想？不过就是谋生的手段罢了。

顾雯雯对陶亮的沉沦很不满意，经常指责他。指责就指责吧，陶亮一点都不生气，毕竟他是挚爱顾雯雯的。顾雯雯从各个方面都没得挑，通情达理、温柔贤良，两人的感情一直非常甜蜜，唯一不足之处，就是还没有孩子。不是要不了孩子，而是顾雯雯一直不愿意要孩子，她也从来没说过自己的理由。

直到吵架时顾雯雯脱口而出的那句话，陶亮才终于明白。

这也是他们"战事升级"的根本原因。

---

[1] 刑警序列：即刑警部门。

被迫参加完那个该死的全局大会后，陶亮回到家里，筋疲力尽、心力交瘁，想躺在沙发上打会儿游戏，放松一下心情。可没想到，顾雯雯从厨房出来，恨铁不成钢地埋怨道："你能不能求一点上进，不要每天回来都躺在那儿打游戏！"

自己怎么就不求上进了？

顾雯雯的眼眶里似乎有泪水在打转，这让刚刚有些血气上涌的陶亮心软了下来。毕竟和顾雯雯在一起这么多年，从来没有看过她流眼泪。再苦、再累、再委屈，她总会豁达一笑，说一句：没事儿，睡一觉就好了。

"不是我不求上进啊，老婆，我就是运气不太好。"陶亮想辩解几句，复盘一下自己这十来年工作的坎坷，乞求一些理解。

"不要狡辩了。"顾雯雯再次打断了陶亮的话，"你就是不守规矩，想走捷径。可是我们的工作是不能走捷径的！不要拿运气来说事儿，没有本事的男人才会说自己的运气不好。你知道我为什么一直不愿意要孩子吗？因为你自己就是个温室里的孩子，你还没有长大！你什么时候能给我一点安全感？"

这一句，刺痛了陶亮，原来不要孩子的原因是这个？是，陶亮确实是在温室里长大的，父母都是高级知识分子，家庭条件优越。但怎么就不能给她安全感？陶亮曾经在学校里可是年级的搏击冠军！

"我怎么就没本事了？什么才叫有本事？学高勇那种溜须拍马之流？"陶亮回了一句。

"我不求你升职加薪，我只希望你能有作为一个男人、一名警察的责任感。"顾雯雯说，"至少对你的工作负责。你懂吗？"

"不懂！我怎么没负责了？我一天出了九个警，不负责吗？"

"你挑拨群众之间的矛盾，就是为了给你省点事儿，是负责吗？"顾雯雯声音大了起来。

顾雯雯说的是今天陶亮在全局大会上被通报批评的事情。

虽然陶亮一直声称自己是为了社会的公义，可顾雯雯一针见血地说出了他的真实想法：用最小的工作量解决最大的麻烦。

被戳穿的陶亮恼羞成怒，大喊一声："好！高勇负责任，你怎么不去找他？他说不准还想着你呢。"

这句话很过分，陶亮说完就后悔了，可是已经来不及了。顾雯雯脱下围裙，摔门走了。

绿 皮 火 车

恋爱结婚十多年，他俩从来没有像今天一样，这让陶亮十分不安和内疚。这种情绪夹杂着郁郁不得志的不甘，充斥着他的胸口，让他喘不过气来。自己和顾雯雯这么多年的种种甜蜜事儿涌上心头，让他想到了妻子的各种善解人意和温柔体贴。是的，自己不该这样吼她的。

游戏的噪声已经消失了，厨房里没来得及端出来的饭菜还在散发着香气。内疚感像一把刀，搅得陶亮胸口一阵烦闷。

顾雯雯是个理智冷静的女人，她是不会乱跑的，她虽然以前从来没有这样离开家，但陶亮猜到她一定是开车回了娘家。那么，自己要不要去老丈人家，把老婆哄回来呢？只要能哄回来，那一切都可以迎刃而解了。

可是一想到老丈人，陶亮的头就更痛了。他的这个老丈人，性情怪僻，古板得很，平时不说话，一说话就指定没好话。不过，他也能理解老丈人对自己这个女婿是十分不满意的。没办法，老丈人作为前任公安局局长，退休前签署的最后一纸命令，居然是对自己女婿的处分令。这确实是莫大的讽刺啊。当然，陶亮依旧坚持，自己根本就没错，一定要说自己错了，那也是运气不好。老丈人完全可以把此事小事化了的，可他却因为陶亮是他女婿，反而从严发落了。

陶亮并不怨恨老丈人，他知道老丈人就是那种脾气。可是，只要见面，老丈人就给他脸色看，还拿话挤对他，这可就不好了。所以，对老丈人的感受，陶亮只有一个字，烦。只要不是逢年过节要送礼，他是绝对不会和老丈人打照面儿的，能躲就躲。即便是送礼，他也尽可能赶着只有丈母娘在家的时候去。

说到丈母娘，陶亮还是很暖心的。可能是因为脾气相投，丈母娘从最开始就特别喜欢这个女婿，即便是女婿背了处分，丈母娘也都是暖言暖语地安慰他、鼓励他。每次老丈人数落他的时候，丈母娘总是会及时出面制止，化解尴尬。看来顾雯雯的性格应该随丈母娘了，如果随了那个让人避之不及的老丈人，顾雯雯和陶亮是怎么也过不到一块的。

不过现在是晚上十点了，自己究竟是不是该去老丈人家里哄回老婆呢？陶亮犹豫着。突然，他似乎记起了一件事情，三天前他在打游戏的时候，好像听顾雯雯说了一句，她父母要出去旅游。是了！这个不会错，他虽然当时正专心致志地打游戏，但绝对记得有这么一句。如果这样的话，应该是顾雯雯一个人在娘家了，那可就没什么好担心的了。

陶亮一骨碌从地上爬了起来，跑向了电梯，盘算着如何用他的小聪明哄回顾

雯雯。

　　老丈人家不远，开车二十分钟就到了。陶亮站在楼下，抬眼向楼上看去，果然，只有顾雯雯房间的灯是亮着的。以他的经验来看，岳父母绝对不可能十点半就睡觉。那么就可以推理得出，顾雯雯确实是一个人在家。

　　陶亮心中暗喜，连蹦带跳地上了电梯，然后又悄无声息地按完了老丈人家的大门密码，蹑手蹑脚地走进了玄关。

　　"喵。"他怕自己吓着了顾雯雯，于是先卖了个乖。

　　顾雯雯并没有回应。

　　陶亮继续蹑手蹑脚地走到了顾雯雯的房间，发现她并不是不理他，而是已经趴在案头上睡着了。

　　"你这娘儿们，吵架回娘家还要工作，不要命啦！"陶亮有些心疼，走到顾雯雯的身后。

　　趴在案头上的顾雯雯发出均匀的呼吸声，显然是太累了，并没有听到陶亮进来。

　　陶亮叹了口气，轻轻地将顾雯雯抱了起来，放在床上，给她盖了毯子，坐在床边，看着她长长的睫毛。

　　"没办法，纵你虐我千百遍，我仍待你如初恋。"陶亮轻声说道。

　　顾雯雯的睫毛并没有颤动，看来是真的睡着了。

　　"什么事儿把我老婆累成这样？"陶亮心里默念了一句，然后走到案边，坐了下来，翻阅桌子上的十几本材料。

　　桌上放着五本卷宗，都是和1990年的一起命案积案有关的。有案发当时的现场勘查卷宗和侦查卷宗，也有最近才立卷的卷宗。

　　是啊，这两年因为社会治安状况一直向好，重大刑事案件发案量逐年下降，破案率逐年增高，而且对于八大类暴力犯罪①基本都是快侦快破，刑警们已经不像以前那样天天忙到脚后跟打后脑勺了。不过，刑警们还是不能闲着，一旦有了空余的时间和精力，就要清理过去的命案积案。去年，虽然有疫情的影响，但是全国刑警们在公安部的统一指挥下，开展了命案积案侦办的行动，破获了不计其数的命案

---

① 八大类暴力犯罪，指《刑法》第十七条中规定的八种罪行：故意杀人、故意伤害致人重伤或者死亡、强奸、抢劫、贩卖毒品、放火、爆炸、投放危险物质罪。

积案。在新科技的支撑下，光是发案二十年以上的命案积案，龙番市就破获了二十多起。这样的出色成绩，让刑警们更是备受鼓舞。侦破命案积案，不仅仅可以让那些死者沉冤得雪，给那些想犯罪的人予以震慑，更能促进社会治安进一步变好。而且，每一起命案积案，都是一些老刑警未解的心结，如果可以在老刑警们的有生之年，侦破这些命案积案，是对他们极大的安慰。

这些道理陶亮都是懂的，可是懂又有什么用呢？他现在不过就是一个城郊派出所的小民警，纵使他有三头六臂，也是无用武之地啊。

想到这里，陶亮有些沮丧。他翻动着卷宗的照片，开始看了起来。现场的几张照片，似曾相识，正在呼唤着他的记忆。

"1990.12.3专案？为什么这么耳熟？"陶亮自言自语道。

这个案件，所长似乎和他们介绍过？他们派出所也有排查的任务？哎呀，他是真的不记得了。所长布置任务的前一天，陶亮似乎值了个夜班，所以在案件部署会上的时候，他打起了瞌睡。他只记得他们警组的任务，是需要排查一个和什么什么人相关的线索，具体的他一时想不起来了，因为警长并没有把这个任务交给他，可能是对他不够信任吧。

没想到这个案子的技术层面是顾雯雯负责的，早知道这样，陶亮就自己主动去要任务了，说不定就可以通过自己的聪明才智和侦查能力来为顾雯雯解决一些烦恼了。说不定，他们下班后在家里讨论起案情，就不会发生刚才那样的争执了。

不过，现在似乎也不太晚。明天是调休日，如果今天一晚上陶亮能研究透这个案件，或者能发现一些潜在的侦查线索，那就足够在明天顾雯雯醒来的时候哄好她了。

是啊，顾雯雯说得对，我得求上进，我得负责任。陶亮这样想着，就开始翻看起案件卷宗了。五本卷宗有一千多页，等他全部看完，还没来得及细细品味的时候，他发现已经深夜两点了。

案件卷宗里面大量的线索在陶亮的脑海里交集、缠绕着，似乎要把他的脑神经都给搅在一起。他感觉有些头痛。他出来得匆忙，没有吃顾雯雯准备好的晚餐，似乎有一点低血糖的征象。他揉着太阳穴站了起来，到冰箱里找了一瓶牛奶灌了下去，希望可以缓解饥饿和低血糖的状态。在重新回到房间之前，他发现客厅的餐桌上放着几十本各不相同的笔记本。

"'毛主席万岁'。嚯，这本子的年纪可不小了。"陶亮拿起最上面的一本已经发霉的笔记本，翻了起来，说道，"1976年……哈，这是老丈人年轻时候的笔记

啊，字写得真丑。"

　　其实老丈人的笔记挺工整，字也不丑，只是陶亮不愿意承认。笔记本里记录的，不仅仅是案件细节，还有一些老丈人年轻时候的心理活动，以及他的一些同事的外貌、动作和神态的描写。这就有意思了，一直对老丈人畏惧却又厌烦的陶亮，此时突然有了强烈的窥私欲。他饶有兴趣地把几十本说是笔记不是笔记、说是纪实文学不是纪实文学的东西，都抱进了房间，放在案头。这时候，他才发现桌子上除了卷宗之外，还有几本同样发了霉的笔记本，而这几本笔记本里标记的时间正是1990年。

　　情况很清楚了，顾雯雯是趁着自己父亲不在家的时候，偷偷来到这里，翻看父亲当时的工作笔记。不过她显然不是为了来窥私的，而是为了办案的。由此可以推理出，顾雯雯在负责此案之后，来询问父亲记得不记得此案。可是1990年的父亲，已经是分局领导了，不一定直接负责案件的侦办，也不一定记得案件的具体细节，所以顾雯雯得到了父亲否定的答案。于是顾雯雯就萌生了来翻看父亲当年笔记的想法，想从中找到一些卷宗里没有的细节，好把卷宗里琐碎的线索拼接在一起。不过她知道父亲的笔记里也有相当于日记的内容，说不定还有涉及个人隐私的内容，父亲不一定答应给她看，于是就来偷偷翻看了。

　　一定是这样的，陶亮觉得自己分析得非常有道理。既然雯雯可以偷看，那他也可以。不为别的，就为了能看到老丈人的一些小心思，满足他心里的某种报复欲望吧。陶亮坏笑着，翻开了1976年的第一本笔记。

　　不知道为什么，这不过是本个人笔记，却让陶亮看得如此沉迷。简单的记录，在陶亮的脑海里形成了强烈的画面感。过去的那个年代，警察办案的套路深得他的认可，这就是自己一直崇尚的"能走捷径绝不绕弯路"的套路啊，还有各种让他觉得志趣相投的"侦查小聪明""审讯小聪明"，连古代的三十六计都被当时的警察玩得很转啊。如果要以顾雯雯的观点，什么事情都按规矩来，那过去真的没法破案了。他在如痴如醉的阅读当中，不知不觉，又是三个小时过去了，天边泛起了鱼肚白。

　　陶亮站起身来，伸了个懒腰，可是不知道是不是抻到哪儿了，他突然感觉自己的脖子或者是脑袋里的某个地方"砰"的一声，紧接着就是剧烈的耳鸣和天旋地转的感觉。他连忙用手去撑桌子，可是桌子明明在那里，自己却撑了个空。他又赶紧用双手去扶住椅背，不过椅背显然支撑不了他身体的重量，椅子和他的身体一起狠狠地砸到了地上。

天旋地转之后，便是双眼前的突然黑暗。

"雯雯！"

昏迷前，他想喊出来，但不知道自己喊出来没有。

2

不知道过了多久，陶亮的意识开始慢慢恢复，他的耳朵里传来了类似于火车发出的轰隆隆的声音。他迷迷糊糊地想，这是怎么回事？刚才我不是在老丈人家里看笔记吗？怎么这就到火车上来了？难道自己昏过去了，雯雯带我出远门去看病？

想到这里，陶亮猛地坐了起来，没想到在漆黑的环境中，自己的脑袋狠狠地砸到了一块硬板上，疼得他龇牙咧嘴。

虽然周边的环境看不真切，但意识清醒后，那轰隆隆的火车声确实十分真切。不错，他就是在火车上。陶亮无法直起上身，只能蜷缩着稍微起身，他伸手在自己的床边摸了摸，原来，他是在卧铺车厢的中铺。

不对啊，要是昏倒了，肯定是就近送医啊，怎么到火车上来的？还爬上了中铺？

黑暗中，陶亮揉着剧痛的额头，努力平缓自己急促的呼吸，稳了一会儿心神，才渐渐适应了周围的黑暗，他伸手摸了摸床头的窗帘，一把拉开，皎洁的月光立即洒进了车内。

这确实是一节六铺相对的普通卧铺车厢，但是和他印象中的绿皮车的卧铺车厢又不太一样。准确地说，是比绿皮车的卧铺车厢还要狭窄。两个下铺之间的小茶几上，放着只在陶亮小时候才能看到的塑料暖瓶，还有印着毛主席头像的搪瓷茶缸。

周围几个铺位，都睡着穿着背心短裤的男人，并没有雯雯的身影。

我这是喝酒喝断片儿了？陶亮闻了闻胳膊，没酒味儿啊。不对啊，刚才自己明明还在看那堆陈年老笔记……然后……然后怎么就到这里来了？不是吧？我才35岁，就老年痴呆了？陶亮的脑子飞速旋转着，警察的本能告诉他，要赶紧对"现场"进行"勘查"，找找有什么能用的线索。

他爬下梯子，借着月光，看了看自己下铺的小伙子。小伙子睡得正香，发出均匀细微的鼾声。他的身边挂着衣服，我的天！这是什么衣服！

为了确保自己没有看错，陶亮探进身去，拉动了一下挂在铺边的衣服。那是一件洁白无瑕的长袖制服，制服的领口还有两片鲜红的领章。制服的旁边，还挂着一

顶大檐帽，铝制的国徽反射着月光。

陶亮前不久刚刚去参观过省厅的警察陈列馆，里面有"新中国警服变迁史"展览。因为对这个感兴趣，他当时还多看了一会儿。如果没有记错，这是一套72式警服。对，没错，夏天是白色的帽子和制服、蓝色裤子，冬天是全身蓝色的。当时还没有警徽，国徽就是帽徽。这小伙子难不成是搞行为艺术的？即便是过去的警服，现在也不能乱穿吧？我去，这该不会是个演员？这是剧组的戏服？我和剧组又有何关系呢？

陶亮晃晃悠悠地走到车厢接头处的盥洗池边，想用冷水来刺激一下滚烫的面颊，让自己清醒清醒。

卫生间和盥洗池都比他印象中绿皮车里的相应设施要小，盥洗池后的镜子，因为后面的镜膜脱落，有大块大块的黑斑，正好遮挡住了他的面庞。陶亮愣了一下，发现自己身上的衣服很是奇怪，上身是一件白色的背心，背心上还印着"为人民服务"五个大字，下身配的是一条蓝色的裤子，好像就是72式警服的的确良①材质的警裤。联想到刚才看见的警服，难不成自己稀里糊涂地去了剧组当群演？

不仅仅是衣服，陶亮感觉身上还有一种强烈的违和感，就是他感觉自己的肚子不太对劲。这几年在熬夜和夜宵的共同作用下，加上年龄的催化，他在刑警学院练就的一身腱子肉逐渐消失，取而代之的是微挺的啤酒肚。可镜子里的自己明显瘦了不少，小背心宽宽松松的。于是，陶亮忍不住掀起肚皮位置的衣服来看，居然看见了八块腹肌！

这还是我吗？！

陶亮起了一身鸡皮疙瘩。低头看腹肌的时候，他一弯腰，恰好避开了镜子上的黑斑，猝不及防地从镜子上看到了自己的脸。

这一下，他彻底绷不住了，吓得一连后退了好几步，后背重重地撞到了车厢上。

镜子里的，并不是自己。

那是一张陌生的年轻脸庞。

国字脸，五官十分稚嫩，眼睛不大、单眼皮，但是很有神，剃着个小平头，皮肤黝黑。这，这是怎么一回事啊？！见鬼了吗？！

---

① 的确良：涤纶的纺织物。用此材质做的衣物耐磨、不走样，容易洗，干得快，一度非常流行。

陶亮挥手抽了自己一巴掌。

清脆的响声，清晰的痛觉，让他龇牙咧嘴起来。可能是因为在规律的轰鸣中出现了不和谐的声音，车厢里传来了其他人翻身的细微声响。

陶亮顿时有点头晕目眩。他迷茫地避开黑斑看向镜子里的自己，镜子里的那个陌生人居然也一起显出颓唐的样子。他打起精神朝镜子里的陌生人挤了挤眼睛，陌生人也用同样的表情回应他。

正当他和镜中人大眼瞪小眼的时候，有个乘客随着列车的摇摆，晃晃悠悠地走了过来。

那人也穿着相似的白背心，灰色的布裤子，一边走一边挠着脑袋，一副没睡醒的模样。

陶亮忍不住挡住了他问："大哥，你，你认识我吗？"

那个人显然被问清醒了，连忙摇了摇头，想从陶亮的身边钻进厕所。

陶亮连忙又问一句："那请问，今天是几号？"

"6月23号，不，凌晨了，24号了——哎，同志，能让我先去个茅房吗？"

"同志"？"茅房"？陶亮又是一个激灵，眼见那人钻进了厕所，他几乎是下意识地扒住门追问道："那是哪一年的6月24号啊？"

"哎哟，还能是哪年，1976年啊！同志，能别扒着我门吗？"

"砰！"那人关上了厕所门，隐约还能听见他在厕所里嘀咕着神经病之类的词语。要是放在以前，陶亮肯定得捶捶门表示抗议，但这会儿，他完全没有争斗的心思，直到那人上完厕所逃也似的溜了，他还愣在那里看着镜子。

火车转过一个弯，金色的月光从车门处洒进来，照在陶亮彷徨的脸上，像是照着一个不真实的梦。

1976年……

穿越了？呸！自己是坚定的无神论者，怎么也不会相信那些穿越啊、轮回啊什么乱七八糟的东西。妄想？可是再怎么妄想，也不会妄想到周围的环境都无懈可击吧？

又或者，这是科幻小说里面说的黑洞什么的？但自己对那玩意儿一窍不通啊！

这可怎么办？

现在的身体，是一个陌生人的，那属于陶亮自己的身体在哪儿呢？不会是，挂了吧？如果真是这样，自己跟雯雯说的最后一句话，居然是让她去找高勇？我去！

留下这个遗言，我是不是傻？万一雯雯她伤心过度，高勇作为局领导来慰问她……呸呸呸！不能这么想！乐观点，乐观点！

别急，想想，电视剧里怎么演的来着？要真发生了穿越，换了个身体，肯定是有原因的，我是个警察，我还是个比高勇那小子聪明一万倍的警察，我肯定能找到因由所在！对，我要相信自己！

于是，这一晚上，陶亮都在厕所门口踱来踱去。

他的脑子里一团乱麻。他努力地回忆着自己看过的穿越小说，想从中寻找一些让自己重新回到现实的方法。可是越想，就会觉得那一切都很荒诞，而这种荒诞却真真切切地发生在了自己的身上。他也想过自己是不是在做梦，但是这种真实的感受，和以前所有的梦境都不一样。

1976年，再过十年，自己和雯雯才会出生，因此这是个自己完全不了解的年代。陶亮想到，自己失去意识之前，是在看1990年的那个案子，难道是要我从1976年开始再活十四年，破了当年的那个案子，才能回到自己的身体里吗？那万一破不了呢？破不了就回不去？而且，就算十四年后我能回去，是回到2021年呢，还是2035年？那时候我可就是快五十岁的老头儿了，那时候我再遇到雯雯……不敢想，不敢想。

为了缓解由于过度思考引发的头痛，陶亮哼起了最近，啊不，是2021年流行的曲子——"坐上那动车去台湾，就在那2035年"。

他决定把这堆棘手的问题放一边，先睡上一觉。说不定，一觉醒来，一切就恢复正常了，这些只不过都是个噩梦罢了！想到这里，他马上往自己的铺位走去。

或许是被陶亮的脚步声吵到了，睡在下铺的小伙子突然开始扭动起来，粗重的呼吸中，夹杂着含混不清的话，似乎在说："不行，我真的不行。"

豆大的汗珠，以肉眼可见的速度，从小伙子的额头上冒了出来，小伙子的嘴唇似乎开始有些泛紫。估计，是做噩梦了。陶亮瞥了他一眼，准备一如既往对这种事视而不见。但或许是因为同病相怜，又或是因为一见如故，他想了想，还是忍不住多管了闲事。

"嗨，嗨。"陶亮推着小伙子的肩膀，硬生生地把他从噩梦中拽了出来。

醒过来的小伙子，双眼发红，重重地喘着粗气。

"怎么了？做噩梦啊？"陶亮看着他。

小伙子似乎不太敢用自己的眼神看陶亮，他努力地控制着自己的呼吸，用手盖住了自己的脸。

"做噩梦了，有什么不好意思的？"陶亮看出了小伙子的窘迫，轻声笑了起来。

这一笑，小伙子就更局促了，他说："没，我，不是。"

"什么啊。去吧，洗把脸。"陶亮从下铺的墙壁挂钩上拿下一条毛巾，递给了小伙子。小伙子接过来，慌忙穿上鞋子，向盥洗间跑去。

"这有什么害羞的？搞得和个大姑娘似的。"陶亮摇摇头，他看了一眼窗外，天已经渐渐亮起来了。反正是睡不了了，他索性端着搪瓷缸子跟了过去。

小伙子正在洗脸，陶亮已经倒了一缸子温水站在他身后。小伙子长得很清秀，但是很瘦弱，从背后可以清楚地看到他的两侧消瘦的肩胛骨，个子也不高，比陶亮整整矮了大半个头。

等他洗完脸，陶亮将搪瓷缸子递了过去，说："没事儿，洗把脸，喝口水，噩梦就忘了。"

小伙子很是感激，低着头接过搪瓷缸子，喝了一口，低声说道："谢，谢谢，老K。"

老K？还皮蛋①呢。陶亮心中暗想，看起来，自己和这小伙子是有点交情的。

想到这里，陶亮灵机一动，故意装出一脸惆怅的表情，说："你，还记得我叫什么名字吧？"

小伙子抬起脸，迷惑地说："当，当然，冯，冯凯。"

陶亮心中一喜，看来这个小结巴还挺好骗。冯凯这个名字，似乎有点耳熟，但怎么也想不起是在哪里看到过的。陶亮怕自己反应不过来露馅儿，于是接着编道："以后别叫老K了，痞气。我看你也就二十出头，我比你大多了，以后你直接喊大哥吧！"

小伙子疑惑地看看陶亮同样青涩的脸庞，欲言又止。陶亮则连珠炮似的继续往下说："哎，我啊，有一种病，只要一做噩梦，就会近事遗忘。近事遗忘你懂吧？就是会忘记近期发生的事情。"

小伙子的脸上立即变成了极为关切或者说是同情的表情。

"有的时候，病情严重了，忘得更久，比如你看，我们是怎么认识的来着？"

---

① 老K、皮蛋：扑克牌中的"J""Q""K"，各地叫法不同，有的地方会称呼为"丁勾""皮蛋""老K"。

陶亮皱着眉头、敲着脑袋表演着。

"啊？你刚才也做噩梦了吗？"小伙子关切地问道，"你忘了正常，因为我们是昨天才认识的，算是'近事'。你得这病多久了？"

陶亮见小伙子一着急，说话就不结巴了，看起来他并不是结巴，而是有社交障碍，和不熟悉的人沟通起来比较费劲罢了。于是陶亮摆摆手，苦笑着说："从小就这样，被别人打了一顿，脑子受伤了，以后就成这样了。从那时候起，我就决心要当警察，不让坏人们欺负弱者。当然，你不用担心我，我不做噩梦就没事。"

说完，陶亮假装忧郁地喝了一口水。

"不让坏人们欺负弱者。"小伙子暗自重复了一遍，似乎有些感动，捏了捏拳头，然后像鼓足了勇气似的说道，"我会帮你保密的。那我们重，重新认识一下。你好，大哥，我叫顾红星，20岁。"

噗的一声，陶亮把嘴里的水全部喷到了顾红星的脸上。

在顾红星一脸莫名其妙的表情当中，陶亮连忙拿起毛巾给顾红星擦脸。

"大，大哥，你，你，你没事吧？"顾红星拿过毛巾，一边擦脸，一边关心地问。

陶亮被水呛着了，剧烈地咳嗽着。他的脑袋很疼，但不是因为咳嗽。他在心里发誓，这一口水，绝对不是为了报复，绝对是出于意外和惊讶。他一边用咳嗽来掩盖自己内心的惊讶，一边偷偷地用眼神打量着眼前的这个小伙子。

对于这个小伙子，陶亮刚才就觉得有点似曾相识，但是毕竟他认识顾红星的时候，顾红星已经五十多岁了，和眼前这个清秀、稚嫩的小伙子实在是区别很大。顾红星身上的那种威严气息在眼前的这个小伙子身上荡然无存，明明只有羞涩和懵懂。

不管陶亮怎么不愿意相信眼前的现实，但他必须得接受：顾红星就是他的老丈人。他的老丈人，正毕恭毕敬地喊自己哥！

这也太戏剧化了！

"对不住，对不住，我的这种表现，说明我的记忆被唤起了。"陶亮憋着笑，硬着头皮，搜肠刮肚地回想着老丈人的那些往事，一一核对，"你刚刚高中毕业，对不对？咱们这是去沈阳对不对？你老婆叫林，啊，不，昨天我们遇见一个老婆婆姓林，对不对？"

刚说起丈母娘林淑真，陶亮就想起来，印象中顾红星结婚并不早，现在这个年纪，他俩应该还不认识吧。

"对对对，你记起来就好。"顾红星很高兴，说道，"但老婆婆是谁？"

"不重要。"陶亮拍了拍顾红星的肩膀，说，"是你帮助我恢复了记忆，谢谢你。"

顾红星好像是第一次成功帮助了别人，所以显得比陶亮还高兴，说："你是我大哥，这是我应该做的。"

"是吗？我能当大哥吗？"陶亮心花怒放，不知道出于什么心理，伸出双手，像逗小孩一样，揪住了顾红星的脸颊，说道。

"能！你比我大一岁，而且你对我那么好，怕我第一次睡卧铺会摔着，把下铺让给了我，对我还这么关心。"顾红星的脸颊被揪住，说起话来有些费劲，但他还是略带窘迫却又很认真地点头说道。

"好，那你再喊一声。"陶亮感觉到莫大的满足感，童心大起。

"大哥。"顾红星对陶亮言听计从，就是有点不好意思。

"欸！好的，好的，以后哥哥罩着你。"陶亮又拍了拍顾红星的肩膀。

顾红星显然没太听懂"罩着"是什么意思，欲言又止，却没敢发问。

回到各自的铺位，陶亮还是晕晕的。咋就成了老丈人的大哥了……不过，这种感觉还是不错的。平时不是对我耀武扬威吗？不是总看不惯我吗？现在还不是成了我的小弟？

这种滑稽的感觉，以及那种似乎有点"报复"意味的内心小九九，暂时冲淡了陶亮的焦虑。不过，更重要的是，在陌生的年代遇到一个熟人，这种莫名的亲切感抚慰了他。

往后，就要走一步看一步了。

在铺位上翻看自己的被褥行李，陶亮找到了一张入学推荐表，盖着的公章是龙番市公安局的。推荐表的右上角是一张黑白花边的一寸相片，不错，正是自己现在的长相。

冯凯，1955年2月出生，高中毕业，中共党员。父亲于1962年中印边境自卫反击战中英勇牺牲，被追认为革命烈士；母亲于1970年病故；无兄弟姐妹。

中印边境自卫反击战是1962年？陶亮下意识地想从口袋里掏出手机来查一下这场战事的来龙去脉，可这才想起，这个年代，哪有什么手机！天哪，没有手机的生活，他根本不敢想象。

想到自己的身世，虽然是个孤儿，但好歹是个英雄后代啊，陶亮对自己的身份还比较满意。无论未来会是怎样，都要勇于面对，这是雯雯和自己说的话。陶亮发誓要牢牢记在心里。

还有，从今天起，他要学着适应自己的新身份了。

他就是雯雯父亲的战友，冯凯。

他相信总有一天，会重新回到雯雯那温暖的怀抱。

3

一路上，冯凯（也就是陶亮）滔滔不绝，想着办法套顾红星的话。

他没想到，岳父年轻的时候这么单纯老实，虽然处于被动的一方，却有问必答，一五一十地把自己的家庭状况和成长历程断断续续和冯凯说了。

说到做噩梦的原因，顾红星有些回避，但还是经不起冯凯的追问，一五一十地讲述自己经历的"女工案"。冯凯表面上做出了共情的表情，其实内心里却嘲笑顾红星居然还有这么胆小的时候。想当初陶亮从警后遇到的第一个死亡现场，就是碎尸案，当时他可一点也不害怕。至于顾红星说的，这起意外案件他总觉得有哪个地方不对，那就是有些阴谋论了。预谋杀人一般都会用比较稳妥的方式，这种有失败风险的杀人方式显然不太切合实际。

嘲笑归嘲笑，冯凯还是一副大哥哥的模样，安慰着顾红星，然后告诉他，等培训以后，他们可以携手办案，有他冯凯在，顾红星一定就不会再害怕了。接着冯凯就一副过来人的样子，给顾红星讲述他们即将去的公安部民警干校（也就是未来的中国刑警学院）是个什么样子，有多牛，周围有好吃的酸菜鱼、小鸡炖蘑菇，还有塔湾山下有多热闹。

被冯凯鼓励着、追问着，本来话很少的顾红星一路上也说了不少话，用他自己的话来说，这一路上他说的话，比平时一个月说的话还多。冯凯总结道："只要你顾红星能树立起自信，自然也就不怕说话了。"

火车到站后，他们被两名穿着制服的民警接到了一辆解放牌①卡车边，然后坐在车斗里，向皇姑区塔湾街方向进发。

---

① 解放牌：是国产汽车第一个品牌。

绿 皮 火 车

沈阳果然是大城市，东北重镇，路修得比龙番要宽，路上跑的汽车也多了不少。冯凯是第一次坐在卡车的车斗里，觉得很是新鲜。他一手按住脑袋上的警帽防止被风吹跑，一手指点着周围环境，告诉顾红星这里是什么地方，那里又叫什么地方。

顾红星也觉得很新奇，基本上没有出过龙番的他，看到大城市后感到的震撼，让他因远途赴学而产生的忐忑心情得以缓解。他更是崇拜冯凯，居然对距离家乡一千五百公里开外的城市都了如指掌，真是博学多才啊。

可是冯凯很快就被打脸了，因为塔湾山下面并不热闹，学校附近更没有什么酸菜鱼、小鸡炖蘑菇。当他们驶出城区的时候，冯凯就意识到，这个时候的塔湾，可能还是一片荒郊野地吧。果不其然，在距离塔湾还有几公里时，他们就驶入了成片的高粱地了。

"当然，毕竟学校比较偏远，我是设想多少年后，这里一定会繁华起来。"冯凯解释了几句，来缓解自己被打脸的尴尬。

顾红星则并没有提出疑问，他闭着眼睛，任由暖风刮在自己的脸上。自己从来没有去过农村，因为是独子，也不需要上山下乡，所以此时到了即便不是传统意义上的农村，面对一望无际的庄稼地，他还是感受到自己的胸怀变得十分开阔。不过，这种惬意没有持续半个小时就停止了，因为卡车颠簸了一阵，就到了学校的大门。

公安部民警干校。

顾红星背着沉重的被褥卷，站在车斗边正琢磨着该怎么跳下去，冯凯一把将他的被褥卷拿了过来，一手一个，很轻松地跳下了车。冯凯以为自己跳下去总会跟跄两下，可没想到自己着地后站得比体操奥运冠军还稳，看来，这八块腹肌真不是摆设。

倒是顾红星在众目睽睽之下被人帮助，很是害臊，他连忙也跳下车，从冯凯手里拽回了被褥卷。

校门口摆着一张破旧的课桌，后面坐着两名穿着白色警服的老师，正在接待新生。

"自我介绍一下吧。"老师看了一眼两人，说道。

这种事情对于冯凯来说，手到擒来。他拿出行李里的推荐表递给老师，清了清嗓子，然后滔滔不绝起来。

"各位评委，啊不，各位老师好，我叫陶——冯凯，21岁，来自美丽的龙番市。"冯凯机智地纠正了自己，接着说，"今天有机会向各位老师学习，我深感荣幸。我热爱我的职业，因为它是神圣而高尚的。在我的少年时代，身边的公安工作者们对党忠诚、服务人民、执法公正、纪律严明的作风，给我留下了深刻的印象……"

从自己的基本情况到自己的家庭状况，从自己的特点特长到忠心决心，冯凯说了足足五分钟，听得老师都有些不耐烦了。

"行了行了，你呢？"老师终于找到了打断冯凯的机会，指了指顾红星。

顾红星被冯凯说得目瞪口呆，此时一听，连忙将自己的推荐表递了过去，清了清喉咙说："我，我，我叫顾，顾……"

老师笑着抬起头来，看着顾红星。这一看不要紧，本来就紧张到结巴的顾红星，此时更是一个字也说不出来了。

"他叫顾红星，他不结巴的，他就是紧张。要不，我来替他说？"冯凯连忙给老师解释道。

顾红星看了眼冯凯，眼神里尽是感激。

"不用了，不用了，就是核对身份而已。"老师连忙摆摆手，说，"你们俩一起的，刚才就看出来了。好吧，你们俩都住一号楼107宿舍。冯凯，你在侦查班，顾红星是痕检班，课程表已经在宿舍里了。"

说完，老师递过来两把钥匙。

"啊？我们不一个专业啊？"冯凯有些惊讶，回头看了看顾红星。此时的顾红星眼神里尽是失落和不安。

"不都让你们住一个宿舍了吗？"老师说，"理论课分开上，警体课都在一起上。"

"那也行，走，我带你参观一下咱们学校。"冯凯拉起顾红星走进了校园。

这一走进来，冯凯真是感慨万分。1976年的学校，最宏伟的建筑就是正对大门的教学楼了。那是一栋三层的红楼，中间有一个大尖顶，尖顶上是一根旗杆，旗杆下有一枚火红的五角星。建筑物两侧末端是两个小尖顶，三个尖顶之间被若干间教室相连。除了教学楼，其他都是二至三层的红砖建筑，应该是学员宿舍和食堂。

除了这些零星的建筑之外，还有一个用煤渣铺设的操场，而其他地方则都是空地了。

这和未来的刑警学院简直是判若两校啊！别说什么勤学楼、励学楼并不存在，就连自己一直认为很老旧的训练馆都还没有兴建。中国这几十年的巨大变化，在一所学校里就能清晰地看出来。

冯凯兴高采烈地一边拉着顾红星，一边说着："以后学生多了，这里可以盖三栋宿舍楼，每栋六层的，那里我看还要一个散打训练馆才好。"

绿皮火车

"部署"了一遍，两人回到了宿舍。宿舍不大，只有四张床，不过他们这一间只有冯凯和顾红星两个人住。冯凯晃晃写字台、摸摸高低铺，觉得还不错，比想象中要好。这时候，他才发现，顾红星从进了校门开始到现在，一直是闷闷不乐的。本来以为顾红星不过是话少，但此时他坐在自己的床铺上发呆，说明他可能是有什么心事。

"怎么了这是？开启一段新征程，应该高兴才是啊。"冯凯拍着顾红星的肩膀，心里暗想着，自己这完全是老大哥的口气啊。

"没，没什么。"顾红星像是被打断了思绪，肩膀微微颤动了一下，抬头看了冯凯一眼，说，"我只是觉得，自己挺不适合干公安的。"

"不，你适合，你适合得很。"冯凯立即想到老丈人坐在全局大会主席台上的样子，皱了皱眉头，说。

"我要是适合，就应该和你一起去学侦查了，结果去学什么痕检，我都不知道痕检是什么。"顾红星重新低下头，垂着眼帘。

原来这家伙是以为自己被分去边缘专业了，他可不知道，中国刑警学院可是以痕检专业著称的。到二十一世纪，全国最著名的痕检专家，多多少少都和刑警学院有着某种关系。看来，顾红星是以为因为自己瘦弱的体格，被分班老师看不起了，所以被"发配边疆"了。而他自己又因为严重缺乏自信，而不敢当着老师的面提出来，只能把这个心事装了心里。

冯凯心里觉得好笑，于是准备戏弄一下顾红星，故意装作同情的模样，说："哎，这也是没办法的事，不过，做什么不是建设祖国呢？"

没想到顾红星倒是抬起头来，用一副坚定的表情来掩盖住了失落的心情，说："对，国家安危，公安系于一半。只要干公安，不管干什么都可以。"

这倒让冯凯不好意思起来，只能起身拉着顾红星一起去食堂。在火车上，他们一直吃的是压缩饼干，好久没吃一顿热乎的了。

食堂只有那难以下咽的高粱米和唯一一道菜——大白菜炖粉条，虽然这是自己日思夜想的东北风味菜，但毕竟是一点荤腥都没有，冯凯顿感索然无味。

"一点蛋白质都没有，怎么长肌肉啊？"冯凯抱怨道，"这身材，也没有脂肪好减了啊。"

顾红星虽然听不懂冯凯在嘀咕什么，但他也有同样的困扰，甚至比冯凯还要严重，因为他是在南方长大，对北方的菜和主食没有一样可以适应的。

这个困扰，在接下来的一个月时间里，呈倍速增长。物资匮乏，在饮食上体现得淋漓尽致。在平时，学校食堂里的饭菜简单到令人发指。礼拜一到礼拜六这六个工作日，要么中午白菜炖粉条、晚上土豆炖粉条；要么就是中午土豆炖粉条、晚上白菜炖粉条。炖来炖去，让冯凯一进食堂就饱了。

每次冯凯看到顾红星皱着眉头如同嚼蜡的样子，他都觉得好解气，原来老丈人也有这种磨难的日子啊。可是当他看到顾红星一个礼拜就瘦了一圈的样子，又觉得于心不忍。

毕竟，到毕业的时候，都是要考体能的，自己仗着这副身体是开挂①了，但顾红星要是体能考试没通过，不知道会不会被打道回府——他可不想因为这种芝麻大的小事，影响了老丈人的"命运线"。

在陶亮原本的生活中，他习惯了出手阔绰、不留积蓄，如今以冯凯的身份过日子，他也依然没有什么用钱的规划。每个月二十几块钱的工资和粮票，他从来没想着要节省，都是该用就用。顾红星不舍得花钱，冯凯就故意多买一些吃的，谎称吃不了，要他帮自己"分担"。

于是，在礼拜日食堂开荤的时候，冯凯会拿出大笔钱来，熘肉段、熘肝尖、炒肉片、白菜炖肉、小鸡炖粉条什么的轮番买，然后强迫顾红星吃下去，这让顾红星感动不已。

但顾红星平日里在意的，不是饮食方面的"磨难"，而是上警体课。每次在警体课之前，会有五公里快速跑的热身。这个可以让顾红星把肺都要喘出来的项目，居然还只是热身！

冯凯刚开始知道要热身的时候，也很担心。虽然他以前在刑警学院跑五公里是每天的必修课，但是毕竟十年过去了，自己的身体也被熬夜、夜宵、香烟和酒精摧毁得差不多了。他记得在不久前参加晋督培训②中，两公里长跑就把他差点弄休克。所以在第一次长跑时，他陪着顾红星跑在队伍的最后。可是五公里跑完之后，他发现自己居然一点不累、一点不喘。他一边想着，年轻是真的好啊，一边又快速

---

① 开挂：为网络用语，意为得到了异常强大的力量的帮助。此处可理解为陶亮有了冯凯健壮的身体，在体能考试中完全不需要担心。

② 作者注：公安队伍都是有警衔的，每升一级警衔，都要培训。从警司到警督的晋升，需要更加严格的培训，这被称之为晋督培训。

跑了两公里，这才把剩余的力气用完。

同样，每次在长跑中看到顾红星上气不接下气的样子，冯凯也觉得特别解气，他从来都不知道老丈人的短板居然在这里。可是见顾红星跑得脸色煞白，冯凯矛盾的心理再次涌了上来，于心不忍，只能陪着他一步一步地跑完全程。

顾红星的短板在警体课上暴露得一览无余：射击课上举不动沉重的五四式手枪，更别想着能上靶了；散打课上被冯凯一个过肩摔，半天都爬不起来；查缉课经常会晕头转向找不到北；驾驶课总是离合和刹车分不清楚。

冯凯则很享受这种感受，倒不是因为他从二十一世纪带来的各种警体技巧超越了现在这个年代，而是看到顾红星狼狈不堪的样子，心里格外舒坦。他不知道有多少次想掏出手机来给顾红星狼狈的模样拍个照，才想起自己不是在现代，而是在1976年。可是当顾红星可怜兮兮地向他求助的时候，他又总是习惯性地心软，给予他指导和帮助。

比如驾驶课上，教官的规定是谁能完成既定目标，就能获得课后练习的机会，毕竟学校只有两辆破吉普供他们练习。冯凯在现代是B类驾照，而且接受过特种驾驶的培训，这种课简直是再简单不过了。为了让顾红星课后有练习、过瘾的机会，他总是最好地完成教官的目标，然后把练习的机会让给顾红星，而自己去摆弄训练场上的"挎子"[①]。

在顾红星的心目中，冯凯简直就是干公安的完美天才——除了有个让他难以理解的怪癖：对所有人都垂涎的汽车不感兴趣，而对"挎子"情有独钟。

两个人虽然个性迥异，但对他们的理论课的态度倒是出奇地一致，就是"好奇"。

这个时候的理论课，和陶亮那时候的理论课不太一样，上课讲的基本都是破案的干货。从什么是侦查、如何侦查，到侦查的具体落实措施以及实际的成功案例，这个课上得可真是够带劲的。

到了2021年，侦查工作的侧重点已经越来越倾向于技术破案，侦查的"三板斧"是手机、监控和DNA。而回到1976年，上述的新技术是一项也没有的，技术破案几乎是零。这个时代，侦查的"三板斧"是摸排、蹲守和审讯这些老办法。虽然没有那么多技术支撑，但为了破案，侦查的方式方法必须更加灵活多变。而且在这

---

① 作者注：挎子是旁边装有挎斗的摩托车，学名为"边三轮摩托车"。

个法制不够健全的时代，口供为王，办案程序要求较低，证据意识也要差很多。

不过，这对于就喜欢耍小聪明的冯凯来说，那可真是如鱼得水了。冯凯一直觉得，那种对证据过于苛刻的要求、对办案程序一丝不苟的做法，简直就是矫情。虽然有人说，如果程序不合法、证据不扎实，即便拿下口供，也很有可能会办成错案。而冯凯则不这么认为，他觉得那些因为刑讯逼供，最后得出虚假口供而办错案的，一定是侦查员有问题。其实是不是这个人作的案，侦查员经过几番交锋，自然心里也就明白了。揣着明白装糊涂，刑讯逼供，那可就是不好了。单纯为了结案而刑讯逼供，在冯凯看来，算是一种卑劣的手段。而他可不一样，他是以找出真相为目的，才不会草草弄份口供来结案。再说了，他的直觉一向很准，他认准的犯罪嫌疑人就不会错！

而这个时代，老师教的内容似乎和冯凯感兴趣、擅长的东西都差不多。如何盯梢守候、如何用计谋找到线索的突破口、如何审讯拿下口供……有些熟悉的办法，也有些新鲜的手段，让他天天听课听得不能自拔。

而顾红星那边，同样也是打开了新世界。

对公安工作一无所知的顾红星，进了痕检课堂，就像是刘姥姥进了大观园。无论是指纹、足迹还是工具痕迹的发现、提取、分析、对比，都让他觉得无比神奇。尤其是指纹"各不相同、终生不变"的特性，让它成为了破案的利器。尽管顾红星很早以前就知道，按手印是可以代替印章的，但他从来不知道还有这么多办法把明明看不见的指纹给显现出来，也不知道如何对指纹进行比对。他立志要把这项技术完完整整地带回去，给龙番市公安局的破案实力添砖加瓦。学校没有发教材，发的都是成沓的油印的学习材料。而这些摸上去滑腻腻的油印资料，是顾红星的至宝，甚至晚上不去多看几页都睡不着觉。

冯凯也没有想到，这个瘦弱的顾红星，居然对痕检专业钟情至此。每天上课那么累，顾红星下课回来还带着老师发的实验教具，非要让冯凯在不同载体上按下手印，然后自己再用粉末给刷出来。刷出来就刷出来吧，他还把指纹用胶带固定好，告诉冯凯他们俩的指纹有哪些不同点，如何能分辨出这枚指纹是左右手、哪根指头的指纹，又如何进行鉴别分析。

冯凯对这些可丝毫没有兴趣，经常在顾红星念叨的过程中，自己就睡着了。

学校的生活，看起来风平浪静。

冯凯有时候在想，难道自己"穿越"过来的主要任务，就是加深对老丈人的了解？

这也太扯了吧……

不过，在此之前，他只知道老丈人是市局的领导，并不知道老丈人居然是痕检出身。冯凯认为，技术永远只是侦查的辅助手段，一个痕检员，是怎么当上公安局一把手的呢？

没听老丈人炫耀过他的功绩，当然老丈人也不会在自己看不上眼的女婿面前炫耀，所以冯凯确实对老丈人的警察之路产生了好奇。

毕竟，现在这个喊他大哥的顾红星，一点也没有能当领导的样子。

相反，顾红星很难和周围融为一体，很难和老师、同学们充分沟通。这么久了，他唯一能够顺畅说话的对象，依然只有他的"大哥"冯凯。但是对于他的专业，他是足够钻研、有旺盛求知欲的。这可能就是现代说的"理工宅男"吧。

如果自己的任务是帮助顾红星成为一把手，那可就太难了。

在胡思乱想中，时间过得越来越快，不知不觉就到了七月底。

冯凯不知道，一桩大事就要发生了。

4

潘教员是顾红星带回宿舍的。

进门的时候，顾红星一个人走在前面引路，低着头，似乎很窘迫的样子。反倒是潘教员人未到、声先到了："你们住的条件不错啊。"

冯凯听见有陌生的声音，趿拉上拖鞋迎到了门口，见一位胖胖的老者穿着一件脏兮兮的白警服，斜挎着一个绿书包，手拿着警帽扇着风，喘着粗气跟在顾红星的身后，像追不上他似的。老者胖胖的身材把警服撑得尽是皱褶，就像他脸上的那些慈祥的皱褶一样。

"你看你，有客人也不先说一下，好歹咱们也收拾下。"冯凯对顾红星说道，"请老人家先进屋，咋这么没礼貌呢。"

冯凯用这种长辈的口气和顾红星说话，一开始只是为了内心的小九九，不知不觉已形成了一种习惯，好在顾红星也从没觉得有什么不妥。

老人家叫潘冬，祖籍在龙番市。他自己说名字后面加个"子"的话，就和1974

年热映的经典故事片《闪闪的红星》里的主角名字一样了。不过他自己的经历毫不逊色于潘冬子，他10岁起，就随着家人到大山里躲避鬼子的扫荡，青年时期还参加过游击队，亲手杀过鬼子。后来加入了八路军，做了一名侦察兵。既然是侦察兵，就多多少少要学习一些根据痕迹追踪的知识。不知道为什么，潘冬在痕迹方面似乎很有天分，不仅仅学会了痕迹追踪，还翻出了很多民国时期关于指纹鉴定的书籍，自学了指纹的知识。就这样，1949年后，他转业到了上海市公安局，成了国内第一批研究痕检技术的专家。

因为在痕检专业的突出表现，潘冬被公安部聘请为公安部民警干校的兼职教员，也就是现在说的客座教授。顾红星拿到的那些油印材料，有相当一部分都是潘教员撰写的。

潘教员每年都会受公安部的邀请，来公安部民警干校给培训班的学员们讲一堂课，算是理论和实践相结合的实用教程吧。这一期的培训班，他如约来授课，可是学校的招待所却住满了。因为顾红星他们的宿舍有空床，他又是潘教员的老乡，所以潘教员主动提出来和顾红星一起住。

冯凯没想到这个其貌不扬的胖老头儿，居然这么有来头、有文化，顿时心生崇敬，赶紧请潘教员坐了下来。

"我啊，最喜欢人多的地方了。"潘教员笑吟吟地坐在桌子前面，变戏法似的从包里拿出一瓶茅台。

"我的天，还有茅台喝。"冯凯一喜，居然在警校里都有酒喝，不像在现代，公安和酒，完全就是互斥啊。他数出几张饭票递给顾红星，说："今天礼拜二，食堂里只有大白菜炖粉条，你就多买一些来吧。"

"没事，我这儿还有！"潘教员又从包里拿出一袋花生米，说，"我年纪大了，晚上不喝点，睡不着。"

顾红星不怎么喝酒，在不熟悉的人面前更不会喝酒，任凭潘教员怎么劝，他都是躲闪着眼神、摇摆着双手。冯凯则毫不客气，和潘教员一边侃大山，一边把一瓶茅台喝了个底朝天。其实，冯凯心里很讶异，因为自己原来的酒量也就二三两，可是现在借着这具身体喝了半斤居然脸不红、心不跳，这以后和人拼酒可就不怕了。

潘教员的战争故事也着实精彩，冯凯听得入迷，觉得比现代最好看的抗日剧还要精彩。而顾红星更感兴趣的是潘教员在1949年后破获的一系列大案。他也是津津有味地在一旁安静地听着，在潘教员问到他痕检技术的时候，他却因为紧张而支支吾吾说不出个所以然来。

潘教员倒是毫不为难顾红星，只是豁达一笑，然后有深意地说道："相信我，这门技术会给你一个不一样的人生。"

冯凯心中暗笑，心想，这应该是我的预言才对吧？

不知不觉聊了四个多小时，学校吹熄灯号了，潘教员也酒过三巡、有些微醺了。清醒的顾红星想和潘教员说说"女工案"，可是不好意思开口，于是自觉地开始收拾饭盆。等洗完碗回来后，发现冯凯和潘教员都已经睡着了。

躺上了床，顾红星久久不能入睡。虽然他看起来波澜不惊地听完了整晚的故事，其实他的心里还是风起云涌的。小青年旺盛的雄性激素刺激着他的思绪，毕竟是个七尺男儿，无论他如何不自信，无论他如何不会和人相处，无论他开始多么抵触当警察，但那种披肝沥胆的豪迈情怀依旧充斥着他的心怀。虽然他出生在和平年代，但依旧渴望那种横刀立马的旷达人生。也是在这天晚上，他第一次对公安这份职业，有了些许向往和希冀。

国家安危，公安系于一半。

是啊，作为一名公安，在和平年代，也一样是驰骋疆场、保家卫国啊。我的身体不行，可以去练，练不出来，我也可以用手中的指纹刷来为前线的战友们送上子弹。只要是保卫祖国、保卫人民，和作为一名工人建设祖国有什么区别呢？

想着想着，顾红星也进入了梦乡。他梦见自己骑着一匹火红的骏马，在草原上奔驰，他穿着洁白的警服，挎着五四式手枪，威风凛凛。突然，他的马似乎失了前蹄，他骤然从马背上摔了下来，在草地上翻滚着。

"你摇我床干什么？"冯凯的声音从另一侧床铺响起。

"没有啊。"顾红星也清醒了过来，还是感觉天旋地转。

"不好！地震了！快跑！"穿着背心的冯凯从床上跳了起来，拉起顾红星的胳膊就蹿出了宿舍。

很多宿舍都亮起了灯，也有学员和他们一起跑到宿舍楼外的广场上。冯凯此时很蒙，沈阳怎么会有地震呢？这也太吓人了，这个年代是砖混结构的楼房，恐怕五级地震都扛不住吧。如果他死在了这个年代，还怎么和顾雯雯重逢啊？

"不，不对，我们得回去！"顾红星说完，从广场转头向宿舍楼里跑。

这时候，冯凯才想起来，自己的宿舍里，还住着个潘教员。潘教员晚上喝酒喝得有点醉，此时似乎还没有醒来。

两人冲进了宿舍，一把拉开了灯。没想到胖胖的潘教员此时匍匐在床边的地面上。他的胳膊沾上了黑灰，和白色的背心搭配起来，就像是一只趴在地上的熊猫。

潘教员见他们进屋，一手按着腰间，一边怒喊道："关灯！开什么灯！"

冯凯顿时就笑了。从潘教员的姿势来看，是晚上故事说多了，恍惚之间还以为在打仗的年代。地震发生后，潘教员从睡梦中醒来，以为是有敌情，于是做出了这副卧倒、隐蔽、准备掏枪的姿势。而此时开灯出现亮光，就是暴露自己了。

"不是打仗啊，是地震。"冯凯忍着笑，去拉地上的潘教员。

"哟哟哟，不行，不行，我腿麻了。"潘教员也彻底清醒了过来。

"我背你，快走。"顾红星蹲下，一把把潘教员扶到背上，可憋了半天劲，仍然怎么也站不起来。

"我来吧。"冯凯替换了顾红星，把潘教员顺利背出了宿舍楼。

在这个过程中，冯凯其实已经反应了过来。这根本不是什么沈阳地震，而是1976年造成巨大人员伤亡和财产损失的唐山大地震①。沈阳只是震感强烈罢了。

背着180斤的潘教员，冯凯并没有感觉到累，并不是因为他有多强壮，而是他陷入了深深的自责当中。来到了广场，他都忘记把潘教员放下来休息。

顾红星发现了冯凯的异常，试图询问他怎么了，可是冯凯根本听不见他在说什么。

冯凯想着，如果自己能向上级预报唐山大地震，是不是就不会死那么多人了呢？可是他转念一想，自己似乎也改变不了历史。首先自己并不记得唐山大地震的具体时间，其次即便他去预报了，无凭无据的，恐怕最大的可能是被当作一个精神病人给抓起来吧。想到这里，冯凯沉重的心情也就释然了一些。

潘教员的双腿已经恢复了知觉，可以正常行走了。他对顾红星和冯凯感激至极，他说，患难中才可以见真情。两人的行为，让潘教员想起了战争年代的战友情，十分感动。冯凯赶紧把顾红星推到潘教员面前，说第一个想到冲回去找潘教员的可是他，这个功劳自己可不敢乱抢了。

潘教员听完更是感动，他背着手，绕着瘦弱的顾红星走了几圈，眯缝着眼睛打量这个腼腆的年轻人。顾红星哪受得了，他几乎连手都不知道该放在哪儿了。潘教

---

① 唐山大地震：1976年7月28日3时42分53.8秒，在中国河北省唐山市丰南一带发生了强度里氏7.8级地震。地震造成242769人死亡，164851人重伤。

员对顾红星说："我觉得你，不错。我把我办公室的电话和地址都写在你笔记本上了，以后工作中遇见技术难题，记得来电话或电报，保证药到病除。"

多么淳朴的报答方式啊，冯凯想。

我什么时候能有潘教员的这种自信？顾红星想。

在信息不发达的二十世纪七十年代，突然发生了如此重大的事情，学校领导甚至都不知道是什么情况。老师和学员们在广场上聚集了一个小时的时间，天似乎都要亮了，大家这才发现应该不会有余震了，于是纷纷又回到宿舍补了一会儿觉。

第二天的课程照常继续，中午时分，大地震的消息总算是传到了学校里，而学校的总教官也在午饭后吹响了紧急集合哨。

在这届学员整齐的队列前方，总教官通报了唐山大地震的大致情况。一座工业城市，在一夜之间，几乎夷为平地，铁路甚至都已变形，交通几乎瘫痪，伤亡人数以十万计。一方有难、八方支援，全国多地设置了唐山大地震伤员救治点。可能在今天下午，就会有伤员被送到附近救治点进行救治。学校领导决定，公安部民警干校在校全体学员，打点行装，赶赴伤员救治点，为救治点的伤员搬运、秩序管理、物资运送提供保障。其间所有课程，改为自学。

不管什么年代，公安的行动力和执行力都是相当强的，就在总教官训话后二十分钟，学员们已经纷纷打点好背包，跳上一字排列的解放牌卡车的车厢，向救治点进发。

对冯凯来说，这种事情司空见惯了。在二十一世纪，公安可以说是对社会覆盖面最广的一个职业了。疫情当前，警察不退；洪水来袭，警察不退。无论是天灾还是人祸，都少不了警察的身影。别说在最基层的派出所了，就是在局机关刑警支队工作的日子，冯凯也会经常被派到一线去执行各种各样的任务。

而对顾红星来说，这算是一件相当新鲜的事情了。看着那一辆闪着警灯的北京吉普在车队前引路，看着整齐的卡车车队在发动机的轰鸣声中进发，看着车厢里衣着整齐的战友们斗志昂扬，顾红星似乎有一种即将赶赴战场的激动和渴望。前一天晚上在顾红星胸中涌动的那股激情，此时更加强烈。

几个小时车程之后，他们抵达了救治点。这是一片空旷的平地，无数工人正在搭建帐篷作为临时救治、住宿的地点。虽然现场很简陋，甚至用水都要去附近拿水桶装。但这种场景让冯凯立即想到了2020年的火神山、雷神山方舱医院。是啊，只

有在中国共产党的领导下，在全心为民的政府的指挥下，在全中国人民的团结奋进中，二十一世纪的中国才能取得举世瞩目的成就。无论是1976年，还是2020年，在天灾面前，中国人只有团结一心，才能昂首挺胸、同舟共济、共渡难关。

学员们抵达救治点后，立即按照各个区队赶赴救治点的各个区域，帮助工人搭建帐篷。帐篷搭建的效率，瞬间提高了一倍。

救治点当然不只有警察，医护人员更是主角。

沈阳市各个医院都抽调人手赶来开展工作，但救治点的医护人员数量还远远不够。学员们正在担心，很快就看见又有十几辆大卡车，拉着穿着洁白的白大褂的医护人员赶赴了现场。卡车上飘扬着两面旗帜，一面是党旗，另一面写着"沈阳医学院"。

看来，沈阳医学院在校的工农兵大学生们，此时也被拉上了"战场"。

有了足够的人手和有效的指挥，现场有条不紊。在第一批轻伤员被拉到救治点之前，救治点的建设工作就已经全部完成了。

虽说主战场是医护人员们在奋战，但公安部民警干校的学员们也丝毫没有闲着。顾红星因为身体瘦弱，被分配到物资看管分队，而人高马大、开车又麻利的冯凯，则被分配到运输分队。顾红星隐约觉得自己又一次成了替补，但他什么也没说。

冯凯虽然得到了"重任"，但他很快就发现，这边的情况比自己想象的要轻松。因为送到他们救治点的，目前都是轻伤员，情况并没有大碍。冯凯不知不觉便松懈下来，经常会借着上洗手间或者喝水的机会开小差。既然不是人命关天的大事，那么就不需要绷紧神经，能少干一点就少干一点，这是冯凯的人生信条。

这天，冯凯又躲在帐篷后面"摸鱼"，悄悄看着顾红星忙得满头是汗的滑稽模样发笑。一个长相清纯，但看起来有些呆萌的小女孩过来找顾红星交接物资。她穿着白大褂，应该是沈阳医学院的学生。

女孩显得有些着急，但顾红星一如既往地一丝不苟，逐条核对着物资清单。

"快点儿行吗？去晚了我又要挨骂了。"女孩跺着脚说道。

"不对不对，你拿的物资少了酒精啊。"顾红星红着脸，并不敢直视女孩的眼神。

"哦，对，我给忘了。"女孩放下怀里的一大堆物资，钻到帐篷里找酒精。

"我帮你找。"顾红星也钻进了帐篷。

不一会儿，女孩拿着两瓶酒精走了出来，拔腿就往病房帐篷走。

"哎，你其他东西不要了吗？"顾红星连忙叫住了女孩。

女孩猛地停下脚步，狠狠地拍了拍自己的额头，又返回去拿其他物资。可是物资太多了，她一个人根本拿不了。

"我帮你送过去。"顾红星抱起其他的物资，和女孩并肩走去。

"这走路的姿势，像是我的丈母娘啊。是啊！不会错的！顾红星这小子遇见生人就会结巴，结果和这女孩说话一点也不结巴。这不是爱情，还能是什么？哈哈，顾红星你小子的爱情终于来了。"冯凯站起身，拍了拍屁股。

想到这里，冯凯有些伤感。自从结婚后，他从来没有和顾雯雯分开一个月时间。这一个月来，他其实每天晚上都在思念顾雯雯。不知道这段日子，雯雯那边怎么样了，她的时间还在正常流转吗？她是不是也一样担心着他、思念着他呢？自己还能再见到雯雯吗？不过，既然顾红星已经找到了老婆，自己还怕找不到雯雯吗？这样自我安慰着，冯凯顿时觉得有些好笑，但也感到一丝心安。

可是他转念一想，立即又发现了不对的地方。

这个救治点的医护人员，都是沈阳医学院的工农兵大学生，可是自己的丈母娘明明是中国医科大学毕业的啊！

一阵寒意涌上心头，冯凯连忙追上了顾红星二人，猛地拍了一下顾红星的肩膀。

"你不是在运送伤者吗？怎么跑这里来了？"顾红星被冯凯吓了一跳。

趁此机会，冯凯瞥了一眼顾红星身边的女孩。这女孩长相太稚嫩了，看起来也就十八九岁的样子。而他认识自己丈母娘的时候，丈母娘已经快五十了。而且二十世纪七十年代，大家穿着都一样，冯凯实在不敢断定这个长相稚嫩的女孩是自己的丈母娘。

"医生您好，呃，请问您怎么称呼呢？"冯凯开口问道。

"我姓王，王金叶。"女孩一边急匆匆走着，一边回答道。

"你快回去吧，别让队长发现你开小差。"顾红星小声嘀咕道。

顾红星哪里知道，此时冯凯的心情已经掉落进了冰川。因为冯凯很清楚，自己的丈母娘叫林淑真，毕业于中国医科大学。

这个女孩，不是顾雯雯的妈妈。

燃烧的蜂鸟

第二章

枪战

1

冯凯很是烦恼，干活儿都干得心不在焉的。他的注意力经常会被顾红星吸引过去，看着顾红星和王金叶两人忙碌地交接着物资，越看越心急如焚。

这样下去，那顾雯雯的出生可就拿不准了！

想到这里，他就热血上涌，自己困在这个时代没问题，但要是顾雯雯消失了，那就是剥夺了自己"回去"的所有希望和动力，他不能这么放任不管啊！于是冯凯忍不住总是过去打断顾红星和王金叶的交谈，或是在王金叶过来领物资之前，把顾红星强行赶去上厕所。

顾红星没有意识到冯凯在干什么，还憨直地坚守着自己的岗位。只有冯凯知道，他这些看似胡搅蛮缠的行为，只不过是因为自己对顾雯雯的思念之情已经到了决堤的边缘。离开自己的世界已经两个月了，他每次发呆的时候，都会想到和顾雯雯在一起的时光，心里涌起一种温暖而又悲凉的矛盾感受。

其实冯凯，准确地说是陶亮，在大一的时候就注意到顾雯雯了。每次大班[①]上警体课的时候，陶亮都会尽力"表演"自己的特长。在散打示范的时候，他的对手总是抱怨他为什么一到大班课就像打了鸡血，下手那么重。陶亮则嬉皮笑脸地说："平时多挨揍，战时能保命。"顾雯雯似乎很喜欢有警体特长的男生，虽然她自己是学技术的，警体课要求没那么严格，但她总是很认真地看完陶亮的"表演"。而陶亮，也经常有意无意地出现在顾雯雯的身边。陶亮的这个特长也很快就用上了。一次，顾雯雯周末出去玩，被五个隔壁学校体育系的男生言语戏谑，这个场面"恰巧"被"路过"的陶亮看见了，于是就上演了一次老套的"英雄救美"。陶亮以一敌五，将男生们打伤。后来隔壁学校来警院告状，也正是顾雯雯不在意别人的流言

---

① 作者注：几个班级集合一起上课，就是大班课。

蜚语，主动站出来说明情况，才让陶亮没有被处分。

从那时候起，两人的联系就多了起来，陶亮隔三岔五就会给顾雯雯买各种好吃的、好玩的，也会约她去网吧。有一个周末，两人约着去网吧，结果上网耽误了时间，回来的时候，学校大门已经关闭了。不按规定归校，这在刑警学院是绝对不允许的，所以他们只能选择翻墙入校。可是翻到墙头上的时候，却和墙根下站着的两名戴白色头盔的督察撞了个对眼。还好这次只是被扣了行为分，并没有被处分，但是两个人的绯闻就彻底在学校里传开了。

刑警学院是不允许谈恋爱的，所以两个人在大三的时候虽然确立了关系，但还是属于"地下活动"。陶亮平时训练用力过猛，衣服上总有些顽固的污渍或血迹，他洗衣服笨手笨脚，老是洗不干净，顾雯雯看不下去，有时候会主动帮他洗。因为在女生寝室里晒了男式制服，顾雯雯还被督察盘问过。

每次想到这些事情，冯凯的嘴角就会洋溢起一丝微笑，可是接着想到自己和顾雯雯天各一方，又无比苦涩。但是这种思念促使冯凯下定决心，一定要拆散顾红星和王金叶，保证顾雯雯的顺利出世。说不定，这就是他"穿越"回来的任务呢？

拆散顾红星和王金叶有很多办法，比如自己用勇武的外形去吸引王金叶，可是冯凯觉得这样做实在是太渣，而且自己的心里只有顾雯雯。不过机会很快就来了，一直暗中留意二人的冯凯，发现天天忙忙碌碌的王金叶身后，总有一个男医生。

"哎，你知道吗？那个王金叶，有男朋友了。"冯凯装作若无其事的样子，端着铁质的饭盒晃悠到顾红星的身边，说道。

"啊？"顾红星一脸疑惑地抬起头来。

"啊，男朋友，就是对象的意思，她有对象了。"冯凯已经过来两个月了，慢慢地已经知道哪些名词在这个时代还很陌生。

"哦。"顾红星继续低下头去整理物资，从他的表情里，冯凯看不出一丝波澜。

"我跟你说哈，她对象是个医生，长得可帅了。"冯凯继续加码，"嗨，你咋没反应啊。"

"我应该有什么反应？"顾红星还是一脸疑惑地看着冯凯，在那一刻，冯凯似乎觉得自己的担心是多余的，顾红星并不是对王金叶有意思。不，顾红星明明遇见陌生人就不会说话，可是和王金叶确实沟通很顺畅，这不会是错觉。

"你不知道，小王和那男医生可亲密了。"冯凯说，"感觉两个人形影不离的。"

突然，他们所在的物资临时仓库的帐篷门帘被掀了起来，小脸憋得通红的王金

叶闯了进来，气鼓鼓地说："我没有！我没有对象！他是我的搭班医生！"

突如其来的变故，让冯凯猝不及防，饭盒都差点掉到了地上。

倒是顾红星像什么都没有发生过一样，拿过一大包物资递给了王金叶。

王金叶盯着顾红星说："你究竟有没有在听我说话？"

"有啊，知道了。"顾红星轻描淡写地回答道。

王金叶的脸色这才恢复了一些，她转头对冯凯说："一个大男人，不要学人家嚼舌根。"

看着王金叶转身离去的背影，冯凯依旧没有回过神来。而顾红星仍然在整理着物资，嘴角似乎挂着一丝微笑。

傻子都能看出来是怎么回事，如果王金叶对顾红星没那意思，一个女孩为什么要向一个毫不相干的男生来解释她其实没有对象呢？

冯凯放下饭盒，狠狠地拍了拍自己的额头，心想自己是真的笨，弄巧成拙，反而成了这两个人的情感催化剂了。

接下来的半个多月，冯凯天天看着两个人有说有笑，心如刀绞，又不知道该如何是好。好在地震赈灾任务很快结束了，学员们都回到了自己的学校继续学习。而公安部民警干校，平时不让出门，又没有现代的电话、手机可以联系，两人再要保持联系就难了。为了以防万一，凡是顾红星要请假出校门，冯凯一定跟在后面，说是为了顾红星的安全着想，其实就是害怕他去和王金叶约会。冯凯认为通过几个月的冷处理，顾红星应该会忘记这段小插曲吧。

因为赈灾任务耽误了一个半月的时间，培训又想在春节前结束，所以学校在晚上也安排了课程，让学员们的学习生活变得更加充实了。这期间，国家发生了一些大事，虽然冯凯知道这会对国家产生深远的影响，但是当时的大多数人并没有意识到它有什么历史意义。尽管大家每天会用一节课的时间来学习政策决定，也是学得云里雾里的。

在紧张的学习氛围中，天气逐渐由热转凉，很快已是冰天雪地。因为室内有暖气，冯凯甚至都不愿意回到潮湿阴冷的南方了。可是随着年关的接近，教员终于在二月初，结束了本次培训。培训班结束的那一天，学校在食堂里给学员们狠狠地加了菜，每个人有三个菜可以吃，还提供了白酒。

毕竟在一起生活了大半年，大家已经产生了深厚的战友情谊，所以冯凯根本没把持住，把自己给喝倒了。终于可以回到自己熟悉的城市，开始全新的人生了，他还真的不知道，1977年的龙番，究竟会是个什么样子。虽然档案里写着冯凯是个孤儿，回去也没有亲人，但陶亮的父母应该也在龙番，不知道在那个城市里，自己会不会遇到年轻时的他们呢？迷迷糊糊地这样想着，冯凯听见把他架回宿舍的顾红星嘟囔了一句话。

"王金叶也分配去龙番了。"

这句话就像是晴天霹雳，一下把本来醉了的冯凯给震醒了。他原来认为这几个月的时间里，顾红星和王金叶已经彻底断绝了联系，可没想到目前的状况要严重一百倍，这个小妮子居然分配到他们的城市了。据冯凯的了解，这小妮子和龙番并没有什么直接的联系，既然距离这么远都能分到一个城市，说明她肯定是主动填的志愿。为什么会填这样的志愿，那可想而知了。

曾几何时，当陶亮知道平步青云的高局长也喜欢顾雯雯的时候，他都没有丝毫的危机感。而此刻的冯凯，却深深感觉到了不安。

"你咋知道的？"冯凯问了一句。

"写信。"顾红星很简短地回答了冯凯的疑惑。

好嘛，冯凯一直以为在这个信息不通畅的年代，只要他们不见面，就没什么多大的事儿，可他恰恰忘记了防备在这个年代最常用的交流手段——写信。

木已成舟，冯凯也改变不了什么，他思绪万千，琢磨着如何在回到龙番之后，再耍一些小聪明来拆散他俩。拆散他俩最好的办法，就是尽快在龙番找到自己未来的丈母娘——林淑真。嗯，林淑真，毕业于中国医科大学，好像一直在龙番市人民医院工作，会不会就是王金叶的同事呢？看来自己得冒充王金叶的朋友，先去人民医院里侦查一下再说。

回龙番的路上，冯凯比去沈阳的时候要兴奋得多。毕竟回到自己熟悉的城市，可以寻找到更多的线索。他得知道自己为什么会来到这个年代，如何才能回去和顾雯雯相聚。说不定他还可以帮助顾红星找到真命天女，说不定也可以看看自己父母年轻时候的样子。一切的未知都那么有吸引力，让他浮想联翩。更让他高兴的是，王金叶并没有和他们坐同班火车去龙番，估计是得先回老家处理家里的事情吧。这让冯凯觉得，顾红星和王金叶之间的关系并没有想象中那么如胶似漆，那么他就有机可乘。

下了火车，冯凯就蒙了，眼前哪里是什么熟悉的城市。对他来说，简直陌生到

不能再陌生了。甚至让他觉得，自己穿越回来的，会不会是个和自己生活的城市毫不相干的平行世界？

龙番火车站破旧不堪，砖垒的一层候车室想要学习欧式风格却又学得丝毫不像。"龙番"两个大字矗立在一层候车室的房顶上，被风一吹摇摇欲坠。站前广场更是混乱不堪，各种衣衫褴褛的人横七竖八地躺在可以避风的灌木之中，还有很多面色黝黑、拿着破碗和拐杖，到处行乞的乞丐。站前广场没有任何商店，甚至没有路灯，人们只能借助月光来分辨方向。其实，说是站前广场，它既不广，也不像个场。整个广场大小估计只有现代的龙番高铁站广场的十分之一大小，广场的路面是年久失修的水泥路面，坑坑洼洼，一不小心就会被绊个跟跄。广场外面就是龙番的城市道路了，也是破旧不堪的水泥地面，路上甚至看不到任何车辆。

怪不得顾红星到了沈阳，会像是刘姥姥进了大观园呢，原来这个年代的龙番，真的就是个有楼房的农村吧。

"我们，去哪儿？"冯凯咽了口唾沫，问道。

"回家啊。"顾红星说道，"我给局里发了电报，局里回话说让我们休个礼拜日，后天再去报到。"

冯凯心里想，你倒是有家，我去哪儿呢？

顾红星很敏感，像是看透了冯凯的心思，于是说道："我听说你家在镇上，很远，家里又没别人，这大半年了，估计也住不了。不如你这两天就住我家吧，礼拜一局里肯定会给你分宿舍的。"

冯凯心中一阵暖意，他一直害怕孤独的感觉，所以一直很黏顾雯雯。他心想，老丈人顾红星不就是我的家人嘛，于是一点也没客气地同意道："那我们怎么去？"

"走去啊，还能怎么去，很近的，就十里路。"顾红星背起被褥，领头走去。

"十里路！"冯凯知道现在的这副身躯速跑五公里轻轻松松，可是他的精神却没那么轻松。坐了两天两夜的火车，又要在大冷天走这么远，他实在是懒得动了。不过，在这个交通不发达的年代，还能怎么办呢？

也就走了半个多小时，他们来到了政府大院里，里面有几栋三层的红砖楼房，在周围的平房中很突出。冯凯知道，这是到了顾红星这个干部子弟家了。

"红星回来了！哎呀，你怎么晒这么黑啊！这大半年，累不累啊？"顾红星的母亲打开门就把顾红星紧紧抱住，上上下下地打量，"接到你电报我就天天在盼着了。"

"挺好的，公安队伍果然锻炼人，壮实了不少。"顾红星的父亲坐在客厅饭桌旁，端着一张报纸。

原来这就是顾雯雯的爷爷奶奶，冯凯在相册里看到过他们年老的样子，和现在相比截然不同。在他们的面前，自己的老岳父也只是一个普通家庭的远归的孩子。冯凯不知道为什么忽然觉得很感动，加倍思念起顾雯雯和自己的父母来。

"这是冯凯，我同事，这两天住我们家。"顾红星说道。

"好的，这就是小冯呀，在学校里你一直照顾我们家红星，真是谢谢你呀！他写信回家总是提到你，在这里住千万不要客气，就当成是自己家——我马上去把客房收拾出来。"顾红星母亲很热情。顾红星和他妈妈的性格差太多了，冯凯想着。

"妈妈，你不上班了吗？"顾红星有些不好意思，转移话题。

"是啊，出了那事情之后，就让我退了，正好，我也该休息休息了。"

母子二人一边聊着，一边去收拾房间了。这个三室一厅的小房子，在这个年代的城市里，已经算是豪宅了。

"以后你还得多照顾照顾那小子。"顾红星的父亲伸出手来和冯凯握手，说，"这小子性格有缺陷，你多指点指点他。"

"啊。"冯凯一时恍惚，不知道该随顾雯雯喊眼前的这个中年人爷爷好呢，还是该喊叔叔好，"好的，您放心，保证管得妥妥的。"

第二天一早，冯凯早早地就出门了。他想让这一家三口好好聚聚，同时他也想一个人好好看看这座陌生又熟悉的城市。

街上几乎看不到汽车，人们出行都以自行车为主。接近年关，街上的行人不少，不过不论男女一律穿着灰色或者绿色的中山装或军装。走上了长江路，这是龙番市的主干道了，和二十一世纪长江路边鳞次栉比的高楼大厦和宽敞的12车道柏油马路相比，现在的长江路边只有零星的三层小楼，其余都是以平房为主。马路倒是修成了柏油的，但是狭窄得多了。整个市区比现代的龙番市区要小三分之二，冯凯只走了几公里就感觉已经横穿了市区。冯凯走到市民广场旁边，放眼望去，心中有一丝不甘。没有霓虹，没有色彩，这个时代几乎就像是昨晚在顾红星家看的12时黑白电视。好在供应站的楼顶上，有一面鲜红的五星红旗正在随风飘扬，像是告诉冯凯，这一切都是那么真实。是啊，那面旗帜就是冯凯心中的方向和希望。

过了中午，冯凯找了很久，才找到了一家国营的饭馆。他要了一盘炒菜和一

份面条，花了一块五，有些心疼。在二十一世纪，陶亮一直是一个大手大脚的人。家里条件优越，养成了他乱花钱的陋习。在学校同学聚会时，他从不吝啬，每次都是由他来买单。来到了这个时代，因为缺肉少油，开始他总是吃不饱，所以就花得多、买得多，等到了月底他数着粮票和工资才知道，不节约还真的过不下去。也在这种时候，他才能体会到在二十一世纪没有体会过的"月光族"的艰苦生活。

不知不觉，一天就过去了，冬天的夜晚来得特别早，冯凯也琢磨着可以回顾红星家蹭顿晚饭了，让他晚餐再花一块五，他还真的是有点舍不得。路过人民公园，可以依稀看到几对男女在散步，脸上洋溢着爱情的幸福感。这让冯凯又想到了顾雯雯，在那边的雯雯不知道现在在干什么，是不是也在想念他呢？他总是让她失望，还值得她思念吗？

2

礼拜一，是2月14日。当然，这个时代的中国人并不会去过西方的情人节。距离除夕夜还有两天，街上已是一片熙熙攘攘的过年景象。

刑侦科全体成员一大早就迎在了市公安局的门口，许久不见的穆科长站在最前面，无比热情地握住了冯凯和顾红星两人的手。

"我们刑侦科总算有八个人了，人手算是勉强够用了。"穆科长爽朗地笑着，满脸的褶子都笑得连成一片了。

冯凯心想这个老头儿还真是实诚，这种欢迎仪式上的开场白可真够现实的。

"欢迎公子哥、老K！我年纪比你们大，以后喊我老头儿就行。"穆科长直爽地介绍道。穆科长说话带着一些龙番的本地口音，就像连珠炮一样，语速极快，可以看得出，是个性子很急的人。

听到这个久违的绰号，顾红星瞬间涨红了脸，冯凯赶紧澄清道："各位好，我是冯凯，大家喊我小冯就行，这是顾红星，喊他小顾就行。"

"行，小冯小顾，以后就你们俩一组。"穆科长回头指了指身后的几个人，说，"老赵、老马、老陈，加上我，都是廉颇老矣。还有小肖、小秦，也是你们的前辈了，比你们早来七八年。行咧，都认识了吧？"

冯凯忍不住眼前一黑，这种介绍，谁分得清谁是谁，谁记得住谁是谁？

其他几个人也跟着笑了。

有人笑着伸过手来，招呼道："老头儿就是这样，回头咱们自己一一认识吧。"顾红星看到大家习以为常的模样，顿时也放松了许多，但还是不太敢吭声。

倒是冯凯还有些疑惑："我们俩一组？——欸，老头儿，他不是应该去刑科所？"

"什么所？我们这里只有派出所和看守所。"穆科长并没有对他听不懂的名词产生好奇，笑着说道，"以后大家都在刑侦科，都干一样的活儿。"①

原来这个年代，刑事技术还没有成为专门的警种，并没有专门的人去做技术，也就是说学习技术的顾红星不仅仅要干技术的活儿，也得和他冯凯一样，干侦查的活儿。这似乎对瘦弱的顾红星来说，并不公平。

"你们都没有专门干技术的，让他学技术干吗？"冯凯指了指顾红星。

"废话。"穆科长眼睛一瞪，说，"就是没有干技术的，才得要个干技术的。别人局子里有的东西，咱们也得有。"

"可是他不是东西。"冯凯说。

顾红星拉了拉冯凯的衣角。

"怎么了？你有什么想说的吗？"冯凯问道。通过大半年的朝夕相处，冯凯基本摸准了顾红星的性格，知道他似乎有话要说。

"工，工具。"顾红星小声说道。

"哦，对了。"冯凯一边和穆科长一行人往三层的公安局办公楼里走，一边问道，"你让小顾搞技术，总得给他一套工具吧？搞技术总不能瞪着眼睛干搞。"

"工具？要什么工具？"穆科长眼睛又一瞪，说，"要花钱，免谈。"

"喏，工具这里有。"另一名五十岁左右的老民警从肩上卸下一个单肩包，从里面把一沓手套拿了出来，然后把包递给了顾红星。这位老民警说话慢慢的，和穆科长恰好相反。

顾红星慌忙接过包，打开一看，见里面有两把刷子和几瓶粉末，这对一个入门级痕检员来说，已经足够了。

冯凯见顾红星面露喜色，知道他的目的已经达到了，于是问道："您这可是帮了大忙了，不然我得给他烦死。对了，您贵姓啊？"

---

① 作者注：刑科所指的是刑事科学技术研究所，是现代物证技术警察组成的部门，隶属于刑警支队。冯凯以为顾红星应该去技术部门，而自己应该留在侦查部门。但二十世纪七十年代，不管干不干技术，所有人都是属于刑侦科。

"刚才穆科长不都介绍了吗？"老民警操着一口浓重的皖南话，一脸笑嘻嘻的表情，说，"我姓马，法医。"

"哟，这时候已经有法医了啊。"冯凯有些诧异，接着问道，"那你是哪个医学院毕业的？"

"什么医学院。"老马慢慢地说，"我当兵的，卫生员。"

"卫生员？卫生员能干法医吗？据我所知，解剖学还是挺高深的。"冯凯更诧异了。

"高深个啥。"老马一边说，一边用手指在冯凯胸前比画着，"不就这样一刀拉开，往两边扒拉扒拉就行了。"

这一比画，把冯凯比画出一身冷汗，他连忙把老马的手从胸前打开。老马哈哈一笑，踱着步子，慢慢走进了办公室。

"今天上午没有什么工作安排，下午才有。"穆科长走进办公室，指了指里面靠墙的两张桌子，说，"这两张桌子是你们的，都是老前辈留下的。喏，这串钥匙，是给冯凯分配的单身宿舍。宿舍有两张床，小顾你要是愿意和他住，就住一起，不愿意，你就回家住，反正你家也近。"

说得很快，顾红星反应了一会儿，连忙点了点头。

"你们把工作资料放好，就可以去宿舍休息。"穆科长说，"中午饭之前回来，给你们开齍，然后布置下午的任务。"

"开齍？开齍是什么东西？给我们下马威吗？欺负新人吗？"冯凯问道。

几个民警哈哈一笑，没回答，各自忙去了。

冯凯一脸莫名其妙地把被褥放到那张破旧不堪的小办公桌上，办公桌随之剧烈地摇晃了几下。冯凯连忙一把扶住，说："我的天，这桌子要散架了。"

顾红星倒是毫不介意，挨个抽屉拉开，然后把他从学校带回来的油印教材和自己的笔记本，分门别类地放到几个抽屉里。最后拿出一块抹布，认真地擦拭着办公桌椅的各个角落。

冯凯坐在有些硌屁股的凳子上，等顾红星把他的桌子收拾好，然后背起被褥，手指上绕着钥匙，说："你这么勤快，走吧，帮我收拾收拾宿舍去。"

两人出了公安局的大门，沿着围墙绕到公安局后面，就到了几栋三层筒子楼的中央。那个时代的筒子楼，每层都有一条长廊，连着一个个单间，长廊两端的尽头，是两间公用盥洗间和卫生间。虽然条件艰苦了点，但冯凯觉得新鲜，又不用像住在顾红星家里那样拘束，还是很开心的。

冯凯背着包一路走在前面，吹着口哨，一步两台阶地跑上了二楼，跑到楼道口时，差点儿和一个正吃力地抱着一床被子的小姑娘撞了个满怀。小姑娘一个趔趄，手背撑住了楼道墙壁，这才没摔倒。

还没来得及道歉，冯凯就一眼认出了眼前这个扎着两根麻花辫的姑娘，不是别人，正是王金叶。这一惊，又让冯凯出了一身冷汗。

"你怎么在这儿？"到嘴边的"对不起"被冯凯生生地咽了下去，变成了疑问句。

王金叶差点被撞倒，见撞她的人恰恰是"长舌男"冯凯，本来怒目而视，紧接着她看见了跟在后面的顾红星，表情这才缓和了一些。

"我住这儿，怎么不能在这儿？"王金叶说完，腾出一只手，从口袋里掏出一块绣着绿色文竹的白色手帕，擦了擦手背上的灰。

"你住这儿？没跑错门楼子吧？这里是公安局宿舍！"冯凯嚷嚷道。

"谁说这是公安局宿舍了？这也是我们医院的宿舍，也是税务局的宿舍、粮食局的宿舍、法院的宿舍。笨！"王金叶扒拉扒拉说了一大堆。

冯凯站在走廊上左右看看，是，这幢宿舍虽然在公安局的后面，但也在挂着红十字的人民医院的前面。左右都是政府的单位，所以这一片就是多个单位一起盖起来的单位宿舍了。

冯凯顿时愣住了，王金叶也不理他，抱着被子走进了207室。冯凯默默地抬起手来，看看自己206室的门钥匙，郁闷无比。好巧不巧，正好和这姑娘住了隔壁，这以后斗嘴的日子肯定少不了。她也真是够阴魂不散的，哪儿都能遇上。

怀着郁闷的心情，冯凯拉着顾红星去收拾宿舍。其实宿舍里也没什么好收拾的，里面除了和刑警学院一样的两张床、一张桌子以外，什么都没有。唯一能做的，就是把床铺和桌子抹干净。

看着顾红星抹完了一张床，又在另一张床上抹，冯凯没好气地说："那张床不用抹了，反正用不着。"

"用得着。"顾红星的声音像是蚊子在哼，"我也过来住。"

冯凯再次吓出了一身冷汗，他猛地跳了起来，但很快又冷静下来。确实，穆科长说的是这间宿舍是他们两个人的，顾红星可以选择在这里住，或是在家里住。

"你来这里住干啥？澡都没法洗，你住家里多爽。"冯凯尽量使自己的口气缓

和一些，劝道。

"冬天洗澡肯定是要去澡堂子的，夏天就冲个冷水就行了。"顾红星小声说道。

"你这么近都不回家，不怕你妈妈难过啊？"

"我要是天天回去，我爸才会难过。我礼拜日就可以回家啊。"

冯凯感到深深的无力感，他很清楚顾红星留下来和他同住的原因，但是自己又不好点破，省得伤害了顾红星脆弱的自尊心。

忙活了一上午，顾红星还回家拿了被褥和生活用品，就到了穆科长说的午饭前的时间了。因为王金叶的突然出现，让冯凯差点就忘记了对"开豁"的好奇。其实穆科长口中的"开豁"，并不是指什么新奇的运动，只不过是一次聚餐罢了。实际上，公安局有食堂，饭菜质量和公安部民警干校差不多。但凡一些加班或重要的日子，刑侦科的几个人就会在一起凑钱聚餐，类似于现在的AA制。只不过这一次他们还加入了一些娱乐的成分在里面。具体玩法是，由穆科长在白纸上画一棵大树，大树下面有八根根须，每根根须上写着"一元""两元""白吃""跑腿"的字样，再将根须折起来。每个民警选择一根根须，然后按照抽到"一元""两元"的数量交钱，最后由抽到"跑腿"的人拿着钱去国营饭馆里打一些菜回来，就算是聚餐了。

虽然这些小老头儿玩得不亦乐乎的，但冯凯实在没觉得这种形式有多么有趣。反而因为抽到了"两元"而郁闷不已，甚至觉得这些小老头儿肯定在哪里作了弊。但让他诧异的是，跑腿的老马居然还买回来了一瓶散装的老白干，一人分了一两多喝了。中午喝酒，这对冯凯来说，是不可思议的。从他对警察这个职业有印象开始，他就知道警察在工作日中午是绝对禁止饮酒的。而穆科长对此的解释是，下午任务很轻，所以在欢迎新人这种仪式上需要一点酒，不喝多就行。

一直到吃饱喝足，穆科长才不再卖关子，给顾红星和冯凯交代了下午的任务——洗澡。任务目标是，着便装到公安局附近的一个澡堂子洗澡，洗完之后占着澡堂子里用于澡后休息的浴床，一直不出来，等上级通知后，才准出来。

"这算什么任务？"冯凯领到任务后，大失所望。自己来到新的年代，开启警察人生的第一项任务竟然是洗澡，这让他怎么都觉得不大光彩。

这个时代，冬天洗澡只能去公共浴池，而龙番市的公共浴池看起来数量并不多，因为当冯凯、顾红星来到浴室门口的时候，发现门口已经排起了长队。浴室管理员正在和大家解释今天浴池已经满了，需要耐心等待，或者改天再来。可是并没有人会改天再来，毕竟再过两三天就过年了，越往后人会越多。

正当两人担心一下午都不一定能进得了浴池完成任务的时候，有一个人过来朝冯凯和顾红星招了招手，然后带着两人从浴池后面绕进了浴池。

"这，不太好吧？"顾红星有些局促，总不能以公安人员的身份走后门啊，好在他们并没有穿警服。

"我觉得挺好的，早完成任务早回家睡觉。"冯凯倒是无所谓，心里还在盘算着怎么拆散顾红星和王金叶。

这种老式的浴池，和冯凯小时候记忆中的没有两样，瓷砖的地面和池壁，浑浊的池水，已经锈迹斑斑的、没有花洒头的淋浴间，走在浴室里，还要小心翼翼，防止地面太滑而摔跤。浴室的外面是休息间，有十几张浴床。浴床的木质结构外面包裹着海绵和人造革。浴床的中间有可以掀起来的盖子，盖子下面是一个存放衣物的箱体。洗完澡后，走到休息间，会有管理员扔给你一条热干毛巾，擦完身体躺在浴床上，十分惬意。这种感受，冯凯只在小时候体验过，二十世纪九十年代中期，这种公共浴池就很少了。

浴室里有十几个人，大部分看起来，都在上午的时候在公安局见过，基本可以断定这个浴池已经被公安局的人控制住了。看起来，这还真不是个简单的任务。

冯凯和顾红星从坐火车回来就没洗过澡了，这时算是痛痛快快地泡了个澡，然后按照任务指令，躺在浴床上占位置。听着门外等不及的人们骂骂咧咧，顾红星有些坐立不安。

"嗨，你躺好行不行？"冯凯被顾红星一会儿站起来，一会儿坐下来搞得烦躁，于是说道，"这是在完成任务，别被敌人看出来。"

"敌人？"顾红星听到这两个字，瞬间紧张起来，身上的鸡皮疙瘩都冒了出来。

"别紧张，我们就是跑龙套的。"冯凯说，"来，说说话，这样正常点。对了，你前一段时间，总是做噩梦的状况改善了吗？"

顾红星躺到床上，咬着嘴唇想了想，说："还是会时不时做噩梦。"

"你这心理素质也太差了。"冯凯说，"死了个人而已，至于给你造成大半年的心理阴影吗？"

"不是死人的问题。"顾红星说，"因为我最先到了现场，我记得在机器的旁边，看到一个鞋印。在学了痕检之后，我越发觉得这个鞋印不简单。"

说话间，一个高大的男人带着一个瘦子醉醺醺地从后门走进了浴室。看着他们

醉醺醺的样子，冯凯觉得他们可能就是公安的目标了，否则非公安人员怎么能从后门走进来呢。两个人找到了冯凯身边的两张空床，将衣物脱到箱体里，然后一边拉着家常，一边走进去洗澡。两个人刚刚掀开帘子走进浴室，就有两名刚才在浴床上休息的男人走了过来，拉开瘦子的箱体，在里面找东西。

果然不出所料，这是警察在秘密搜查嫌疑人的随身物品。冯凯想着，让他们来跑龙套，是因为这个时代的人都爱多管闲事，如果有群众在里面，看到一个人去翻动其他人的箱体，说不定就给扭送去派出所了。所以为了保险起见，让浴室里都是公安自己的人，就没什么问题了。在没有技术支持的时代，公安还真是什么办法都敢想啊。

"那枚足迹，就是大家穿的普通解放鞋的足迹，我记得死者，就是那个女工，也是穿着解放鞋，所以开始也并没有多想，毕竟那时候对痕检技术还一无所知嘛。"顾红星则丝毫没有留意到有其他人在翻动隔壁床的箱体，还在低声叙述着最近以来自己心中的疑惑，"你看啊，机器在厂房的东北角，机器皮带是从东往西运转，鞋印在北边的框架上，说明鞋印的主人在机器的北边。他们定性是女工用脚去拨弄被卡住的焦炭，结果被卷入了机器。如果是这样，那女工肯定是站在机器北边，面向西，用左脚拨弄，那么机器边框上留下鞋印应该是左脚，因为用左脚当支撑脚，用右脚拨弄不方便（如下图左边所示）。可如果她是被人推入机器，那凶手肯定是面向南去推她的，因为失去重心，任何一只脚踏上机器边框都是有可能的。

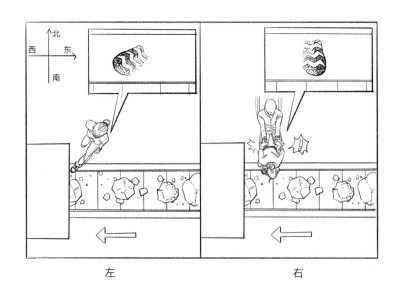

左　　　　　　　　　右

所以关键就在这个鞋印是左脚的还是右脚的。解放鞋足弓和足背对应位置的弧度相似，只靠半个前掌印，难以判断左右脚。但从鞋印整体来看，偏南侧的区域压痕重，一般踏痕都是第一跖骨区域，即第一跖区压痕最重，啊，就是大脚趾下面的区域。如果南侧的压痕是第一跖区的，那么这就是右脚的鞋印，那就不应该是女工留下的（如上图右边所示）。当然，这只是我自己在瞎猜，毕竟我当时很害怕，也记不清楚鞋印实际上是不是我记忆中的样子。"

顾红星一直自顾自地念叨着，而冯凯几乎没有在听他念经一般在说什么。冯凯躺在床上，眯缝着眼睛，实际他的注意力全部集中在那两个翻动浴床箱体的同行身上。两名公安把瘦子的上衣下衣都检查了一遍，并没有找出什么不一样的东西，倒是挂在下衣腰间的一串钥匙引起了公安的注意。他们拿出橡皮泥，把每一把钥匙都造了模。两名公安的动作很隐蔽，为了看清楚点，冯凯甚至还装模作样坐了起来，伸了个懒腰，以此拉近窥视的距离。

两名公安造完模后，走到顾红星的身边，低声说道："你们的任务完成了，可以撤了。还有，以后不要在执行任务的时候讨论案件，会暴露身份。"

看来顾红星的话虽然没有被冯凯听进去，但被两名老公安听得真真切切。顾红星一时紧张，满脸涨得通红，却不知道如何辩驳或解释，"我"了半天就没说出第二个字来。

两名公安转身走了，冯凯倒是并不在乎，他招呼顾红星一起换好衣服，从浴池正门走了出去，在排队人们的指责谩骂声中，扬长而去。

3

冬天泡了个热水澡，被冷风一吹，可以说是神清气爽。

回到刑侦科，科里一个人都没有，看来穆科长没有说谎，大家不论年龄，一个个都是忙得脚后跟打后脑勺。顾红星换好了警服，从穆科长的书架上拿了一本《市公安局档案管理规定》，坐到自己的位置上，一边看一边做着笔记。冯凯没有新的任务要做，百无聊赖，一会儿坐着，一会儿站着，不知道自己该忙些什么。

"嗨，你在干什么呢？"冯凯瘫在座椅上，晃着腿。

"就是刚才和你说的事儿。"

"啊？你刚才和我说什么事儿了？"

"女工的事儿。"

"哦，你还惦记着那事儿呢。"

"我想去调阅一下档案，看看是不是我记错了。"

"那就去呗。"

"我在看调阅程序，还挺麻烦的。"顾红星一边翻着《规定》，一边说道。

"程序个啥啊，你按那上面弄，一个礼拜还不知道能不能看到。"冯凯突然找到了事情做，跳了起来，一把拉起顾红星，还没走到门口，冯凯又折返回来，指着穆科长桌下的一个瓦罐问道，"这是什么？不是尿壶吧？怎么热乎乎的？"

顾红星一脸惊诧地问道："你傻了吗？这是火罐啊。"

这个年代，因为南方没有暖气，所以冬天的时候大家会在办公室中央生一个带烟囱的炉子用来取暖。因为办公室比较大，一个小火炉的供暖能力有限，所以有些人会从家里带一个瓦罐，瓦罐下方垫上草木灰，中间放点燃的木炭，上面再盖一层草木灰。这样火罐里的木炭可以缓慢燃烧，保持将近一天的局部供暖。陶亮从小养尊处优，当然没见过这种二十世纪七十年代的东西。

"好东西，拿走。"冯凯说。

"可是这是穆科长的啊。"

"管他谁的。"

公安局档案室在公安局主楼旁边的红砖平房里，由档案科的一名中年女警负责看管。

"大姐好，您辛苦了，这么冷天，您这房间里暖气都没有，够遭罪的。"冯凯一进门，就拉起了家常。

"哟，你们俩新来的吗？看着面生啊。"大姐看了看两人，笑吟吟地说，"你说得真对，这领导是真的不会心疼人啊，我脚都冻麻了。"

"我们大楼里都有火炉，我就知道您这档案室不能生火，这，我带了个火罐给您，总好过什么都没有。"冯凯把火罐放到大姐的脚下。

"这孩子，真会来事儿。"大姐拿脚碰了碰火罐，高兴地说，"你们咋能想到我的？"

"这不，我们刑侦科要来查一些档案，我总不能空手来啊。"冯凯嬉皮笑脸。

"手续呢？"大姐伸出戴着棉手套的手。

"是这样的，这案子比较着急，我们穆科长又出去办案了，实在走不了手续。"冯凯嘿嘿一笑，说，"怎么样，这火罐还行吧？"

大姐笑着横了冯凯一眼，说："没手续，那不能借出去，在这里看的话，我倒是可以通融一下。"

"在这里看就行。"顾红星马上插话道。

冯凯本来以为是一件很简单的事情，可没想到因为当初几乎没有档案管理，所以变成了一件很难的事情。档案室里的档案堆积成山，并没有按照日期或者编号进行归档。也就是说，顾红星需要在山一样的卷宗里，找到自己的目标卷宗，这实在是有点难。

两个人一直找到下班时间，都没有找到。于是冯凯又去左一句好话、右一句追捧地哄大姐开心，最后让大姐同意他们留下来继续寻找，找完了再帮大姐锁门。

很快，冯凯就躺在卷宗堆里睡着了，不知道睡了多久，才被顾红星推醒。顾红星手里拿着一本卷宗，显然他已经找到了。

"你看，确实是第一跖区压痕最重，我没记错，这应该是一枚右脚鞋印。"顾红星手拿着卷宗里的黑白照片说，"可惜我没有马蹄镜，没办法把照片放大，而且也不知道女工的鞋子去哪里了，所以没法确认这不是女工的鞋印。"

冯凯洗澡的时候就没听懂顾红星东南西北地说些什么，此时就更不能理解了，于是问道："死者衣物是重要物证，应该不会丢吧？"

刚刚说完，冯凯才发现自己是睡糊涂了，这个年代根本就没有物证保管的意识。这个房间只是个档案室，都乱成这样，根本不可能专门建一个物证室，把那么多案件的物证都存放起来。

"笔录上写，死者的衣物丢在火葬场的杂物间了，是用一个蓝色蛇皮袋装的。"顾红星翻动着卷宗，说，"要是这大半年，火葬场没有清理杂物堆就好了。"

"你还真想去找吗？"冯凯问道，"和你没关系的案子，多管闲事干吗？"

顾红星看了看冯凯，似乎有些生气，没有说话。

冯凯见他有些生气，于是拍了拍他肩膀，解释说道："我是说，领导都没同意你办这个案子，你总不能自己办吧？"

"我是想，如果能发现确凿的线索，领导就应该会同意了吧。"顾红星有些沮丧地盯着卷宗里的那张照片。

两人一时不知道如何是好，空气沉寂了一会儿，突然，办公楼里传出了穆科长

的声音："我的火罐呢？哪个兔崽子拿了我的火罐？"

"这都十点了，怎么穆科长还在办公室？"顾红星看了看手表，说道。

"去，去后面宿舍把那两个小兔崽子给我喊来。"穆科长中气十足的声音再次传来。

冯凯和顾红星连忙一溜烟逃出档案室，跑回了刑侦科。冯凯说道："不用喊，不用喊，您老头子声音那么响，比喇叭还响。"

"是不是你小兔崽子偷了我的火罐？"穆科长问道。

"什么火罐？什么叫火罐？"冯凯开始装傻。可是顾红星此时已经满面通红，说不出话来。冯凯心想这可真是个猪队友，连忙岔开话题："您老这么晚了不睡觉吗？"

"睡个屁。"穆科长将手上的两把五四式手枪扔了过来，说，"有人打枪，赶紧去现场。"

这可刺激了，刚上班第一天，他们不仅执行了个神秘兮兮的任务，还遇上了枪击案。冯凯连忙把枪接过来，别在腰上，又从子弹筒里抓了一把子弹塞在口袋里。顾红星也学着冯凯，接过了手枪，抓了一把子弹，只不过他的双手都在不停地颤抖，看起来紧张极了。冯凯很兴奋，这才是当警察横刀立马的感觉嘛，哪像在现代，你要领个枪出来，得走多少道手续，每颗子弹可都是得登记的！

枪击案，在我国极为罕见，即便没有人死伤，无论在哪个年代，也都是大案件。坐在吉普车上的冯凯现在深刻感受到了这一点。据说，这辆北京吉普是全局唯一的一辆汽车，不是特别紧急的任务，是不准动的。而此时，他们随着穆科长一起，正坐在北京吉普上，这比在现代坐一辆宾利、玛莎拉蒂还金贵啊。

坐在车上，他们听穆科长用最简洁的语言介绍了一下大致的案情。一个在纺织厂工作的二十多岁女孩，之前和一个小混混谈恋爱，后来发现这个小混混偷鸡摸狗，行为不检点，于是提出了分手。今天晚上，女孩在工厂值班，她的父亲在家刚准备睡觉的时候，听见女孩的房间有响动，于是拿着菜刀冲进了女孩房间。果然，女孩房间里的就是那个小混混。可能小混混是翻窗进来想和女孩要求和好，但没想到女孩不在家，而且被女孩父亲抓了个现行。于是小混混逃离了女孩家，而女孩父亲则拿着菜刀在后面追。可没想到，小混混突然回头，朝老人做了个动作，然后老人听见了"砰砰"两声。

老人没有意识到危险，还边追边喊道："你小兔崽子拿炮仗吓唬我吗？"

枪战

因为体力不支，老人最终没有追上小混混，可是回到家门口，发现自己的门框上，居然有两个弹痕。看来小混混并不是拿炮仗吓人，而是真的有枪，于是老人报了警。

"先看看是什么枪，是不是自制枪。"丢了火罐的穆科长有些脾气大，到了现场就嚷嚷道，脸上的褶子更密集了。

顾红星在女孩父亲的指引下，找到了弹壳，又从木质门框里抠出了弹头，拿着弹头、弹壳走到穆科长面前，说："穆，穆，穆科长。"

"直接说。"穆科长着急。

"是7.62毫米的子弹，是，是制式枪①。"顾红星直接说了结果。

"混账！给我查，公安局、各单位保卫处还有驻军，都去查，哪个兔崽子在年关连枪都丢了！"穆科长对着身后嚷嚷道。

原来这个年代连企业保卫处的人都配枪啊，那确实太不稳当了。冯凯一边想着，一边拍了拍顾红星的肩膀说："打靶打得不行，认子弹认得还挺快。"

"这是痕检专业的内容啊。"顾红星说，"手、足、工、枪、特②，五种痕迹检验。你看从这里开枪，打到门框，这样的弹道应该就是五四式。"

"牛。"冯凯竖了竖大拇指，然后转问穆科长，"老头儿，接下来，我们怎么办？"

"怎么办？去追！"穆科长指了指小混混逃离的路线，说，"沿着这条路追。"

"那怎么追？都过去一个小时了。"冯凯耸耸肩膀，说，"到了岔路口呢？我怎么知道他往哪里跑的？"

"那你就去想办法查，反正明天之前你得把枪给我找回来。"穆科长瞪了瞪眼睛，又说，"别给你们公安部民警干校丢脸。"

冯凯一时语塞，怎么一言不合就拿母校出来说事儿呢？

穆科长风风火火地带着人去找枪支来源了，毕竟涉及好几个配枪的单位。而冯凯和顾红星则留在现场寻找线索。此时当事女孩从单位回来了，和她父亲一起被冯凯拉着问这问那。而顾红星则时不时地打断老人的话，让他跷起脚来看他的鞋底花

---

① 制式枪：指已完成定型试验，并且经军队或国家有关主管部门批准投入装备、使用的各类手枪。

② 手、足、工、枪、特：指的是手印、足迹、工具痕迹、枪弹痕迹和特殊痕迹。

纹，一边看着一边还在说："前脚掌是波浪，中间是方格，脚跟是横条纹。嗯，那现场发现的其余鞋印就是犯罪分子的，鞋底花纹不多见。"

经过冯凯的询问，当事女孩和其父亲简单叙述了嫌疑人的情况。

嫌疑人叫段强，25岁，原来是市郊砖厂的工人。但此人平时游手好闲，还喜欢偷鸡摸狗，前不久被砖厂开除了。女孩是通过熟人介绍和段强相亲认识的，了解他的为人之后，就提出和他分手。段强则认为是自己被开除了，所以女孩才要抛弃他，于是多次纠缠女孩。

"因为其亲戚朋友并没有在持枪单位工作的，且其有盗窃前科，所以目前初步断定段强的手枪是偷来的。段强的父母都是砖厂的老职工，在段强被开除后，几乎和他反目，所以段强逃离后也不可能回家。既然段强去偷东西，而且他已经被开除好几天了，说明他身上很可能是没钱的，没钱就没办法离开龙番。"冯凯离开现场的时候，看看天空，说，"老天不作美，下雪了。"

"下雪了是作美啊。"顾红星嘟囔了一句，说，"地面容易留下鞋印。"

"你那鞋印有啥用？"冯凯说，"你还真学当年的侦察兵，跟着鞋印追踪啊？"

顾红星看看脚下的水泥路面上薄薄的一层雪，踩了一脚，仔细看了看。

"他们给我们提供了段强六个狐朋狗友的地址，我们要不要挨家挨户去看看？"冯凯摸了摸腰间的手枪，说，"可惜，没有防弹衣，被冷不丁打一枪划不来。"

"那也得去啊。"顾红星拿下警帽掸了掸上面的雪花，说道，"还有衣服能防弹？"

"别急，有捷径，有捷径。"冯凯走到一个屋檐下面，蹲下来，皱起眉头看着名单，说，"段强惹了这么大的事儿，躲在龙番太不保险。如果我是他，第一反应，得逃跑，跑得越远越好。这个年代想要逃跑，要么坐火车，要么坐长途汽车。火车站已经安排人员布控了，长途汽车有可能沿途带人，所以他只能坐汽车跑。可是汽车票很贵，段强必须得借一笔钱。这六个狐朋狗友中，只有这个毛亮有稳定的工作和收入，如果我是段强，第一反应肯定是去找毛亮借钱。"

"可是如果按照这六个地址，我们沿途一路问过去的话，毛亮家是最远的。"顾红星说。

"所以说，分析就是捷径啊。"冯凯说，"一路找过去，等找到毛亮家，就天亮了。"

"可是他要是躲在前面这几家里呢？"

枪战

"一家家问，不仅浪费时间，而且很危险啊。"冯凯强词夺理道，"也许问了第一家，就有人通风报信了，我们就两个人，遭了埋伏怎么办？"

顾红星没什么主见，于是同意冯凯的办法。两个人冒着雪，向五公里外的毛亮家步行。

"这走过去，力气都用完了，万一段强真在毛亮家，我们这人困马乏的，跟他搏斗，岂不是要吃亏？"冯凯有些抱怨。

"要是能有自行车就好了。"顾红星说道。

冯凯白了顾红星一眼，心想你真够有出息的。

已经是半夜了，街上几乎没有任何行人了，主干道的路灯也是暗淡的，路边的人家也只有零星的灯火。

雪天行走速度受到影响，冯凯和顾红星走了一个小时才到了毛亮的家，此时已经深夜一点多了。

毛亮家是一个独门独户的小院，院门紧闭，里面一丝灯光都没有。冯凯站在院墙外面，左看右看，实在找不到可以着手翻墙过去的地方，于是说道："没办法，也不知道段强在不在里面。冲进去吧，算扰民；敲门进去吧，怕被伏击。这样吧，我先敲门，只能我来当人肉沙包了，你持枪在后面掩护我。"

冯凯知道，在这街上都找不到一个人的大半夜，在这连个电话都找不到的年代，又不知道段强在不在里面，想要及时通知穆科长带人来支援，是没有什么可能了。为了防止段强趁夜色潜逃，在这里盯梢太不保险，只能自己冒险一试了。

冯凯刚准备敲门，却被顾红星一把拉住了。

"你别急，你看看鞋印。"顾红星蹲在地上，说道。

"我看不懂，你直接说结果。"

"这个段强还真是来这里了，他的鞋子挺有特征的，上面是……"

冯凯打断顾红星，掏出手枪，说："那好办了，直接冲。"

"你别急。"顾红星说，"这枚鞋印的主人只在门口出现了，然后就掉头走了。不，他是在门口和另一枚鞋印的主人说了话，然后掉头走的。"

冯凯心中一喜，自己分析得不错，段强应该是来借钱，那他确实没必要躲进屋里啊。既然足迹说明了问题，找毛亮问一下段强的去向，就可以追踪了。有足迹说明问题，毛亮赖都赖不掉。

"那你能不能根据他这个有特征的足迹，一直找到他？"冯凯眼珠一转，也蹲

了下来。

顾红星看了看远处，说："这里是门檐下面，所以雪少，足迹保存下来了，如果我们跟着足迹找，外面雪这么大，不一会儿就会断了，因为足迹会被雪盖上。"

"那我知道了，只有撬开这个毛亮的嘴了。"冯凯说道。

"能撬得开吗？他们好像是铁哥们儿。"

"没那么多规矩，就简单。"冯凯坏笑着说。

他的话让顾红星觉得莫名其妙。

4

毛亮睡眼蒙眬地开了门，气鼓鼓的，显然是对公安人员有强烈的抵触情绪。

"听说你是有工作的，包庇窝藏逃犯的话，工作直接就没了。"冯凯走进毛亮家的小院，说，"你借钱给段强，就是包庇。"

毛亮似乎不太买账，说："你说的人，我不认识。"

"少来，你认识不认识，我们还能不知道？"冯凯说，"我不仅知道你们认识，还知道在刚下雪之后，他过来找你借过钱。"

"你们公安，嘴比别人大吗？你说来过就来过？我怎么没见到？"毛亮把脖子一梗，说道。

"我，我，我们……"顾红星都被气得有些着急了。

冯凯挥手打断他，说："你知道不知道我们公安局现在有先进的技术？我们通过技术手段，断定他来过你家。"

"你说有就有啊？我就说没有。"毛亮还是一副轻蔑的表情。

冯凯叉着腰，低头叹了口气，随即伸出手来，此时他的手上拿着一副手铐。冯凯二话不说，就直接把毛亮给铐在了小院里的树上。然后他顺手从院子角落里拿起一个破瓦碗，走出了院子。这突如其来的变故让顾红星顿时乱了手脚，面对毛亮的剧烈挣扎和破口大骂，顾红星也不敢和他对视，站在一边不知所措。

冯凯走出了院子，弄了一些泥土在碗里，又用雪水将泥土调成糊状，站在门口听着毛亮的骂声小了，这才笑嘻嘻地进了院子里。

"嘿，兄弟。"冯凯走到毛亮身边，说道，"你也看出来了，我俩是刚来的，根本就不懂什么审讯技巧，只知道前辈教给我们的一个办法。遇见不说实话的人，直接在脸上浇大粪，就像浇菜那样，那人一定说实话。我也没试过，不知道是不是就这样照头浇，今天试试看。"

说着，冯凯晃动了一下碗里黄色糊状的泥土。顾红星觉得有些不妥，想伸手去拦，却被冯凯一眼给瞪了回去。

毛亮的脸色瞬间变得煞白煞白的，他一定是最怕碰见这种傻不楞登的愣头儿青了。别说没道理了，就是有道理，也没法和这种人说啊。

"别，别，我说，我说。"毛亮一秒破功，交代了，"他是来了，我没钱，我就借给他两块钱。"

"别急，别急，慢慢说。"冯凯坐了下来，把瓦碗放到一边，抱着膝盖笑眯眯地盯着毛亮。

"他说他惹了事儿，得跑路。"毛亮的嚣张气焰荡然无存，"问我借钱，但我没钱给他，就给了他两块钱。他说两块钱不够坐车回老家的，我就说，你想办法走到龙东县，龙东县那边的长途汽车便宜，两块钱就够了。"

"他老家在哪里？"

"好像是青乡市。"

"知道了。"冯凯心满意足地打开手铐，指了指院子里的自行车，说，"你的自行车，我们征用了，过两天你去公安局拿，算你将功补过，不和你单位说。"

没等毛亮同意，冯凯跨上自行车，让顾红星坐在载物架上，一脚蹬下去，自行车蹿了出去，留下毛亮在院子里一边揉着手腕，一边喊："哎，你们把那恶心玩意儿也带走啊。"

出了院子，顾红星有些不安，他在后座拽着冯凯的警服，小声问道："这，算不算屈打成招啊？我爸和我说过，屈打成招不好。"

冯凯哈哈一笑，说："顶多算是刑讯逼供啦，不算屈打成招。我跟你说，作为一名公安，要相信自己的直觉，既然直觉他在说谎，那就用最简单的办法让他说实话，那就不算犯错误。"

其实这个时候冯凯心里想的是，这个年代真爽！

顾红星低头想着，似乎觉得冯凯的理论不太能站得住脚。

"福尔摩斯你知道吗？直觉！直觉很重要！"冯凯补充道，"我们得先回局里，通知龙东县那边要对汽车站布控才行，这时候，车站也没有安检啊。"

"安检？"

"啊，就是安全检查，搜身。"冯凯解释道。

"搜身？那怎么行？哪能随便搜身的。"

"……"

回到了局里，穆科长已经坐在办公室了。他听完了冯凯的报告，很高兴："不错，这么快就找到线索了。我一会儿打电话和县局以及青乡市局的人说，让他们对长途汽车布控。对了，枪知道是谁的了。是一个林场保卫处的同志，晚上喝了酒，老婆不让进门，就只能在院子的小平房里睡觉，枪就放在凳子上，等我们去喊他起来，他还不知道自己的枪丢了。不过，这人口袋里也没钱，段强没有偷到钱，不然跑远了，我们怎么去抓。"

冯凯有些义愤，心想现代的禁酒令和严管枪支，还不都是因为这些害群之马闹的。这些人的极度不负责任，害得民警无法随身配枪，生命安全都会受到影响。

"得处分，狠狠处分。"冯凯说。

"那必须的。"穆科长说，"我先去布控，你们休息一下，等我通知，你们再准备骑车往龙东县去。"

天亮了好久，冯凯宿舍的门才被穆科长敲响了。

"哟，你们俩现在都住这儿啊？"穆科长满脸愁容，但语速不减，说，"布控是开始布了，但是不一定有效果，因为他们说，有的长途汽车司机，为了赚私钱，随时停车拉客，也就是说，段强在路上只要碰上想赚私钱的长途汽车，就可以坐车离开。"

"赚私钱？"冯凯问了一句，这才反应过来，现在还没有市场经济呢，长途汽车都是国营的，赚私钱是犯法的。

"那怎么办？"冯凯接着问了一句。

"没办法，你们沿途找找，碰碰运气吧。"穆科长说，"他们说年轻人，火气旺，运气好。要是有什么线索，你们就近找个电话打过来。其他人，我安排去龙东和青乡做工作了，看能不能找到他。"

"那行，我们骑车去。"冯凯说，"这是毛亮家的车，毕竟是老百姓的东西，临时征用的，你啥时候也给我们争取两辆自行车啊。"

"你们要是抓得到人，自行车包在我身上。"穆科长拍着胸脯说道。

冯凯正高兴，心中又紧接着一沉，心想自己怎么给顾红星带得也这么没出息了。

枪 战

冯凯载着顾红星，蹬着自行车，心满意足地向龙东县骑了过去。两个穿着蓝色警服的警察，一个搂着另一个的腰，同骑一辆自行车，这要是在现代，第二天就得上热搜。冯凯心想这个年代的人真行，毕竟县城也有二十几公里的路，骑个自行车就去了。而顾红星则心存憧憬，一路上都在叨叨："真的能给我们配自行车吗？"

虽然天已经晴了，但地上还是有一些积雪的。在雪地里骑自行车还真是考验技术。几次差点摔跤的情况下，两个人歪歪斜斜地骑了两个小时，到了十一点多，才把车子骑到了距离市区十公里的一处偏僻小村落。

小村落不大，但是马路边有户农家，在自己的院子里支了几张桌子，看上去像饭店一样。冯凯和顾红星此时口渴，准备去老乡家里找碗水喝。走到门口，发现一对中年夫妇似乎很着急的样子，看到他们欲言又止，只是一声不吭地去打水。

"这家人好多啊，吃饭需要用这么多桌子。"顾红星说道。

"怎么会是家里人吃饭。"冯凯觉得顾红星傻得可爱，但他脑袋瓜子转得快，转念一想，这个时代，是不让私人开饭店的，但有住在马路边上的农民，通过贿赂汽车司机，让他们在中饭或晚饭的点儿开到这里停车，农民则通过招待长途汽车上的乘客，可以赚一点小钱。这些都是偷偷摸摸做的，所以见到警察，当然会讳莫如深。

等中年夫妇拿着水出来，冯凯指着几张桌子，说："我知道你们是干什么的。"

中年夫妇的脸瞬间就变了颜色，拿着水碗的手都开始颤抖起来，开水溅了出来，说："不不不，公安同志，你们误会了。"

"不过你们别紧张，这和我们没关系。"冯凯挥挥手打断了他们，说，"我看你们刚才神色慌张，是不是有什么事情？比如，是不是丢了什么东西？"

中年男人看了一眼妻子，估计是佩服这个公安的料事如神。他想了想，说："是，我们丢了自行车。"

当时的自行车可是价格不菲，连顾红星这样的"官二代"都还憧憬着有自己的自行车，所以丢了自行车可不是小事情。只不过这对中年夫妇因为开私人餐馆，心虚，才不知道该怎么办。

冯凯恍然大悟，对顾红星小声说道："如果让段强走去龙东县城，中间二十多公里路，都是荒地，除了这一家以外，没其他人家了，如果他想偷懒怎么办？"

顾红星也做出一副恍然大悟的表情，说："这里是市里去县里的必经之路。我要看看现场！"

"我们的自行车与众不同，买回来，我就用绿色油漆给刷上了。"中年男人

说，"街上的自行车都是黑色的二八大杠，我刷绿了，比较好找。"

"你看这花坛。"顾红星拉着冯凯去看痕迹。而冯凯则没耐心看什么痕迹，于是说道："不看了，你说结果。"

"确实，是段强的足迹，翻墙进来的。"顾红星说道。

"还喝了我三瓶啤酒。"中年男人说，"你说这大冷天的，谁一口气喝这么多啤酒啊。"

"跑了十公里，就能喝下去了。"冯凯微微一笑，说，"看来，我们可以打个电话让老头儿他们去找绿色的二八大杠了，这算是个捷径了。"

"别急，公安同志，我们这儿有午饭，你们简单吃一点再走。"中年男人感激冯凯的看破不说破，于是客气地说道。

"不用了不用了，咱们共产党有三大纪律八项注意，不拿群众的一针一线。"冯凯挺了挺胸膛说道。

顾红星白了冯凯一眼，心想：你的自行车哪儿来的？

冯凯的话音还没落，中年男人盯着远处，愣住了。冯凯感到好奇，顺着目光看去，一辆长途汽车，车顶上架满了行李，正在向小院开来。看来是和中年男人有私下约定的司机，赶着中午饭的时间，把车开了过来。

当然，让男人愣住的，不是这辆长途汽车。就连冯凯都看见了这辆车的车顶上，架着一辆绿色的二八大杠。

"那，是你的吗？"冯凯摸了摸腰间的手枪，说，"怎么都偷走了，还给送回来？"

"是我的，绝对是我的，说不定小偷就在车上。"男人说道。

汽车已经开到了小院的门口，司机似乎看到了有两个公安正在院内，于是突然一个急刹车，像是想倒车逃离。冯凯掏出手枪，对天上开了一枪。车随即熄火了，车的另一侧跳下来两个人，向远处拔腿就跑。因为车厢体的遮挡，冯凯并没有看清这两个人分别从什么位置跳下来的，好在他有个聪明的脑袋瓜，他知道犯罪分子并没有同伙，逃跑的另一个人，是拉私客的长途车驾驶员。在看到公安后，司机从驾驶室逃离，而段强从窗户逃离。

"段强，别跑！"冯凯吼了一声。

其中一个穿着黑色棉服的人随着这一声吼叫，跟跄了一下。冯凯看到后，锁定了目标，回头对中年男人说："老哥，你找个电话，打给公安局，接刑侦科的分机，告诉他们，来你这个村子抓人。"

也不知道这个村子里有没有电话，中年男人能不能叫到援兵，但冯凯知道，这时候不咬住段强，就又得给他跑掉了。

段强对村落的环境明显是不熟悉的，他像没头苍蝇一样乱逃乱窜，一直没法把紧随其后的冯凯和顾红星甩掉。最后，段强被他俩逼上了一个小山坡。因为小山坡上扎着两人多高的篱笆，防止山里的野兽进村，而此时已经体能耗尽的段强根本翻不过篱笆，只能找块大石头躲在后面，朝冯凯他们开了一枪。当然，这一枪毫无准头，但也把冯凯吓得缩头。

冯凯见段强已经穷途末路，给顾红星使了个眼色，两人也找了两块大石头躲在后面，和段强形成三角形。这是在公安部民警干校学习到的，包围夹击的标准队形。

"嗨，投降吧，有我在，你跑不了。"冯凯喊话道，"你就两个弹夹，十发子弹，现在还剩七发，能撑多久？"

说完，冯凯探头向段强藏身的石头上打了两枪，子弹溅起石屑乱飞。但段强毫不示弱，紧接着也向他这边打了两枪。冯凯暗叫真过瘾，这才是当警察的感觉啊。

"你少嘚瑟，要不是我坐反了汽车，你哪能抓得到我？"段强歇斯底里地喊着。

冯凯没忍住笑了出来，心想段强真是个傻子，在中途拦车，也不问问车的去向，看到车上有龙番到青乡的字，就傻乎乎地上去坐着了，没想到这辆车是青乡到龙番的。鬼使神差地，这辆车绕了一圈又把他带回了偷自行车的饭店。

"还有一个弹夹了。"冯凯继续刺激着段强的心理。

"一个弹夹也够打死你了。"段强是煮熟的鸭子——嘴硬。

冯凯毫不示弱，又伸手打了两枪，诱得段强又回了两枪。不过之后，无论冯凯再怎么刺激段强，段强都没有再响枪了，毕竟他也知道自己只剩下三发子弹了。

双方僵持在小山坡上，顾红星也学着冯凯的样子，伸手打了几枪，但段强不再理睬。

枪声起了副作用，这个年代，大多数人是没有经历过战争的，但其好奇心丝毫不减。顾红星惊讶地发现，山坡下方开始聚集起一些村民来看热闹。

"下面有人，他们都在射程内。"顾红星有些着急，"五四式手枪一百米内都有杀伤力。"

冯凯没有注意到这一点，他正在专心致志地观察段强的位置，防止他趁机逃跑。

"你们走开！危险！走开！"顾红星对山坡下方几十米开外的围观群众喊道。

不知道是顾红星的声音不够大，还是群众并没有意识到危险，几十个人都站在下面，一边笑哈哈地说着话，一边翘首向山坡上面看，有的群众甚至抱着几岁大的小孩。

"你们走开啊，哎呀。"顾红星急不可耐，但毕竟围观群众和自己有几十米距离，顾红星不知道该如何是好，只能盼望着段强别再胡乱开枪了。

过了好一会儿，冯凯听见耳后有汽车的声音，知道援兵已到。

"援兵来了，我们的吉普，还有一辆急救车。"顾红星喊道。

"是啊，看来这个饭店老板自觉心虚，还真找到了电话。"冯凯一边说，一边把弹夹里的子弹都打了出去，压制段强，给疏散人群提供时间。

"现在的村里都有邮局，有邮局就有电话。"顾红星看到穆科长和几个同事已经跳下车来，开始疏散围观群众，心里放心了一些。

可是还没能够宽心，就变成了焦心。因为不知道哪家的孩子，在警察正在疏散的乱哄哄的人群当中，突然跑了出来，向他们这个方向跑了过来。三十米、二十米，十米，孩子已经处于非常危险的状况了。

"小心！"顾红星顾不了那么多了，他一个鱼跃扑向了孩子，用自己的脊梁对着段强的位置，成了一堵人肉城墙。

而就在此时，负隅顽抗的段强也豁出去了，他从石头后面站起身来，拿枪向顾红星瞄准。此时的冯凯正在换弹夹，来不及向段强开枪，见顾红星已经危在旦夕，于是他一个箭步，在围观群众的惊呼声中，向顾红星扑过去。

就在冯凯将顾红星和他怀中的孩子同时扑倒在地的时候，"砰砰"两声枪响，一颗子弹从顾红星的耳边呼啸而过，打在身后的树干上，激起一阵木屑燃烧的火花。另一颗子弹则划破了冯凯的肩膀后，不知道飞哪里去了。

"你不要命啦！"冯凯顺势一滚，夹带着顾红星和孩子，躲在石头后面，检查自己的伤势。

受到这个突然变故的影响，人群开始散开，孩子的母亲在几十米外开始哭喊起来。

顾红星此时不知道是害怕还是愤怒，他面色苍白，双眼通红，腾地从石头后站了起来。冯凯还没来得及拦，顾红星就扬手"砰砰"两枪。

随着远处一声沉闷的声音，段强倒地，从石头后滚了出来。山坡下一阵喝彩，紧接着响起密集的掌声。

"可以啊，你。"冯凯确认孩子没事，拿着换好弹夹的手枪，向段强走了过去。

"有医生吗？医生！"冯凯检查了一下段强的伤势，朝山坡下面喊道，"右胸部中枪，还有气儿。"

穆科长最先跑了上来，拿过冯凯缴获的手枪，说："没子弹了。红星，你可以啊，神枪手啊。"

"不是他打的，是我自己打的。"躺在地上奄奄一息的段强哼唧道。

冯凯仔细一看，果然他的衣服上还有大量的火药颗粒附着，这说明这一枪确实是极近距离射击，而不是远处的顾红星打的。顾红星其实打偏了，巧就巧在他的枪声和段强自杀的枪声同时响了。段强因为害怕，手一抖，枪没打在要害部位，所以捡了一条命。

"废什么话，留点力气保命吧。"冯凯又好气又好笑地说道。

此时，三名医生跑上了山坡，两名男医生抬着一个担架，旁边跟了一个女医生。冯凯定睛一看，这个女医生不是别人，恰恰是住在他隔壁的王金叶。冯凯心想完了，顾红星的英雄之举，被王金叶看在眼里，她岂不是更崇拜顾红星了。可没想到，王金叶经过的时候，狠狠地瞪了一眼顾红星，并没有理睬他，而是直接来给冯凯包扎肩膀。顾红星走过来想和她打个招呼，她却视而不见。

这是反目了？真是女人心，海底针啊。冯凯摇着头想着。

顾红星有些不知所措，站在冯凯身边，手都不知道该放在哪里。

"老头儿，枪我是给你了，就等你的自行车了。"冯凯坐在石头上，任由王金叶摆弄着他的胳膊。

"你小子，就知道要好处，你们自己骑车回去，记得把自行车还给人家。"穆科长头也不回地走了。

"嗨，老头儿，你不是想赖账吧？"冯凯喊道。

包扎完后，王金叶扭头先走了，径直上了救护车。这么冷淡的态度，让顾红星心里打起鼓来。自己犯了什么错？什么时候得罪她了？

而冯凯和顾红星走下山坡的时候，两边的老百姓夹道鼓起掌来。

"公安同志辛苦了！"

"神枪手！"

"你真厉害啊！瘦瘦弱弱的，枪这么准！"

"你的子弹会拐弯啊，石头后面都给你打到了。"

在掌声和喝彩声中，冯凯第一次体会到了当警察的荣誉感。这种感觉，是身为陶亮时从来没有感受到的。虽然大家称赞的，并不是他。

而顾红星显然也听到了段强的话，知道自己不过是因为一个巧合，就得了个"神枪手"的称号，很是过意不去，红着脸、低着头，走在冯凯的身后。但其心中的成就感和荣誉感，一点也不亚于冯凯的感受。他第一次感受到了如此强烈的自信心，他开始觉得自己还是可以勉强当一名公安的。虽然不是他抓到的人，但是自己被赶鸭子上架也是可以的。

两名抬着担架的医生下了山，一个医生对着救护车喊道："嗨，林医生，过来把车后门开一下。"

王金叶从车上跳了下来，打开了救护车的后门，让医生把段强的担架塞进了车里，救护车蓝色的警灯开始闪烁起来。

警灯太晃眼了，让冯凯一时迷糊。这车上没有第四个医生了，那么这个林医生是谁呢？为什么他们喊的是林医生，而跳下来的，却是王医生呢？

燃烧的蜂鸟

第三章

强奸犯

1

因为冯凯和顾红星的英勇，虽然冯凯受伤非常轻微，但穆科长还是坚持让两人放三天假，好好在家过年。不论是二十世纪七十年代，还是二十一世纪，作为警察，在家过年都是奢望。在大家都沉浸在新年佳节的喜悦中时，警察们该巡逻的巡逻、该指挥交通的指挥交通、该破案的也都在破案的路上。而在这年关的三天假，也正好涵盖了除夕夜和大年初一。

顾红星很是高兴，因为他在公安部民警干校的时候，耳濡目染，就已经做好了过年上班的心理准备了。此时，还能和父母好好在家过个年，帮母亲包顿饺子，实在是十分幸福的。细心的顾红星还想到，冯凯是个孤儿，于是很热情地邀请冯凯来自己家里过年。

冯凯婉言拒绝了邀请。此时的冯凯，哪有过年的心思？

枪战过后，王金叶看顾红星的眼神有明显的变化，对他的态度也疏远冷淡了许多。冯凯分析，这是因为顾红星的英雄行为并没有感染王金叶，而是让她对顾红星的职业特点有了深深的担忧。是啊，如果是看一个外人冒险救人，可以是崇拜。但如果这个经常冒险的人是心上人，甚至是以后的另一半，这个另一半随时都有可能殉命，那么思想和看法肯定就是有变化的。

这本来是正中冯凯下怀的事情，可是最后的一句"林医生"，让冯凯心慌不已。一直相信自己直觉的冯凯，知道现在的惴惴不安肯定是有原因的。所以，这三天他不能闲着，他得调查清楚。

眼看就是除夕了，医院的一大半医生已经放假了，王金叶的宿舍门也从外面上了锁，看起来，她也回了老家，这是千载难逢的机会啊。

冯凯先是去了档案科，和大姐一阵嘘寒问暖之后，如愿钻入了户籍档案室。只可惜，人民医院的集体户①档案只到去年下半年为止，新入户的集体户档案到现在还没有送来，所以根本查不到王金叶的情况。

要是干等着，那绝对不是冯凯的风格，他决定亲自跑一趟人民医院。

冯凯的警服因为被子弹划破，已经送去缝补了，他拿出了另一件还没有开封过的冬季警服，自己用热水壶熨烫整洁后穿上，然后夹了个文件夹，去了人民医院。

医生和警察一样，逢年过节也不能全部放假。听说是公安局要来调查，医院很是配合，没有休息的医务科段科长亲自接待了冯凯。

"哟，现在的公安同志，都这么年轻啊，来，请喝水。"段科长端了一个印有毛主席头像的搪瓷茶缸，递给冯凯。

"不客气，我今天就来调查一下，关于王金叶医生的事情。"冯凯一脸严肃，其实心里不自觉地在打鼓。要是在现代，自己这种假公济私的行为，就不仅仅是被处分那么简单了。

"王金叶。"段科长皱着眉头沉吟了一会儿，说，"这位公安同志，您说的是刚刚分配过来的林淑真医生吧？"

"林淑真"三个字一出口，冯凯惊出了一身冷汗，差点没一屁股坐到地上。他的直觉、他不好的预感果真应验了，这个王金叶不知道为什么就变成了林淑真，变成了他的丈母娘。

冯凯故作镇静，说："这么说，你们也知道她原来叫王金叶喽？"

段科长有些迟疑，皱着眉头想了想，说："公安同志，王金叶的事情，是组织上同意认可的，已经定性了啊。难道，又有什么变化吗？"

一说"组织上"，冯凯又是一惊，于是做贼心虚道："不不不，没有变故，我就是履行一个访问程序。您只需要客观阐述她的情况，我做完记录就行。"

"哦，那就好，那就好。"段科长的笑容回到了他的脸上，说，"林淑真才是这位女同志的本名。她的父亲是研究员，高级知识分子。林淑真初中毕业后就上了卫校。刚上卫校的时候，她的老师就觉得她在学医这一方面挺有天赋，于是推荐她去沈阳医学院工农兵大学当学员，学制三年。可没想到，还没报名呢，她的父亲就因为，嗯，某种原因，蹲大牢了。这样一来，她政审肯定是过不了的。而她的老

---

① 集体户：即集体户口，指职工、学生常驻在机关、团体、学校、企业、事业单位内部宿舍或集体宿舍，以及非现役军人常住在军事机关或军人宿舍的户口。

师呢，惜才啊，于是通过关系，把她的户口转到了自己的名下，等于是收养了个义女，改名叫王金叶。就这样，她去沈阳医学院读了三年工农兵大学，一直到去年夏天毕业后，留校实习了半年，等待分配。去年年底，她的父亲被平反了，恢复了名誉，她自然而然也就恢复了身份，分配到我们这里了。"

"才二十岁出头，就大学毕业啦？初中毕业就能上大学？"冯凯瞪大了眼睛。

"这你都不知道吗？"段科长很疑惑，"工农兵大学，是推荐制嘛，政审合格就行。大部分只是初中、中专文凭，甚至还有小学文凭的呢。"

冯凯点点头，心里还存着一些侥幸，因为他记得自己的丈母娘明明是中国医科大学毕业的，怎么会成了沈阳医学院的呢？于是问道："哦，那你们是不是和中国医科大学有什么合作呢？比如送在职的医生去进修什么的？"

"中国医科大学？"段科长偏头想了想，说，"你说的就是沈阳医学院吧？现在的沈阳医学院的前身，就是最早在延安的中国医科大学啊。1945年从延安迁到了东北，但是1956年的时候，就已经更名为沈阳医学院了。"

冯凯恍然大悟，中国医科大学现在处于更名的阶段，也许再过一两年，就又叫回中国医科大学了。而现代的沈阳医学院，应该是别的学校更名而来的。因为自己对这两所学校的历史并不了解，所以弄混淆了。

再仔细想想，王金叶，哦，不，应该是林淑真，在给自己包扎的时候，那气鼓鼓的表情，不是和自己丈母娘生老丈人气的时候一模一样吗？虽然自己认识丈母娘的时候，她已经50岁了，但现在想想，眉眼之间的气质也是非常相似啊。自己因为她名字不同、学校不同而先入为主了，认定王金叶不可能是未来的丈母娘，这才差点犯下一个致命的错误。如果因为自己的挑拨，让这个世界不存在顾雯雯了，那可就搬起石头砸自己的脚了。

"同志，同志？"段科长的呼喊打断了冯凯的思绪。

"啊，好的，这样就清楚了，等回头我们录入你们集体户的时候，心里也有数了。"冯凯给自己打着圆场。

"是啊。"段科长说，"虽然只是工农兵大学生，但小林的业务还是没的说的，现在在我们急诊科工作，你知道吗？急诊科可是个通科科室，得每个专业都懂。不过呢，小林就是有点马大哈，忘性大，总是忘这忘那，这毛病不改，是不能让她上手术台的。"

后面段科长说了什么，又是怎么寒暄道别的，冯凯是一概不记得了，他现在

强奸犯

的策略发生了一百八十度大转弯，他得把对顾红星有误会、有偏见的林淑真给哄回来，好好撮合他俩了。

大年三十的下午，街上就已经没有人影了，更没有饭店餐馆开门，这和现代差太远了。冯凯嫌包饺子太麻烦了，于是自己下了碗面，在顾红星从家里带来的一瓦罐咸菜里捞了一些，算是菜，凑合了自己从现代社会来到这个时代后的第一顿年夜饭。想起还在现代时，自己从小到大，即便在单位加班，也没过过这样寒碜的年。

在这个没有电脑、手机，甚至没有电视、春晚的年代，冯凯实在不知道自己该干吗。拿起一本《三国演义》看了几章，就心烦气躁地扔到了一边。闭上眼睛，却怎么也睡不着觉。在现代，自己每次都嫌春晚一年不如一年，现在想起来，还真是身在福中不知福啊。

虽然这个时代没有那么多娱乐方式，但比起现代，可是热闹很多啊。从晚上十一点钟开始，一直到天蒙蒙亮，整座城市浸没在鞭炮声里，空气中满满的都是火药味。这种体验，陶亮恐怕只有在小的时候才有过。

不过冯凯并没有去想自己的童年经历，而是在想顾雯雯。顾雯雯的性格更多像林淑真，虽然话不算太多，但简单、直接，有足够的包容度，大大咧咧、与人为善，不会因为一件小事记仇，比较容易和人相处。所以顾雯雯在她们刑科所里，还是很有人缘的。但顾雯雯也有和林淑真不一样的地方。段科长说，林淑真是个马大哈，而这个词和顾雯雯沾不上边。顾雯雯好学、谨慎而且细心，就连并不是她专业的法医学鉴定书，送到她那里审发的时候，她都能找得出里面的错误。工作十年，顾雯雯的刑科所没有发出任何有瑕疵的鉴定书。办案也是这样，顾雯雯一旦钻进去，就像是钻进了牛角尖，不搞明白，她连觉也不睡。看来这一点，还真的有点像顾红星。因为顾红星回家过年前，还专门借来了照相机，把档案室里的女工案卷宗的现场照片翻拍了带走，说是放假的时候要研究一下。三天假而已，也不让自己闲着。

爆竹声渐渐稀疏的时候，冯凯迷迷糊糊地睡着了，也不知道睡了多久，被一阵急促的敲门声给吵醒了。

冯凯不情愿地从被窝里爬了出来，屋内生着的炉子还没有熄，还挺暖和。他坐在床上仔细分辨了一下是真的有敲门声还是在做梦，果真是自己的宿舍门被人敲响了。

"不是说好了三天假不来骚扰我吗？"冯凯穿上拖鞋拉开了宿舍门。

门口站着的是穿着厚厚的棉袄，脸蛋冻得通红的王金叶，准确地说，是林淑真。

"林医生啊。"随着开门，冯凯感到一阵冷飕飕的，连忙又反身往床边跑，说，"小顾同志回家过年了，不在这儿。"

林淑真有些窘地说："我不是找他，我来找你。"

"进来，进来，冷。"冯凯朝她挥挥手。见林淑真并没有挪动步子，冯凯突然想到，这是二十世纪七十年代，一个女孩子家，怎么能进只有他一个大男人在的单身宿舍呢？于是冯凯只能不情愿地把棉袄棉裤套上，然后走到了门口。

"对不起，我今天突然想起来，你肩膀上的伤，得换药，忘了告诉你。"林淑真咬着嘴唇，一副做错了事情的样子，声音越说越小。

"你不在家过年，为这事儿回来的？"冯凯又好气又好笑地说道，"你还真是个马大哈。"

"不是，不是，我初二值班。"林淑真怕冯凯误会，马上解释道。

"不用换药，你包扎的纱布，我昨晚就扔了。"冯凯满不在乎地说，"皮外伤，都结痂了。"

"啊？是吗？那就好。"林淑真如释重负，准备转头离开。

"哎，你等等。"冯凯下意识似的叫住了林淑真，但又不知道从何说起。

林淑真疑惑地盯着冯凯，半天，冯凯才说道："我们这工作呢，确实危险了些，但那是在救人，救人就是崇高的，和你们医生一样。"

"嗯。"林淑真点了点头，继续疑惑地看着冯凯，不知道冯凯突然来这么一句是什么意思。

这个"嗯"让冯凯更不知道如何往下接，于是有些慌张："啊，我，我的意思是，顾红星他有一颗救人的心，应该被赞扬，是吧，不应该被冷落。"

林淑真偏头想了想，说："你什么意思啊？群众不都给你们鼓掌了吗？"

"我是说你。"冯凯说道。

"我？"林淑真说，"你是让我赞扬他吗？那我不去。他那天的行动太莽撞了，我觉得救人的前提是保护自己，自己都保护不了，还能去保护谁？"

林淑真说得很有道理，这让冯凯一时语塞，只能搪塞道："人民公安为人民，只要能护得人民安全，必要的时候也需要牺牲自己。"

这几句话，在林淑真听来，似乎有些感动，她思考了一会儿，说："你说得也对，军人也是这样。哦，对了，还有白求恩大夫，也是牺牲了自己。"

"当然，我们会尽力不去牺牲。只要不牺牲，就能保护更多的人。"冯凯连忙圆场，"那你还生小顾的气吗？"

"生气？"林淑真说，"我没有生气啊，我只是觉得，嗯，就是那个场面比较让人心慌。"

"哦，你想说的是，他让你没有安全感了。"冯凯打了个哈哈，心里想着顾雯雯和他说的话。

"安全感？"林淑真可能觉得这个陌生的词挺能概括她当时的所想，所以下意识地点了点头。

"你要这样想。"冯凯见火添柴，不知道是在为顾红星说话，还是为了解开自己心里的结，"连公安同志都不能给你安全感，还有什么人能给你安全感呢？"

"小顾半天都不说一句话的人，谁知道他有没有安全感。"林淑真扑哧一声笑了。

"谁说的，那是你不了解他。"冯凯做出一副头痛的样子，说，"你要是和他熟悉了以后，他天天絮絮叨叨的，能把你烦死。什么第一、第二跖区啊，什么斗形纹、弧形纹啊，天天说听不懂的话。"

冯凯顿了顿，看林淑真有些跟不上自己的话题，连忙又解释道："我的意思是，他的表达能力其实很强的，就是因为性格比较内向，和不熟悉的人缺乏交流的自信。"

"我觉得还好啊。"

"我也很奇怪，他和陌生人说话都会结巴，但和你说话，倒是流利得很。所以，你以后和他多说说话，有助于帮助他建立自信。"冯凯说完，偷偷观察林淑真的表情。

林淑真根本就没有意识到冯凯说这话是什么意思，她笑靥如花，说："你这人还真奇怪。我记得以前你不是很讨厌我和他说话吗？"

"哪有？哪有？"冯凯突然被质问，窘迫得连手都不知道往哪里放。

"怎么没有，你还在我背后说我坏话。"林淑真小嘴一噘。

"误会，那是误会。"冯凯更加窘迫了。

"对了，你怎么知道我姓林？"林淑真话锋一转。

现在的冯凯是窘迫和惊吓双重刺激，他连忙说："啊？我不知道啊！我是听他们这样喊你的。"

"那你不想知道我为什么换名字吗？"林淑真问。

"不想，你和小顾说去吧。"冯凯连忙说，"他比较感兴趣。"

林淑真呵呵一笑，说："我以前叫林淑真，而且以后都叫林淑真了，现在也定岗在市人民医院急诊科了，有事你们找我。"

"我谢谢您，希望我一辈子都不找您。"冯凯做了个请的手势。

看着林淑真一蹦一跳地回去了隔壁宿舍，冯凯的心稍微放下了一些，看这架势，再撮合两个人还是希望大大的。这个丈母娘对自己可是相当好，就连自己犯错误被处分的时候，她还鼓动顾雯雯来安慰自己。不看别的，就凭这一点，他冯凯也得帮助她和顾红星修成正果。某种程度上说，这也是在给自己造福。

更重要的是，经过了这一番聊天，冯凯平静了许多。他把快要熄灭的炉子重新生上，在重新变得暖洋洋的房间里，看起了书。

手上的这本《三国演义》，是顾红星听他冯凯介绍过以后，花了五块钱在书店里买的。这对他们的工资来说，是一笔巨款了。此时，《三国演义》成了冯凯打发时间的最好工具，虽然这已经是他第三遍阅读了。

如果说在现代，破案是斗科技的话，那在这个刑侦科技几乎为零的时代，破案就是斗智斗勇、斗精神、斗毅力了。说不定这本《三国演义》能给他今后的侦案工作一些启发吧。

2

大年初二下午，顾红星结束了休假，回到了宿舍。

"看来看去，我觉得我对鞋印的第一跖区的判断没有错。"顾红星推开门一见到冯凯，就急着说道，"这个案子肯定有隐情，肯定事发时有第三个人在场。"

"那你去和领导说啊。"冯凯翻着书，头都没抬。

"可是，这不是客观的证据啊。"顾红星为难道，"是我的判断，领导不一定会相信我的判断。"

"那怎么办？"

"找客观的证据。"顾红星说，"卷宗里了，死者的衣物都在火葬场的杂物间，我们去找找看。"

"大过年的，去火葬场，晦气不晦气啊？"冯凯说，"而且，火葬场是有值班员工的，怎么会让我们没手续就去找东西。"

"那我们就去办手续啊。"

"大过年的，坐机关的领导们又不上班，去哪里办手续？"冯凯给顾红星缠得不行，说，"再说了，你都不敢和领导提重启案件，那你这要去火葬场又为何故？"

"去不了火葬场，就拿不到客观证据。拿不到客观证据，就没法说服领导重启案件，就没法去火葬场取证。"顾红星没注意冯凯话里故意的拽文，失望地喃喃自语道，"这是一个死循环。"

冯凯见顾红星十分沮丧，有些于心不忍，于是放下手中的书本，说："对了，现在是不是还没有强制火葬啊？"

"强制火葬？"顾红星莫名其妙地说，"不会吧，现在还有那么多人很迷信很封建，怎么能强制火葬呢？现在估计也就退休老干部去世之后，会带头火葬吧。老百姓，尤其是农村群众，都是土葬呢。"

被顾红星这样一说，冯凯才想起来，一直到二十世纪八十年代中后期，各地才开始大力推行火葬。在此之前，只是提倡火葬。如果社会主流殡葬方式是土葬，就不会有殡仪馆工作人员半夜去拉尸体的情况出现了。因为即便有人去世，也是停放在家里，即便此人要求火葬，也不会大半夜就拉走。

"那就好办了。"冯凯眼珠一转，说，"如果是这样，至少晚上不会有人在火葬场值班了。"

"你是说，我们晚上过去？"顾红星有些犹豫。

"随便你，你要是去的话，我陪你去。"冯凯摊了摊手。

顾红星想了良久，像是下决心，捏了捏拳头，说道："那行。"

两个人在宿舍里待到了天黑，冯凯拿出一个手电筒，和顾红星出发了。

当然，在这个过年期间，路上没有什么便车可以搭，他们俩也没有交通工具。虽然公交公司已经恢复运营了，但在这个晚上八点多钟的时间，也没有了末班公交车，去火葬场还是得靠"11路"①。火葬场在市郊，好在当时的龙番市并不是很大，两个人走了个把小时也就走到了。

其实最后的两公里路，越走越黑，甚至连路灯都没有了。到了最后五百米，水泥路也到了尽头，只有黄土路面。两个人只能靠着手电筒的微弱灯光，小心地踏着那些已经稍干的黄土，一点点向前移动。

在月光当中，眼前的建筑物以黑影的形式呈现在他们的眼前，显得有些诡异。

---

① "11路"：因为两条腿就像11，走路回家就可以说是坐11路车回家。这是一种戏称。

　　陶亮去过不少次他那个年代的殡仪馆，但是眼前这个地方之所以叫火葬场而不是殡仪馆也是有道理的。建筑物的陈列很简单，巨大高耸的砖砌烟囱下方，是一排破旧不堪的红砖平房。平房的前面用铁栅栏包围，形成一个小院，铁栅栏的外面是因为冬季而干枯的灌木丛。这么粗犷而简单的建筑风格，实在是看不出"仪式感"在哪里。

　　走到了铁栅栏的旁边，他们二人闻见了奇怪的味道，说不清是一种腐臭，还是一种烧焦的气味，这让顾红星忍不住干呕了两下。

　　"别怕，我们共产党员是无神论者。"冯凯晃了晃铁门上拴着的链条锁，说，"这么矮的栅栏，上个锁有啥用？不过，既然上锁了，那是在告诉我们，这里面没人。"

　　说完，冯凯一个跳跃，就翻过了铁栅栏，然后拉了顾红星一把，把他也拉进了小院。

　　"你这手上全是汗，这大冬天的，你热啊？"冯凯嬉笑道。

　　顾红星有些不好意思，说："走路走的，是有点热。"

　　"杂物间在哪儿？"冯凯站在小院里，看着眼前的一排平房，问道。

　　"这，这我哪知道？我也是第一次来。"顾红星搓着手，说。

　　"那就只有一间间找了，你从东边找，我从西边找。"冯凯说道。

　　"还是一起吧，我没带手电筒。"顾红星有些心虚。

　　"那行吧。"冯凯倒是没觉得什么，打头向西边第一间平房走去。

　　火葬场的平房已经建了二十年了，因为并没有多少财政支持，年久失修。窗框锈迹斑斑，玻璃也碎了好几块，窗户之间还有很多蜘蛛网相连。透过窗户，把手电筒的光线射入房内，确实只能看到房内的凌乱杂物，看不清具体有些什么。冯凯心里想，这还真有点像探索鬼屋的意思。虽然他当刑警当了那么久，并不害怕尸体，更不相信鬼神，但是鬼屋这种地方自己是从来不会进去的。别人说他就是害怕，他则解释自己的小心脏受不了一惊一乍，仅此而已。

　　眼前这情况，也由不得他不进去。冯凯咽了口唾沫，一手打着电筒，一手推开了那满是裂缝、油漆尽褪的木门，木门发出了"吱吱呀呀"的门轴转动声，更是增添了这个"鬼屋"的恐怖色彩。冯凯能清楚地感觉到，身后的顾红星紧紧地贴着他的后背。

　　被屋顶遮盖，月光一丝也透不进房间里，冯凯二人的视线只能随着手电筒微弱的光线搜索着。房间的周围堆放着一些花圈和纸钱，上面积攒了厚厚的灰尘。冯凯颤悠悠地靠近花圈，让顾红星拿着手电筒，自己则把灰尘累累的花圈、纸钱一个个掀起来，看看下面有没有可能压着衣物等杂物。

找了好一会儿，除了殡仪用品之外，他们并没有找到任何其他物品。不过，也没有见到什么他们害怕的，或者恶心的东西。

"这和仓库没什么区别。"冯凯明显放松了一些，顾红星也没有贴他贴那么紧了。

"走，下一间，总能找得到的。"冯凯带着顾红星走到了下一间平房。

这一间平房就是那矗立高耸的烟囱下面的平房，也就是火化房。房间不大，只有一个炉子，而且也不像是现代的不锈钢火化炉，这个炉子是铸铁所制的，烧柴油，能在炉内达到900摄氏度左右的高温。不过此时已经熄火，并没有火化炉的恐怖感。

看了一圈，这间房间没有堆积杂物，于是他们的胆子也就更大了。火葬场，不过如此嘛，哪有传言中那么恐怖？

第三间房间很大，似乎是四五间房间打通而形成的。因为大，且没有光线，冯凯二人走进去后，像是走进了一个宽阔的山洞。这间房间沿墙壁的一圈，堆放了各种杂物，女工案的物证，很有可能就存放在这里。

"你打着电筒，我来找。嗯，去年夏天的案子是吧？不能找太新的袋子，也不能找太旧的。"冯凯把手电筒递给顾红星，说道。他显然没有刚刚进来时候的紧张了。

冯凯对杂物间里诸多的蛇皮口袋一一翻动，顾红星则随之挪动着手电筒配合，瞪大了眼睛帮忙寻找。他第一时间经历了女工案的现场，也看完了整本女工案的卷宗，对女工案中的物证种类和样式应该很熟悉。

手电筒的光线缓慢地移动着，移动到了一块类似于玻璃的东西上面，光线穿过玻璃，照射了下去。顾红星瞪着眼睛，想看看这玻璃下面是什么。

那是一张恐怖的脸。

有半张脸是被血污覆盖的，血污被手电筒照射后还能看见里面夹杂着白色的像脑浆一样的东西。这张脸极度扭曲，额头塌陷了下去，显得下半张脸都凸了出来。右边眼眶的上半部分已经塌陷，眼皮不知道哪里去了，白花花的眼珠像是被瞪出了眼眶。鼻子很高，但是没有了皮肤的遮盖，鲜红色的肌肉下面有两个黑乎乎的窟窿。上嘴唇也消失不见了，上排牙列直接露在外面，沾染着暗红色的血迹，反射着

手电筒的冷光。这样的一张脸，被乱糟糟的头发包围着，在整个手电筒的光束包围之中，格外突兀。

从顾红星的角度看起来，他整个视野里，都只有这么一张脸，像是瞪着他，阴森地笑着。他看到过被碾碎的女工，但那毕竟已经不是完整的身体，更看不到脸，所以并没有眼前的景象恐怖。

原本已经放松下来的心情，此时骤然一紧，其紧张程度似乎更加严重了十倍。顾红星感觉自己全身的汗毛都竖立了起来，一声尖啸从他的胸膛中不自觉地冲了出来。

"啊——"

原本还在翻找杂物的冯凯很显然也被吓了一跳，他像是一只受惊了的猫，在原地跃了起来，一刹那，他也看到了那张恐怖的脸。

顾红星此时已经扔了电筒，向屋外跑去，因为丢失了光源，他还在门框上撞了一下。冯凯也丝毫不让，跟在顾红星后面夺门而出。只是冯凯在逃跑的时候，心情已经平静了下来，喊道："你小子一惊一乍的干什么？我最怕别人一惊一乍了！"

说是这样说，冯凯丝毫没有降低逃跑的速度。

刚跑到了铁门门口，还没来得及翻越出去，他们发现铁门的门口正站着两个人，其中一个人正拿着钥匙开铁门。如果没被惊吓，此时看到有人进来火葬场，两人肯定会担心被发现然后藏匿起来。而现在，他们看到活着的人类，只会在心里产生一丝安慰。

开门的人很是淡定，看着这两个莫名其妙大半夜来火葬场"探险"的年轻人，并没有惊讶。

"怎么样，吓着了吧？"开门的人已经打开了铁门，说道，"你们看到的，是今天工地上被挖掘机碾死的工人，明早就火化了，所以今晚临时停放在杂物间的冰棺里。"

所谓冰棺就是金属箱体玻璃面的棺材下面装上压缩机，又或者说像是一个横放的冰箱。这个年代，冰箱都是奢侈品，更不用说冰棺了。火葬场只有这么一台，而且冬天为了节约用电，并不会通电。否则压缩机的轰鸣声，会引起二人的注意，就不会来这么一出戏了。

"可是，你们俩为什么会在这里？"一个熟悉的女声从开门人身后响起。

冯凯侧身看了看，借着月光，看到了林淑真的脸。

强奸犯

"林，林医生？"冯凯想到自己逃出来的狼狈模样被林淑真尽收眼底，感到无比窘迫，同时也无比担心，因为顾红星比他还狼狈。

顾红星此时双腿都在哆嗦，压根没注意到冯凯把王金叶叫成了林医生。

"嗯，我今天值班啊，刚才有一个因心脏病突发去世的老人，家人要求火化，所以我就和火葬场的同志一起把老人送过来了。"林淑真说道。

"这，这种地方，你常来啊？"冯凯问道，心里挺佩服她。

"也不是，我们医院的太平间太小了，满了，所以直接送过来了。"林淑真像是疑问，实则有些调侃地说，"这里，有那么吓人吗？"

一句"满了"，说得冯凯汗都下来了，他连忙岔开话题，说："那你忙吧，忙完一起吃夜宵啊？"

"啊，对了，我今天是小夜班，这时候应该下班了。"林淑真不好意思地说，"我连下班时间都忘记了。只是，你说的夜宵……好吃吗？"

冯凯这时想起，在这个物资匮乏的年代，哪里有吃夜宵的地方，这个林医生甚至连"夜宵"是什么都不知道。

"我们在宿舍等你，我给你做。"冯凯抹了抹额头上的冷汗。

"你等我一下，正好我们救护车要回医院，可以把我们带回去。"林淑真说，"省得你们走回去还得一个小时。"

冯凯心想也好，以顾红星现在颤抖着的双腿，他们一个小时都走不回去。等着林淑真和火葬场的同志把交接手续办好，冯凯又厚着脸皮，让火葬场的同志去杂物间里帮忙取出了被顾红星丢在里面的手电筒，这才上了救护车。

"人生第一次搭便车，就是搭救护车，绝了。"冯凯坐在救护车后面停放担架的位置，说道。

"对了，你们为什么要半夜来火葬场啊？"林淑真问道，"办案吗？为什么不白天来？"

冯凯心想今天这个梗是怎么也绕不出去了，于是说道："都是这个小顾，非要来找一个物证，破一个案子，又没有手续，只能晚上来了。"

"到火葬场找东西啊？那有什么必要偷偷摸摸的啊？谁会把值钱的东西放在火葬场？"救护车驾驶员笑道，"这里我有个熟人，回头我来问问他哪天值班，然后你们白天来找。"

"那可谢谢您了。"冯凯一边说，一边注意顾红星，见他已经不再发抖了，这

才放下心来。

回到了宿舍，既然不是"孤男寡女"了，林淑真也同意进了他们的宿舍。冯凯借用了邻居的煤炉，在楼道里炒了个西红柿炒蛋，再炒了个花生米，然后拿了两瓶啤酒，三个人坐在宿舍里，边吃边喝。林淑真像在说故事一样，说了自己为什么要改名字的经过。这些经过冯凯已经从医院调查过，但此时也装出一副很吃惊、很感慨的模样。顾红星整晚上就没说什么话，冯凯很担心他别是被这吓一家伙，把脑袋吓坏了。

好在林淑真倒是叽叽喳喳说了不少话，让冯凯觉得他上次和她的谈话有作用了，她应该不会因为顾红星的职业特点，对顾红星有什么担忧或者顾虑了。这是撮合他们的基础，得让两个人的感情回到抗震救灾时候的原点。

吃饭的过程中，冯凯借口洗手、洗脸、上厕所，总是溜出去，想给两个人创造一点独处的机会。可是他发现，只要他一出去，两个人就没声音了。是啊，有顾红星这个半天打不出一个屁的家伙在，人家就是再健谈，也会尴尬的呀。

到了凌晨，林淑真回宿舍睡觉了，顾红星默默地收拾了碗筷，然后躺在床板上发呆。他心情很是不好，不为别的，就为了自己今晚上看到尸体后的第一反应。他在枪战中建立起来的自信，因为今晚的下意识反应，被削弱了大半。公安工作是需要付出牺牲的，是需要勇敢和坚毅的心的，可是他连一具尸体都怕成那样，实在是有些抬不起头来。今后的工作，可能不仅仅是这两件事情这么简单，还有更多让他恐惧、动摇甚至厌恶的东西，而他自己又能不能挺住呢？

3

第二天一大早，还不到上班时间，宿舍门就被穆科长敲响了。顾红星一骨碌下床开了门，冯凯则斜靠在床上，揉着眼睛。

"老头儿，这么早！"冯凯不耐烦地说，"春节一天假加上你给我们的三天假，按道理说，今天还应该休息一天。"

"别休息了，南城有个住户到派出所报案，他家挂在阳台的咸肉丢了，你们去看看可有线索。"穆科长火急燎地说道。

"什么？丢咸肉也要我们刑警去？派出所办了不就行了嘛。"冯凯重新钻回被窝，说，"不去，不去。"

强奸犯

"派出所人少事杂，而且人家也说了，我们不是有技术员了嘛。盗窃案，就看技术员发挥了。"穆科长二话没说，走过来掀冯凯的被子，"大过年的丢东西，理解一下。赶紧的。"

顾红星有些兴奋，开始穿警服，穿好后，又打开老马法医给他的黑色斜挎勘查包，清点着包内的工具。

"谁不人少事杂？我这还因公负伤了呢。"冯凯死死地攥着被子。

"你那点小伤，对你这体格来说算什么啊。"穆科长说，"你赶紧起来，我肯定不会让你们白跑一趟的。"

要小脾气归要小脾气，但"前世今生"都是警察的冯凯，服从命令已经融入了血液里，所以他还是一边发牢骚，一边起身穿警服。穆科长则在一旁着急地不停催促着。

穿好警服后，三个人一起下楼，穿过宿舍区，走进了公安局大院。大院的正中央，停放着两辆黑色的崭新的二八大杠，自行车的载物架后面还挂着一个牌子，上面写着"公安"二字，每辆自行车的车头前面还绑着一朵大红花。

在现代，如果购买了新车，4S店比较浮夸的话，会在交车的那一天，在车前面挂朵大红花表示祝贺。陶亮一直都觉得，不过是买个代步工具，有必要搞这么俗套吗？

如今在这个时代，也看到了类似的情况，冯凯不禁哑然失笑。

穆科长见冯凯在笑，以为他是高兴，于是兴高采烈地说道："怎么样？老头儿我说话一直都是最算话的。你们不知道，为了你们俩的自行车，我大年三十都差点在局长家里过了。"

顾红星这才确认，这自行车是给自己的，他一蹦一跳地跑到自行车的旁边，仔细抚摩着自行车的龙头和坐垫，那模样就像遇见了自己心爱的宝贝一样。

冯凯站着没动，他看着顾红星在一圈一圈围着自行车转，不由得想起了自己印象中的老丈人——也就是年老的顾红星。那是一个脾气古怪的老头儿，天天皱着眉头，忧心忡忡的样子。尤其是近两年，因为牙口不好，满口的牙几乎都掉光了，所以装了假牙。就连最喜欢吃的红烧肉，现在也只能吸吸味道。哪像眼前这个在自行车边连蹦带跳的年轻人，青春勃发、朝气蓬勃。

冯凯突然有些感伤，他有些同情年老的顾红星，那是一种英雄迟暮的感觉。

有那么一瞬间，他甚至悲哀地想，岁月对任何一个人来说，都是负能量。

如果他可以选择永远年轻该多好……

不，冯凯对自己暗暗摇了摇头，就算岁月流逝再残酷，他也不想永远停在原地。比衰老和死亡更可怕的，是一个人停止了思考，不再想要任何改变和成长。

或许，那就是他逐渐失去顾雯雯的原因。

有了交通工具，这工作效率可就不一样了。如果搁之前，走路过去要一个小时，想搭公交车，还不一定能挤得上去。这有了自行车，两个人二十分钟就到了报案人的现场。

"嚯，你们还配了自行车呢。"派出所接警的同志正蹲在现场门口抽烟，见冯凯二人来到，迎了上去，一脸羡慕地抚摩着崭新的自行车。

"那可不。"冯凯支好自行车支架，锁好车，说道，"龙番这么大，我们天天走，还不得累死。"

"我跟你们说，这已经不是第一次丢东西了，以前丢一些瓶瓶罐罐不值钱的东西就算了。但这次真的是十几斤肉啊！你们想想，十几斤肉啊！花我多少钱买的！"失主焦急地对冯凯阐述着案情，"我昨晚睡觉的时候还专门收到屋子里来了，这贼是撬开我的窗户，爬进来偷走的。窗户都能撬开，你看多危险啊，要是来捅我几刀，我死都不知道怎么死的。你们公安得破案啊，要不我们这一片居民都有生命危险。"

"就是小偷小摸的，捅你干吗？"冯凯有些不耐烦地说道。

顾红星瞪了瞪冯凯，意思是冯凯不该这样和失主说话。然后，顾红星打开勘查包，从里面拿出一瓶银色的粉末和一把小刷子，走到被撬开的窗户旁边，左右看看后，开始在窗框上刷了起来。

冯凯想了想，不知道这种事情该如何问起，问什么问题都没多大的意义。毕竟，只要看到失主在白天晒咸肉的人，就有可能晚上来作案。这个年代，缺吃少穿的人不少，就连他冯凯也因为长时间接触不到荤腥而馋肉。所以谁都有可能来作案，问失主也算是白问。

冯凯心里很抵触，一是觉得丢了几块肉认倒霉不就完了？兴师动众喊这么多公安来，实在是浪费公共资源。二是觉得派出所不厚道，自己搞不定还要拖刑警部门一起来担着。当然，所有这些想法，都从冯凯内心里并不想去办这个案子或者说并不认为能够破这个案子而来。

顾红星则不一样，冯凯在门口都等到双脚被冻得生疼了，他还在一直不停地刷

强奸犯

刷刷。有的时候可能是刷到了指纹，顾红星就用胶带把附着在指纹上的粉末给粘下来，然后把胶带贴在一张黑卡纸上。这样，银色的粉末就把指纹的形状固定在黑色的卡纸上了，可以长久保存。

不知过了多久，派出所所长骑着自行车来到了现场，说："两位刑侦科的同志，你们穆科长让你们现在去化工厂宿舍，说那里有大案子要你们去。"

冯凯如获大赦，拉着顾红星就走，说："我真是服了你了，因为几块咸肉，你真准备把他家都刷一遍啊？刷完了有啥用？龙番几百万人口，你知道是谁的？"

"那也得刷啊，不刷完，我心里不踏实。"顾红星收起刷子，说，"不过我已经找到一枚指纹了，不是失主的，说不定哪天运气好，就能找到窃贼呢。"

"真是服了你了，不刷完不踏实，你处女座啊？"冯凯一边蹬着自行车，一边说道。

"什么处女？不害臊啊？"顾红星低着头说。

冯凯顿时很无语，让他去查偷咸肉案的窝囊劲随着气血上涌，他使劲蹬了几下，骑到了前面，不想再和顾红星说话。

到了现场，两人才知道这是一起强奸案件。相对于偷咸肉这种小案件，眼下的这起强奸案，确实是大案子了，毕竟多次修订后的《刑法》中，强奸案也是严重暴力犯罪之一。只是毕竟没有出人命，所以对于曾经是二十一世纪的刑警支队大案科的刑警来说，冯凯觉得这案子也不算有多"大"。

报案人是化工厂的一名女工，根据这名女工的叙述，她每天早上会来叫上同事李凤一起去上班。今天早上，女工来到李凤的单身宿舍门口时，发现宿舍的门是虚掩着的，于是推门进去了，看见李凤的双手被捆绑在床沿，下身赤裸，口中塞着毛巾，默默地哭泣着，这才知道出事了。

冯凯二人抵达现场的时候，受害人李凤正在别的同事的宿舍里坐着，几名女工围着她，正在安慰她。冯凯正准备进门去询问，被顾红星拦住了。

"不要再问了，强奸案对受害女性的伤害很大，你多问一次，不就等于在她的伤口上多撒一把盐吗？"顾红星说道。

冯凯微笑着点点头，心想这么先进的理念，在2021年很多地方的民警都还没有这个意识呢，在这时代的顾红星就能想到了。很多同事说顾红星是个会为别人着想的人，看起来还真是不假。可是老岳父为何就不能为他女婿想想呢？几次犯错误，

不都是为了破案吗？自己又没有私心。

这样想着，冯凯从派出所民警那里拿来了询问笔录，和顾红星传阅了起来。

事情的经过挺简单，李凤昨天晚上一个人在车间加班，下班后，大约十一点多，独自回到了宿舍。到了宿舍她反身关门后，顺便拉了一下电灯开关，想要开灯，结果灯并没有亮。她以为是宿舍又停电了，并没有往心里去，就准备摸索着去找书桌里面的蜡烛或者手电筒。当走到床边的时候，月光从窗帘缝里照进来，她这才发现自己的床上躺着一个黑影。

李凤还没来得及尖叫，那黑影就一跃而起，一手勒住了她的脖子并捂住了她的嘴，另一只手则拿了可能像是刀具之类的东西顶住了她的腰。当时李凤都吓傻了，哪还敢呼救、挣扎，就一个劲地哭。犯罪分子就把她摁在床上，先用她房间里捆扎杂志的绳子把她的双手捆在了床沿上，又拿了她的洗脸毛巾塞在她的嘴巴里，最后对她实施了强奸。

得逞后，犯罪分子径直从大门离开了。犯罪分子离开后，李凤试图挣脱绳索，但是试了几次都失败了，于是只能一边哭，一边等候救援。直到今天早晨，她才被同事发现。

冯凯痛恨强奸犯，看笔录看得咬牙切齿的。而顾红星则先一步看完笔录，然后在房间里勘查了起来。

"这个门锁，太不安全了，用卡纸插进门缝，就能弄开。"顾红星说，"只可惜，犯罪分子没有在门和门锁上留下指纹。"

"戴手套了？"冯凯问道，他觉得不应该啊，这个年代的犯罪分子还没有那么强烈的反侦查意识吧。

"不是，是门和门锁的载体不好。而且撬门的动作也很简单。"顾红星说，"总之，就是啥也没有刷出来。"

"所以是用卡纸弄开了门，在宿舍内守候，而李凤回来，并没有发现任何门锁的异常？"冯凯说。

顾红星点点头，说："是啊，并没有破坏门锁，所以李凤察觉不出什么。对了，昨晚她们宿舍是停电了吗？"

"没有。"派出所民警说道。

顾红星一惊，抬头看了看屋顶上的白炽灯灯泡，说："难道是恰好灯丝断了？这么巧？你们有梯子吗？"

派出所民警摇了摇头。

顾红星左右看看，见书桌下有一张凳子，于是把凳子拖过来，站上去，刚好能够得着灯泡。他说："灯丝没有断啊，哎，不对。"

虽然顾红星戴着白纱手套，但他还是没有最直接地用手去拿灯泡的主体部分，而是小心翼翼地在灯泡的根部转动着，说："灯泡被拧松了。"

随着顾红星转动灯泡，电灯忽然亮了起来。随着他将灯泡转回到刚才的位置，电灯又灭了。

"你是说，犯罪分子先进来拧松了灯泡？"冯凯眯着眼睛陷入了沉思。

"是的，这是螺口的灯泡，所以可以拧松不通电，但也不至于掉下来。"顾红星说，"这太好了，我看多半这个灯泡上可以提取到犯罪分子的指纹。"

说完，顾红星小心翼翼地把灯泡卸下来，放进了一个牛皮纸口袋里。

冯凯依旧在沉思当中，他顺口问道："为什么笔录里，没有记载李凤和犯罪分子的交流情况？难道一点交流都没有吗？"

"是的。"派出所民警说，"这个我专门问了，受害人说整个过程犯罪分子都没有说一句话，甚至没有发出任何声音。"

"难道是聋哑人吗？"顾红星一边说，一边在牛皮纸口袋外面做记号。

"扯，聋哑人也有可能发出声音啊。"冯凯摇摇头，说，"我基本上有数了，小顾你把床单带走。"

"带床单？带床单干什么？"顾红星看了眼床上皱皱的床单，疑惑地问道。

这一句猛然把冯凯带回到了现实，在这个时代，还没有DNA检验技术，不可能依靠床单上的精斑来认定犯罪分子。看起来，如何甄别犯罪分子，如何认定犯罪，只有指望顾红星能在灯泡上找到指纹了。

"啊，呃，反正你把床单带着，回去找老马问问，说不定能用上。"冯凯搪塞道。

"可是，一个床单不少布呢，受害人能同意吗？"顾红星问道。

"反正你把床单带回去交给马法医就行。"冯凯说，"现在我们俩分头行动，你回去局里检验灯泡，我呢，留下来，我要和李凤谈谈。"

"不是说了，不要再刺激受害人了吗？"

"不会刺激的，为了尽快破案，我必须和她谈谈，争取她的支持。"冯凯斩钉截铁地说道。

大半年以来，不敢说时时刻刻都形影不离，但至少大部分学习工作时间顾红星是和冯凯一起度过的。此时一个人带着物证回到局里，顾红星显得有些不自然。

办公室里只有马法医一个人，他戴着老花镜，正在动作缓慢地摆弄着一堆瓶瓶罐罐。

顾红星拿着装有床单的牛皮纸口袋，递给马法医，说："老，老，老马，这，这是，床单。"

"嗯，不错，公安部民警干校出来的就是不一样。"马法医一手拿过牛皮纸口袋，并没有转眼去看顾红星，慢悠悠地说，"我就猜到，你们有把现场床单提取回来的意识，你看，试剂我都准备好了。"

这一番话，说得顾红星很是汗颜，他哪里有这个意识了，他没有想到，冯凯居然懂得现场勘查的常识，比他这个痕检员都要厉害。想到这儿，他内心里升起对冯凯的钦佩。

"是，是冯，冯凯想到的。"顾红星老实地说，"我，我没有想到。"

"哦，这个是法医学的知识，你们痕检不懂，也很正常。"马法医挥手让顾红星坐在身边，然后在办公桌上铺开了床单，说，"我教教你吧，省得我退休后没人来接班。"

"啊？我，我，我不行的。"顾红星连忙摆手道。

"不行也得行，法医没人愿意干啊，我真退休了，你得接我的班。"老马哈哈一笑，说，"看到没，床单的中央位置，有一块颜色加深，并且硬硬的区域，这就是精斑啦。"

顾红星皱起眉头，盯着床单看了看，确实有一块不一样的地方。

"人有血型，你知道吧？"

"嗯。"顾红星点了点头。

"人哪，一共四种血型，A型、B型、O型和AB型。"老马蹩脚地念着英文字母，慢吞吞地说，"血型物质呢，不仅仅在血液里有，在所有的体液里同样有，比如唾液啊、精液啊，都有。当然，每个人不同，还分分泌型和非分泌型。分泌型的人呢，很容易通过体液做出他的血型；而非分泌型的人呢，就会麻烦点，但也可以通过他的体液做出血型。"

老马一边用浸湿的棉签，将床单上的精斑蘸取下来，一边说得很慢，给顾红星科普知识。虽然这些理论严重超纲，但顾红星听得很认真，拿着本子唰唰地做着笔记。

"我们现在就期盼这个犯罪分子是分泌型的。"老马说，"那我们很快就能知道他的血型了。现在我们要做的，是'精斑中和实验'。'中和'你懂吧？就是用试剂把精斑里的血型物质中和掉。你看啊，把精斑稀释后，滴到点板的两个凹槽里，再把抗血清滴进去。抗血清有两种：一种是含有A型抗体的；一种是含有B型抗体的。将A型抗体加到第一个凹槽里，B型抗体加到第二个凹槽里。如果嫌疑人的血型是A型，那是不是就把A型抗体中和掉了？第一个凹槽是不是就等于什么都没有了？"

顾红星眨巴眨巴眼睛，觉得自己没听太懂。

"然后，我们再给两个凹槽分别加入A型和B型的指示细胞。"老马也不管顾红星听没听懂，说，"再用显微镜观察。"

"咱们还有显微镜呢？"顾红星不知不觉不结巴了。

"有啊！不过是生物显微镜，你们痕检用不上，你们得用立体显微镜和比对显微镜。[①]"老马说完，在纸上画着示意图，说，"我们在两个凹槽里分别滴入A和B型指示细胞，假如A发生了凝集现象，B没有，说明B抗体刚才被精斑中和掉了，嫌疑人精斑里是B型血型物质，所以嫌疑人是B型血。反则反之。"

"那会不会都凝？"顾红星问道。

"问得好，说明你在思考。"老马满意地点点头，说，"如果都凝了，说明精斑没有中和任何抗体，嫌疑人是O型血；如果都不凝，说明精斑把两种抗体都中和掉了，嫌疑人两种血型物质都有，所以是AB型血。"

"哦，这个好玩啊。"顾红星说，"那怎么叫凝，怎么叫不凝呢？"

"你看看这个犯罪分子，就是B型血。"老马把显微镜目镜让了出来。

视野里，A凹槽里尽是一团团黑块子，说明A发生了凝集现象；而B凹槽则斑斑点点的，说明B没有发生凝集现象。顾红星若有所悟地点了点头，又问："可是，B型血的人有好多啊，怎么知道是哪个B型血的人作案呢？"

"那就是侦查的事情了。"老马摸了摸下巴上的胡须笑道，"我把你们的排查范围缩小了四分之三，还不够吗？"

---

① 作者注：生物显微镜是用来看生物细胞的，立体显微镜和比对显微镜是用来看实物的，因此此处才说痕检用不上生物显微镜，使用更多的是立体显微镜和比对显微镜。

"您缩小范围，我尽可能快速认定。"顾红星扬了扬手中装着灯泡的牛皮纸袋，说道。

<h1 style="text-align:center">4</h1>

半个小时后。

"啊！有特征点！"顾红星突然喊了一句。

"我的天，我年纪大了，你别把我的心脏病给吓出来。"马法医正抱着一个搪瓷缸子喝茶，吓了一个哆嗦。

可能是马法医愿意主动教授法医学知识，让顾红星顿时觉得和他亲密了许多，这也就放肆了起来，有了好消息，第一时间分享了。

"虽然这些粉末太粗了，但我觉得应该是可以比对的。"顾红星兴奋得面颊通红。

"好啊，祝贺你，距离破案就一步之遥了。"老马哈哈一笑，摸着下巴上的胡须说道。

"一步不止，龙番几百万人呢，怎么查呢？"顾红星顿时又陷入了苦恼。他的手里拿着刚刚做好的指纹卡，上面的特征点被他用红色的铅笔圈了出来。

"我在灯泡上找到两枚指纹，从中指的箕形纹的箕头方向来看，这两枚指纹应该是右手指纹，说明凶手是用右手来拧灯泡的，是右利手。"顾红星念念有词，"既然是右手的联指指纹，那么他应该是这个姿势去拧；从面积大小来看，下方的这枚是拇指，后上方的这枚应该是中指。"

顾红星从灯泡上提取到了右手的拇指和中指的指纹。可是因为刷指纹的粉末太粗了，很多指纹的关键节点都被粗颗粒遮盖了，看不清楚，但仍有几个特征点被顾红星找了出来。顾红星知道，是因为指纹的载体是灯泡玻璃，非常好，而且犯罪分子汗腺发达，留下的指纹非常清晰，这才具备比对价值。如果在一个载体不好的平面上，即便刷出了指纹，也会因为粉末太粗而很难获得比对价值。

想到这里，顾红星有些担忧。

"你当侦查部门不存在啊？"老马打了哈哈，有气无力地说，"就是没有咱们技术的时候，侦查部门不还是照样破案吗？我们只是锦上添花而已。"

"可是，这个案子就冯凯一个人在查，他一个人又怎么查出线索呢？"顾红星越想越担忧。

"怎么？对我这么没信心啊？"冯凯推门走了进来，满脸笑容，像破案了一样。

"有线索了？"顾红星站了起来，说，"赶紧提取指纹比对啊。"

"啥线索都没有，我没去查。"冯凯拿起顾红星的茶缸，喝了一口。

"你不查啊？你怎么这样啊？你不是说你最痛恨强奸犯吗？"顾红星有些生气。

"谁说我不查？"冯凯神秘一笑，说，"龙番这么多人，我怎么去查？不用计怎么行？"

"用什么计？"顾红星很好奇。

"我先来和你说一个故事吧。"冯凯拖过一张板凳坐了下来。

"听故事好啊，我正闲着无聊呢。"老马也把自己的椅子拖到冯凯身边。

"我有个朋友，嗯，也是公安，搞刑侦的。"冯凯一边回想着过去，一边说道，"他有一天接到了一起强奸案，事情是这样的。一个女孩在晚上独自夜跑，可是没有带手机，啊不是，没有带手电筒。跑着跑着，她就跑迷路了，于是找路边的一个男人问路。男人就说，你往西再跑两百米，就到大路了。女孩往西跑了两百米，结果发现这里是一个死胡同，这才发现上当了，可是已经来不及了。因为那个男人已经跟了上来，把她给强奸了。这案子发生以后啊，我非常，啊，我朋友非常生气，立志一定要在最短的时间内把案子给破了。可是这个女孩因为当时太害怕了，甚至都忘记了那男人的模样，只知道他穿着某工厂的工作服。可是这个工厂有上千名员工，男人有七八百，如何排查呢？"

"有指纹吗？"顾红星问道。

"有DN……啊，对，有指纹，反正是找到嫌疑人了，就能核对上。"冯凯差点说漏嘴，"可是七八百人一个个查指纹的话，除非是密取，因为你一查，犯罪分子就意识到了，就会逃跑，不好抓啊。"

"说得有道理。"老马附和道。

"所以我朋友就想办法啊，能有什么捷径呢？既方便快捷，又不打草惊蛇呢？"冯凯绘声绘色地说道，"他就重新看了看案情，发现啊，这个女孩不仅被强奸了，而且随身的一个小包也被抢走了，里面其实只有几十块钱。"

"几十块钱！几个月工资啊！"顾红星说。

"啊，我说错了，只有几毛钱，几毛钱。"冯凯说，"这就说明一个问题，这个犯罪分子啊，不仅好色，而且很爱贪小便宜。我朋友就抓住这个特点，伪装成一个私立医院的医生，跑到工厂里面，说是只要报名了，免费体检，还送鸡蛋。"

"私立医院？"老马瞪大了眼，"医院还能私立？"

"不是不是，公立的，公立的，那家医院名字叫'思力'，思……思考的思，力气的力。"冯凯一边张口就来，一边忍不住拍自己脑袋，心想自己都来大半年了，怎么还管不住这张嘴呢？

"哦，公立的'思力'医院。"老马琢磨着，"这名字怎么那么别扭……是哪儿的医院啊？"

冯凯赶紧打断他的瞎琢磨，接着说："来报名的人呢，都采血，啊不是，采指纹。整个工厂一共只有一百多人来报名，其中六十多都是女性。"

"犯罪分子爱占小便宜，所以肯定会来。"顾红星恍然大悟，"不过，送鸡蛋，这不是小便宜啊，这是天上掉的大馅饼啊。"

"对了，这个犯罪分子，就在这三十多个来报名的男性里。"冯凯瞪了一眼顾红星，说道，"案件，一天就破了。"

"这太厉害了！你朋友是不是立功了！"老马问道。

"那倒没有，他被处分了，降职了，还被调离了刑警部门，去派出所当片警了。"冯凯摊了摊手，在顾红星和老马疑惑的眼神中接着说道，"案子虽然破了，但是工厂工人不管那么多，都报名了，体检名额呢？鸡蛋呢？公安局领导去解释说，这是为了破案，工人们根本不理那一套，要求公安局报销体检的费用，还要给鸡蛋。公安局肯定解决不了这些费用的，我朋友他们公安局财务审计特别严格，所以公安局领导就被市领导一顿臭骂回来了，当然，他的气也都撒在了我朋友身上。道理很简单，政府部门怎么能欺骗老百姓呢？后来直接上纲上线到了'政府公信力'的问题上，我朋友当然没有好果子吃。"

"你和我们说这个，是因为我们手上的这一起案件？"顾红星反应了过来。

冯凯嘿嘿一笑，点了点头，说："是的。这个案子，也同样有捷径可走。"

"怎么走啊？你朋友那案子，好歹有个工厂的范围。咱们这案子，难道以龙番市为范围吗？"老马眯着眼睛缓缓地问道。

冯凯神秘地摇摇头，说："我来给你们分析一下。犯罪分子潜入了女工宿舍，躲在犄角旮旯里就行，为什么还要大费周折，爬到凳子上把灯泡拧灭？拧灭了灯泡，他自己也是两眼一抹黑，不方便作案啊。"

"为什么？"马法医问道。

顾红星像是想到点什么，说："啊！我知道了！你在现场的时候，问了一句，说犯罪分子为什么一句话没说！"

冯凯点了点头。

顾红星接着说："既然他没有躲起来突然袭击，而是把灯弄灭，作案的时候又不发出任何声音，那是因为他怕被李凤认出来！"

"对，这是一起熟人作案的案件！"冯凯说，"而且我觉得应该很熟悉。现在问题就来了，和李凤很熟悉的人，我问了一下，她至少能说出来近百个，有同事、同学、亲戚、朋友。"

"没关系，我有指纹啊，一个个比！"顾红星说。

"和我说的故事一样，一个个采指纹，就打草惊蛇了。如果是密取，多麻烦啊！你别忘了，这案子就我们两个人办。"冯凯说，"所以我依旧要使用'守株待兔'之计。"

"送鸡蛋？"老马问。

"这案子送鸡蛋就不行了。"冯凯说，"穆老头儿肯定不能给我报销，而且犯罪分子不一定愿意占那便宜。但有个特征，这个人心思缜密，非常谨慎，我们就要抓住这个点。所以，我就在李凤熟悉的人中，散布一个谣言，说李凤最近感染了一种病毒，只要密切接触，就会传染。什么叫密切接触呢，就是在一起吃饭、近距离聊天什么的。这种病毒呢，感染了以后必须立即诊断医治，否则可能影响生命安全。"

"这个好啊！"老马说，"你可以加一条，说是B型血的人，特别容易感染。因为我们已经做出来了，犯罪分子是B型血。"

"不好吧？你朋友那办法，都被处分了。"顾红星说，"你这是在诽谤李凤啊，你不怕她告你啊？"

"所以我刚才的主要目的，就是和李凤谈好，争取她的支持。"冯凯说，"她已经同意我用这个办法了。等破案之后，我会帮助她和她的熟人们解释清楚。这个年代的人，更加通情达理。"

冯凯的最后一句话，顾红星没听懂，他也不清楚冯凯的这个"捷径"究竟违反不违反规定。但顾红星觉得，既然冯凯是为了尽快破案，当事人又是支持态度，那就没什么好顾虑的了。

"因为只和李凤有关，所以这谣言只会在李凤的熟人之间流传。"冯凯说，"我散布出去，如果近期有和李凤密切接触的，就要赶紧去人民医院急诊科找林淑真医生来诊断。你想啊，既然吃饭、聊天都传染，那犯罪分子肯定认为那种事更

会传染，他是一个谨慎的人，一定会去医院诊断的。所以，你赶紧去和林淑真串通好，让有人来求诊的，都在检查单上按个手印，咱俩躲在屏风后面甄别。一旦有相似的，或者认定的，我们立即抓人。"

在去人民医院的时候，冯凯还准备了一肚子的话去说服林淑真帮助他们。没想到他们到了医院，遇见了正准备下班的林淑真，顾红星简要地把来龙去脉一说，林淑真就痛快地答应了。

林淑真把事情经过和急诊科的主任说了一下，主任也痛快地专门腾出一间诊室，作为他们"守株待兔"的"战场"。能帮助破案，这让林淑真很是兴奋。

从下午开始，就陆续有人来找林淑真了。林淑真则表现出很专业的诊疗姿态，先是询问来人的血型，如果是B型血或不知道自己血型的男人，就在一个检验单上按个红手印，把手印递给坐在一旁伪装实习生的顾红星手里。如果是其他血型或者是女人，就声称他们没有被传染，在他们的连声道谢声中让他们离开。

顾红星已经对灯泡上的指纹特征点了然于心，而用印泥捺印出来的手印，特别清晰，很好辨别特征点。

在他们"接诊"到十几个人的时候，出现了一个眼神闪烁的男人。这个男人身材不高，却挺壮实，走进诊室里也是东张西望，有一种心里很不踏实的感觉。躲在屏风后面的冯凯，在看到他的时候，不自觉地坐直了身体。

"什么血型啊？"林淑真拿出一张检查单，把印泥向他推了推，问道。

"看病还要问血型吗？"男人似乎起了疑心。

"B型血比较容易感染这个病毒。"林淑真按照之前的设定胡诌道，她心想幸亏大部分人没有基本的医学常识，不然这一句话就能露馅。

"哦，那我好像还真是B型。"男人说道。可能是因为林淑真出色而自然的表演，让他暂时放下了警惕。

"按个手印，要检查一下。"林淑真一边拿出那块绣着绿色文竹的白色手帕遮挡住鼻子，一边说道。

"按手印干什么？"男人的警惕心重新提了起来。

"哦，医院的程序，就像手术前要告知家属风险一样。"好在有前面十几个人的训练，林淑真这时候对答如流，"证明是你自愿接受检查的。"

男人犹豫了一下，想用右手食指按手印。

"用大拇指按，食指按的不清楚。"林淑真说。

强奸犯

男人皱起眉头，盯着林淑真看了半晌，林淑真的表演功底不错，也一脸无事的模样盯着他。男人看不出什么问题，还是犹豫着在检查单上用右手拇指按下了手印。

顾红星拿过检查单，眯着眼睛看指纹。

"你在看什么？"男人见顾红星盯着自己的手印看，明显有些慌张，从凳子上站了起来。可未曾想，在屏风后面的冯凯此时已经用他铁塔似的身体堵住了诊室的大门。冯凯按住了男人的肩膀，把他按在了凳子上。

"别慌，等一会儿。"冯凯觉得自己的直觉不会错，一个正常人，不会在医院表现出如此大的疑心。

看到冯凯已经出马，顾红星不再藏着掖着了，他拿出藏在桌子下面的放大镜，对着指纹看了一会儿，兴奋地朝冯凯点了点头。

男人意识到不好，这个按肩膀的人，肯定是公安局的便衣。他想猛地跳开，但冯凯早就精力集中地盯着他了。冯凯一把把他按在桌子上，另一只手已经扭住了他的手腕。顾红星从腰间掏出手铐给他戴上。

"干什么！你们绑架吗？"男人歇斯底里地大叫道。

"公安。"冯凯威严地说道，"有什么话，去局子里说。"

人民医院和公安局就一墙之隔，他们很快就把男人押进了审讯室。

"姓名，年龄，职业？"冯凯不由分说，开门见山。

在阴暗的审讯室里，冯凯背后墙壁上"坦白从宽、抗拒从严"的八个大字，震慑着男人的心，他明显开始发起抖来。冯凯知道，在现代，已经不用这八个字当标语了，说是不符合法律要求，但不得不承认，这八个大字对嫌疑人的心理还是有震慑作用的。

"胡鹏，29岁，化工厂工人。"

"你和李凤是什么关系？"

胡鹏抖得更加剧烈了，沉默了半天。

"工友是吧？"冯凯说，"一个车间的？"

胡鹏点了点头。

"一个车间工作，不至于密切接触吧？你来医院看什么？"

"我，我和她近距离说过话。"

"少废话，你不会还想狡辩吧？"冯凯声调突然加重，把胡鹏吓了个哆嗦，"强奸罪可是重罪，最重可以死刑的。"

陶亮是科班法学士，他知道，我们国家的第一部《刑法》是1979年才颁布的，之前都是用一本1950年的《刑法草案》做参考，判决还是法院根据罪行严重程度和社会危害程度自由裁量。普通强奸案判死刑的，可不少见。

"没有，我没有。"胡鹏的喊冤显得苍白无力。

"你知道不知道，你强奸别人，留下来的东西可以做检验啊？"冯凯说，"你知道不知道，这是什么啊？"

说完，冯凯把手中的牛皮纸袋倒过来，里面的灯泡滚了出来，他说："指纹是什么你懂不懂？1949年前就有这技术了，你不会不知道吧？"

冯凯在还是陶亮的时候，一直对技术不上心。虽然顾雯雯是搞技术的，但他经常会在家里开玩笑似的奚落技术人员。他觉得技术再怎么牛，不过也就是一个印证侦查员直觉的办法，也就是一个能说服法官的证据。如果侦查员不去摸排、不去审讯，光靠技术那是什么都干不成的。虽然他是这样想，但在审讯工作中，他会经常抛出技术物证来摧毁嫌疑人的心理防线。所以，在他的潜意识里，他是认可技术工作的，只是嘴上不愿意承认它的重要性罢了。

果然，有了之前在医院问血型、看指纹的前情作为铺垫，胡鹏的心理已经脆弱不堪，此时技术物证一抛，胡鹏的心理防线就直接崩溃了。他开始痛哭起来。

"说吧，仔细交代清楚。说清楚了，我会和法官求情，留你一条小命。"冯凯说。在现代，他绝对不敢说这种话。

仅仅一个小时的审讯工作，冯凯和顾红星就拿到了胡鹏是如何垂涎李凤的美色，如何潜入女工宿舍并拧掉灯泡，如何捆绑李凤并实施强奸的全过程的口供。

从审讯室出来，天色已经黑了，冯凯因为早晨没有睡好，此时哈欠连天。顾红星则毫无困意，他要求冯凯和他一起去女工所在的工厂、她父母家和朋友家，去告诉大家之前所谓的病毒，只是个为了破案的诱饵而已。李凤身体很健康，需要大家的鼓励和安慰才能恢复心理的健康。

冯凯觉得这是多此一举，有没有病毒时间长了大家都会知道，李凤自己也会解释。而心理健康，不用他们说，关心她的人也会去安慰。但顾红星则不这样认为，他觉得利用两个小时的时间，做到自己能够做到的一切，这才是一名共产党员的责任。

冯凯想要拖延拖延，明早恢复了体力再说，但实在是受不住顾红星的唠叨，最后还是陪着顾红星一起，奔走到了深夜。

燃烧的蜂鸟

第四章

剥皮

1

第二天一早，冯凯和顾红星来办公室上班的时候发现刑侦科全体同志都在办公室里。

"两个年轻人，两次出马，都大获全胜，我们这些老家伙，给他们鼓鼓掌吧。"穆科长带头鼓起掌来。

在大家的掌声里，顾红星窘红了脸。

冯凯情商很高，上次他们从火葬场出来后，顾红星的情绪就一直不在状态。冯凯知道顾红星是为什么会从枪战后的兴高采烈变成在火葬场时的闷闷不乐。只是，这种事情也不好明说。看着顾红星的落寞和惆怅，冯凯于心不忍。所以在这个时候，冯凯和大家说道："这案子啊，我还真的只是个助手，头号功臣是小顾！他在现场发现的指纹，成了本案破案最为关键的物证。"

"物证只是物证嘛，破案还得靠侦查。"叫作陈秋灵的老侦查员一边转着手心里的核桃，一边说道。他的声音很尖锐，配上他那瘦削的面庞和一双三角眼，看起来就很有城府，估计犯罪嫌疑人坐在他对面，被他盯一会儿就能感到心里发毛。可这时候，本来是想给顾红星鼓鼓劲，话才说了一半，就被老陈阴阳怪气地给打断了，冯凯怎么都觉得不舒服。但是他仔细想想，自己在现代时，不也经常在办公室里，贬低技术警察的作用吗？眼前的这个老家伙，简直和他以前臭味相投啊。

"老陈，还真不是。"冯凯说，"这案子要是按照常规套路来摸排的话，最少得要半个月才能破案。可是我们半天就把案子给破了，那正是因为有了小顾发现的指纹啊！啊，当然，老马做出来的血型也很重要。"

马法医摸着下巴的胡须，笑着摆了摆手。

冯凯内心苦笑着，他也不知道为什么换个年代，自己就成了刑事技术的代言人。

"没，没，没有，我，我，我。"顾红星被冯凯这么一抬，顿时慌了。

"就别你你你的了。"冯凯白了他一眼，生怕他谦虚几句，正中了老陈的下怀。

"我不这么认为。"陈秋灵冷笑着摇摇头，用他那尖锐的声音说道，"这案子，范围明确，你说的半个月，那是运气极差的情况。如果运气好，最先就找到了那个胡什么的，只要一审查，肯定也就破案了嘛。我看啊，指纹什么的，那么点大的小玩意儿，哪有多大作用，不过是碰巧而已。"

"真不是碰巧。"冯凯想要解释。

"怎么不是碰巧？哦，就手指上的这些弯弯扭扭的东西，就能说谁是罪犯，谁不是啊？这个我是不信的。"陈秋灵说，"要坚信，公安机关的铁拳才是硬道理，不要搞那些稀奇古怪的东西。"

"这个，老陈啊，我不同意你的观点。"年轻侦查员小秦说道，"新兴技术是要鼓励的，你不能打击。你说古代的时候，还不相信隔着十万八千里能通上话呢，还不相信一个小方盒盒能放出人影来呢。"

"是啊，听说这技术在1949年前就有了。"之前被老头儿叫"小肖"的肖骏也附和道。

"别争了，别争了，不管是碰巧，只要真有用，路遥知马力嘛。"穆科长在中间调停，说道，"以后的路还长，别辜负了我给你们的自行车。这几个老家伙都还没配呢。对了，下午局长会来我们科，听你们汇报一下这个案子的情况。"

散会后，几名侦查员各自忙活去了。顾红星的忧郁情绪似乎有了明显的缓解。冯凯知道，自己的这个药是下对了。他知道，自信心对于一个人有多么重要，对顾红星这种从小就缺乏自信的年轻人，更加重要。

虽然不忧郁了，但顾红星几次对着冯凯都是欲言又止的样子，这样的异常表现，也很快就被冯凯捕捉到了。

"你这人，真够迂的。"冯凯训斥道，"有什么话就说，天天瞻前顾后的干吗？"

被这么一训斥，顾红星有些扭捏起来，他看着自己的脚尖，说："你说，局里刚刚花钱给我们配了车，还有可能花钱给我买装备吗？"

"你要什么装备？"

"就是现场勘查的装备。"顾红星说，"我之前和你说了吗？我现在用的勘查包里的金粉和银粉，颗粒太粗糙了，和学校的没法比。虽然说新鲜的指纹是可以刷出来的，但是很多特征点都被粗颗粒遮盖了。如果是较为陈旧的指纹，很有可能就

刷不出来了。"

冯凯以前不懂痕检，但和顾红星相处这么久，天天听他唠叨，所以也知道一些，所谓的"金粉"和"银粉"，其实是"铜粉"和"铝粉"，是将铜和铝磨成非常细密的粉末，痕检员用沾着粉的刷子去刷重点部位的时候，如果这个部位有汗液指纹，粉末就会被汗液黏附住，重点部位上就会留下粉末组成的指纹形状了。用胶带把粉末粘下来、贴在指纹卡上，指纹的形状就会被保存在指纹卡上了。所以，在二十世纪七十年代，痕检员寻找指纹，其实就是"一把刷子闯天下"。

冯凯心想，现在这时代，还是外国货更好一些。等到了现代，论制造业，有谁敢和我们中国比？

"还有，勘查包里，只有一个比我岁数还大的放大镜。"顾红星接着说，"放大效果不好，镜面都花了，而且手持的放大镜很难保证稳定的高度来观察，这两天看指纹，我都快把眼睛看瞎了。在学校的时候，我们用的是马蹄镜，就是在一个马蹄形的小支架上放一个放大镜，只需要把马蹄镜放在指纹卡上面，眼睛凑过去看就行了，这样看得才准。"

"我就搞不懂你，钻什么牛角尖啊，有多少设备，咱们就干多少活，又不是说少了这些设备，地球都不转了。"冯凯说。

"不，我觉得，要做一行，就尽可能把它做好。"顾红星说道。

"那你自己去找局长要啊，下午正好要见局长。"冯凯奚落道。

"我，我不太好意思说。"顾红星盯着冯凯，眼神里尽是哀求。

冯凯看了看顾红星，很无奈。冯凯自觉并不是一个会心软的人，但是面对着这个一起战斗的战友和未来世界的老丈人，自己总是狠不下心。只要顾红星一用这种眼神来求他，他就找不出拒绝的理由。有的时候，他觉得自己也太没有原则了。

"行了，行了，我下午帮你提出来。"冯凯挥挥手说，"但这些东西的具体用途，你得自己介绍，我也不懂。"

"行。"顾红星咬了咬牙。

冯凯知道，让顾红星在领导面前、在多人面前讲话，是难为他了，不过，他也总不能一直都这样不会表达啊，所以，让他介绍算是对他的锻炼吧。

一直到下午下班，顾红星都在念念有词，估计是反复练习如何介绍他需要的设备吧。

局长尚武是位老革命，1949年后，就一直奋战在公安战线上，到现在都28年了。他身高一米八，不胖不瘦，皮肤黝黑，留着部队里盛行的小平头。虽然头发全白了，但红光满面，精神矍铄。他总是一脸严肃，似乎不会笑。无论往哪里一坐，尽是威严。

冯凯坐在尚局长的对面，把过年期间发生的枪击案和强奸案的破案始末做了详细的工作汇报，也没有藏着掖着自己的一些非常规手段。

"我们的两位新同志，我还是第一次见，就带着战功来见我。"尚局长说，"很不错，新中国的公安事业有你们这些年轻人，我放心。不过，破案的手段，以后还是要更规矩些。现在时代不同了，慢慢地，老百姓们就会有更强的维权意识，对公安工作提出的要求也会更高。"

冯凯知道，这个尚局长看起来并不赞成他的"守株待兔"之计。虽然表面上是大大的赞扬，但其实是在提点他们要注意方法。看起来不管什么时候，当领导的顾虑都多。能用最简单的方法破案不好吗？冯凯不能理解。

"哦，对了，局长。"冯凯说，"顾红星在两起案件中都发挥了主导作用，那是因为他带回了新兴技术。可是，这新兴技术在我们局受到了限制，因为设备不足。"

"哦？你们这是在问我要东西吗？"尚局长抬眼盯着二人。

"问您要东西，也是为了工作啊。"冯凯嬉皮笑脸地说，"如果大的设备不能买，那至少得有一个马蹄镜和一套进口的金银粉。"

"你说的东西，是做什么用的？"尚局长果然问道。

冯凯看了看顾红星，顾红星立即坐直了身体，清了清喉咙，像背书一般，把设备的用途、现有设备的缺陷等一并说了出来。虽然这是提前准备好的，听起来很是生硬，但至少顾红星这次当着局长和刑侦科全体人员的面，说了一大段话，都没有结巴。冯凯觉得，这是顾红星巨大的进步。

"你别开玩笑了，为了那个说不清、道不明的技术，就要花钱，国家哪有那么多钱花。"陈秋灵还是作为急先锋，抢在局长前面说话了。

"这个，我也赞同老陈的观点。"刑侦科的另一名老民警老赵附和道，"新技术嘛，可以试一试，锦上添花，我不反对。但是为了这个新技术要花钱，那我觉得为时过早了。"

"是啊，虽然我支持你们用新技术，但局里对你们挺好的了，都给你们配自行车了，也该满足了。"小肖毫不客气。

大家叽叽喳喳的，把整个办公室弄得闹哄哄的。

局长抬起双手，在空中按了按，让大家安静，然后说："现在呢，国家百业待兴，人民生活拮据，虽然我相信我们会在很短的时间内开始改善，但至少我们现在还不具备看到什么好就买什么的能力。而且，我们党艰苦朴素的作风，你们这一代人也要继续发扬，不能铺张浪费。进口的东西，现在都非常贵，动辄上千上万，这个我也觉得没有必要吧。"

局长说的"上千上万"把顾红星彻底吓得没话说了，毕竟他一个月的工资只有二十七块五。

会议结束了，冯凯拍了拍顾红星的肩膀，安慰似的说道："尽人事，听天命。我都说了，缺了你那几瓶粉末，地球还能不转了？"

顾红星没有搭话，表情木讷。

马法医这时走了过来，说："走，我们三个搞技术的，开豁？"

"搞清楚了，我是搞侦查的！我请你们俩搞技术的喝两杯吧。"冯凯说。这刚发了工资，冯凯大手大脚的毛病又冒出来了。

就着两盘炒菜和一盘花生米，酒过三巡，老马丌始表露他的真实意图了。

"搞技术嘛，要耐得住寂寞。"老马嚼着花生米，摸着下巴上的胡须，一字一顿地说，"有多大的空间，在多大的平台，做多少事。"

"你看，老马和我一个观点吧？"冯凯附和道。

"但是，"老马指了指冯凯，笑嘻嘻地说，"我还有'但是'！但是，如果年轻人都安于现状，都不求进取，谁来建设我们的国家呢？我们的子孙后代怎么过上好日子呢？咱们总不能一直都这样吧？"

冯凯有些惭愧，老马的这个"但是"，说得他无言以对。是啊，没有父辈的努力，陶亮又怎么能够养尊处优呢？

"我年轻的时候啊，和你一样。"老马似乎有些醉了，自顾自地说，"我刚来公安局，真是什么都没有，手套都没有，更不用说白大褂了。解剖尸体的刀子，钝得都划不开纸，哪像现在，好歹还有手术刀。虽说刀片要省着用，但不至于要自己磨刀了对吧。我给你的勘查包啊，还有，那个，那个看血型的生物显微镜，还是我自己找来的。"

"找？"顾红星迅速抓住了重点，"在哪儿找啊？"

"首先我申明，我可没有教唆你们去搞设备啊。"老马慢慢地说道，"我只是

剥皮

在和你们说故事，我之前想干点事情的时候，没有设备，领导也不可能给我们买，我啊，就跑到公安局仓库里去找。喏，勘查包和显微镜都是在仓库里找到的。你们知道，这些年，出于种种原因，很多过去的老设备都被锁到仓库里了，过去的老公安，该退休的都退休了，谁还知道仓库里有那么多设备啊。所以呢，我就把我能用得着的东西，都给顺出来了。"

"嚯，你这个老头儿，还偷东西呢？"冯凯抿了一口二锅头，笑道。

"不要乱说话，这怎么叫偷东西？"老马说，"我顺出来的设备，又不是自己私人用，对不对？是为人民服务啊！为人民服务，怎么能叫偷？不过话说回来，那时候啊，我是年轻了十岁，敢冒天下之大不韪。要是现在呢，我也是不会去的了。年轻人嘛，总要干一些年轻人该干的事情。为了自己的理想，要敢干。"

"那，仓库里还有什么东西？"顾红星的两眼放光。

"还有什么东西我就不知道了。"老马说，"十年了，我哪记得？不过仓库保管员倒是没换，还是小梁。哎呀，十年前，还是个漂亮小姑娘，现在也是孩子他妈了。我们科小肖那臭小子，能把小梁给追上，真是狗屎运啊。"

冯凯心想，你把信息透露得这么彻底，还说自己不是教唆？

喝完酒，顾红星又是一脸心事重重的模样。这次不需要他开口，冯凯就已经知道他想说什么了："行了行了，别一天到晚把眉头皱着，你不就是想去仓库里看看吗？"

"你帮我？"顾红星高兴了起来。

"去肖骏家吧，找他老婆谈谈。"冯凯无奈地摇了摇头。

刑侦科的肖骏家距离公安局不远，顾红星和冯凯两个人没有骑车，买了两瓶白酒，走路十分钟就到了小院外面。在小院外面，就听见夫妻两人正在争执。

"什么都指望我，我就一初中文化的！真想不通，这小学二年级的题就这么难。"一个女声，应该是小梁的。

"你一初中文化的，小学二年级的题都不会做？"肖骏的声音。

"你高中文化，不也不会做吗？"

"我高中毕业都十几年了！哪还记得数学题？我天天这么忙，严重耗脑。而且我们那时候的题目也没这么弯弯绕。"

原来是为给孩子辅导作业而争吵，冯凯哑然失笑，拎着白酒推门进了小院。

"能有多难，我看看。"冯凯走到孩子的跟前，花了五分钟，把孩子教会了。

"还是你们年轻人厉害。"肖骏不好意思地笑着说。

"你也刚三十嘛,也是年轻人。"冯凯说道。

"大半夜的,来我们家干啥?还带着东西,要贿赂我啊?"肖骏说,"是我今天发言说不让你们买设备,来做我工作?"

"对。"冯凯嬉皮笑脸地说道,"肖哥您不让我们买设备,可是为人民服务必须要设备,您这是在和人民对着干哪。"

"别别别,别一上来就给我扣帽子。我说的是事实,现在还有好多贫困地方的人吃不饱饭呢,你们好意思花那么多钱买设备吗?"肖骏说道。

"所以啊,今天我们不是来求你支持买设备的,而是求梁姐支持,找我们已有的设备。"冯凯说,"我都听老马说了,我们有一些进口的设备,因为之前的领导抵制外国货,所以都给锁起来了。现在领导也不抵制外国货了,可以拿出来用了吧。"

"你们找领导批了吗?"小梁走过来问道。

"没有,找领导批的程序太烦琐,而且我们也不知道领导是什么态度。"顾红星一着急,也不结巴了,"如果领导还是不同意用这些东西,那可就真拿不出来了。"

"所以你们找我——偷偷拿?"小梁看着他们,许久,在他们期待的眼神中,说道,"可以。这些老物件,连仓库登记簿上都没有,我只管登记簿上有的东西。"

顾红星跳了起来,差点没给小梁一个拥抱。

可能是冯凯帮她解决了燃眉之急,小梁很热心也很负责,她趁着夜色带着冯凯和顾红星来到了公安局仓库。仓库有两间,一间是现在正在使用的仓库,而另一间则是报废物品堆积的地方。没有手续,小梁是不能给他们打开使用中的仓库的,而报废物品的仓库,小梁给他们打开了,就算他们是收废品的了。

报废物品仓库的外侧,堆积着很多报废的办公桌椅、办公用品和损坏了的自行车。往里面走走,绕过一根柱子,有一大块防雨布遮盖着一堆物品,防雨布上积攒了厚厚的灰尘。顾红星和冯凯慢慢地掀开了布,最先映入眼帘的,就是十几个包装完好的玻璃瓶。瓶子外面写着英文,虽然两人看不懂,但是顾红星知道,那是十几瓶进口的金粉和银粉。

顾红星高兴极了,就像个孩子一样,在"废品"堆里寻找着"宝贝"。金粉、银粉、指纹刷、马蹄镜、放大镜、指纹卡、捺印盒、勘查包等都被他一一翻出,他甚至还找到一个简易型的立体显微镜。

顾红星就像找到了宝藏的海盗一样,东翻翻、西捡捡,找了整整两大包痕检工具设备。他千恩万谢地向小梁道谢，带着这两大包"废品"回到了办公室，开始收拾了起来。

冯凯觉得很累，但是看到顾红星那种前所未有的兴奋模样，也由衷地为他高兴。甚至，冯凯的心里还燃起了一股钦佩之情。这些只不过是工作工具而已，换作陶亮，他会为了工作这么高兴和满足吗？

想着想着，冯凯就靠在自己的办公椅上睡着了。梦里，他又牵起了顾雯雯柔软的小手，两个人在龙番河边漫步。

2021年8月17日　晴

今天是陶亮昏迷的第三天。

陶亮，你准备什么时候醒过来？

我每次都指责你就只会躺在那里打游戏，可你现在躺着，一动不动的，只有心电监护仪的声音，反而让我不习惯了。

平时，我老说你像个永远长不大的孩子，什么事都要我提醒你，让我心累，可看到你倒在地上的时候，我的魂都没了。

原来你不在我身边，我才是最害怕的。

你不是整天吹嘘自己很有本事吗？有本事的话，你倒是睁开眼睛啊，看一看我！哪怕是恶作剧那样，突然蹦起来吓唬我也行啊！

没有你的聒噪，医院里再多人，也显得那么冷清。

那天晚上，你究竟在干什么呢？地上都是乱翻的卷宗和笔记，你是想帮我查案子吗？那你翻爸爸的笔记做什么？我真不知道是该哭还是该笑。

医生说，你是过度低血糖而导致的神经系统病变，说没有把握你还能不能醒来。但我相信，你一定会醒来，你一定能醒的。

因为刚才，你被我握住的手，紧紧地握了我两下。我确定，那不是幻觉。

2

"起来，起来！"穆科长拍了拍冯凯的桌子说，"我去宿舍没看到你们，还以为你们清早就出去了。"

冯凯惊醒过来，发现天已经亮了，这个季节，天亮就说明已经七点多钟了。

自己就靠在椅背上，这样睡了一夜，也没觉得全身酸痛，看来还是年轻人的身板好啊，只是没有睡饱，懒得动。顾红星还是原样坐在自己的办公桌前，看起来是捣鼓那些工具捣鼓了一夜没睡。

"没，没有。"顾红星的桌子上摆满了各种设备，见穆科长突然闯进办公室，顿时手忙脚乱，像做错了事情的孩子一样，想要收起设备却又来不及。

可是穆科长就像没有看到他办公桌上的东西似的，喊道："有杀人案！你们骑上你们的自行车，最快速度到东桥村去。"

两个人把车子骑得飞快。冯凯心存期待，因为在现代时，他离开刑警部门也有好几年了，一直在派出所没有办过什么大案子。如今他来到这个年代，虽然经历了在现代都没有经历过的枪战，很是过瘾，但一直还在期待着能有个大案子让他发挥一下。或者说，是显摆一下。

而顾红星似乎没有意识到自己即将面对的是什么，他一路上都在念叨着，仓库里的工具还真是蛮齐的，什么都有，唯独他最想要的"翻拍架"没有。

"你不是最想要细的粉末吗？怎么又变成最想要翻拍架了？"冯凯一边蹬着自行车，一边说，"人啊，真是不知足，得不到什么就最想要什么。"

顾红星连忙解释说，对于手印来说，粉末是最重要的。而对于石膏足迹等实体物证来说，翻拍架最重要。因为这些实体物证需要看细节，其细致程度丝毫不亚于指纹。所以必须要拍摄下来，拍摄的时候不能有影子，相机也要非常稳定。可是仓库里没有翻拍架，顾红星在如获珍宝的同时，觉得有点美中不足。翻拍架的结构很简单，就是下面一个灯箱，上面盖着毛玻璃，灯光从下方打上来，物证周围就没有影子了，可以保证物证细节都被拍摄到。灯箱的上方是可以固定相机、调整相机方向的金属支架。可是目前没有国产的翻拍架，而顾红星昨晚去翻了翻装备目录，发现一个进口的翻拍架要4000元。这不是开玩笑嘛，这个价格是整个公安局局机关所有民警一个月的工资之和。既然要这么多钱，顾红星当然不可能去找领导要了，所以他在琢磨有没有其他办法。

一路上顾红星都在叨叨他的翻拍架，把冯凯烦得够呛。好在没多久，他们终于来到了位于龙番市东郊的东桥村，用现在的话说，这里是一个城中村。

现场位于村口附近的一处民宅，房子是砖头砌的，连着有三四间屋子的样子，外面围着一个小院。小院的门口守着两名派出所的民警，门口密密麻麻站的全都是

剥皮

围观的群众。围观的群众踮着脚、伸长了脖子想透过院门往里面看，站在门口的民警也似乎不太去拦住，只是抽着烟聊着天。趁着民警不注意，甚至还有个村民站到了院门里面看热闹。

看来这个年代对于现场保护的意识，还真是缺乏得紧。冯凯皱了皱眉头，见院落门口有一捆绳子，于是把绳头捆扎在院门口的树上，绕着院门口隔离出一个空间来。

"都站在绳子外面，谁站在绳子里面，被当成了凶手我可不负责。"冯凯一边说着，一边拉着绳子。

他曾经在派出所干了那么久，一个盗窃电动车的现场都会临时拉起警戒带，所以这种事儿他还真是驾轻就熟。而顾红星则是非常惊讶，这种拉绳子保护现场的方式，是他在痕检课程上学到的，冯凯又没有上过痕检课，怎么知道这么先进的办法？

这种欣喜只在顾红星心头小小出现了一下，就消失了，因为此时的顾红星最大的感受还是紧张。第一次出杀人案件现场，不知道现场血腥不血腥，不知道尸体吓人不吓人。虽然他曾经目睹过被碾碎的女工，但是毕竟看到的只是支离破碎的身体的一部分。相对于残肢来说，顾红星觉得整具尸体更让人恐惧。

拉完了"警戒带"，冯凯拍了拍手，心满意足地想在门口的勘查包里找鞋套。他知道，在现代，如果不是四套①齐全，是不可能进入现场的。可是显然，他在包里翻了个空，这个时代并没有人去戴头套、口罩和鞋套。好在局里有个老法医老马，他正在动作缓慢地给每个民警发白纱手套。能有意识戴手套进现场，已经算不错了。

"很久没有过杀人案件了，一发就是个这么惨烈的。"穆科长戴着白纱手套从正中间的屋子里大步流星地走出来。

顾红星的肩头微微颤抖了一下。

"大致情况基本调查清楚了。"肖骏走过来，说，"死者叫张春贤，女，12岁，是这个村小学的六年级学生。张春贤的父母都是在镇子上的国营肥皂厂里工作的厨师。因为交通不方便，平时呢，这夫妻俩都是在厂里工作、住宿，家里只有张春贤一个人。"

"最后见到她的人是谁？"穆科长看着侦查员小秦，问道。

---

① 四套：口罩、头套、手套和鞋套。

"目前问来的结果，是隔壁的刘大妈。"小秦说，"昨晚晚饭，是张春贤自己做、自己吃的，她打开院门倒洗碗水的时候，碰到了刘大妈。刘大妈和她聊了几句，还嘱咐她把院门关好。"

"嗯，死亡时间估计是昨晚十一二点钟。"马法医之前已经做完了尸表检验，说道。

冯凯耸了耸肩膀，心想明明是需要痕检部门先打开现场通道①，法医才能进入现场进行尸表检验的。结果这帮坐着吉普车先来现场的人，倒是把活儿都干完了。看来这个年代实在是没有什么规矩可循。冯凯看了看大家脚上清一色的解放鞋，心里想着。

冯凯戴好手套拽着顾红星，踏进了中心现场②。不戴鞋套，让冯凯怎么都觉得别扭，要不是实在是没有鞋套，他怎么也得套上一双，让自己舒服点。

现场是一个三联排的平房，中间是客厅，两边是卧室。正对客厅大门的，是一排橱柜，抽屉全部被打开了，里面的东西也都被翻乱了。东侧的房间应该是主卧室，里面有一张大床和一个衣橱，生活用品不多，说明主人并不在这里常住，里面也没有被翻乱。西侧的卧室是张春贤的卧室，也是中心现场。

张春贤幼小的身躯仰卧在床上，双腿搭在床边，下身赤裸，上身穿着的秋衣已经被掀起到乳房上，秋裤和内裤扔在床边。张春贤的颈部有一个巨大的创口，显然是被利器割开的，血液喷溅得满床都是，血痂也遮蔽了她小小的脸庞。她的颈下有一摊巨大的血泊，她的头发凌乱地浸泡在血泊当中。

这还不是最可怖的，最可怖的是张春贤的肚脐以下直至会阴部的皮肤都被利器割下，而现场并没有皮肤，显然是被凶手带走了。割开的位置，露出了黄色的脂肪和红色的肌肉，显得格外惨烈。

"地面上，似乎有些血足迹，能看出什么吗？"冯凯说完，似乎又想到了什么，接着说，"会不会是我们民警的足迹啊？"

问完后，他并没有等到顾红星的回答，冯凯回头看去，发现顾红星端着相机，

---

① 现场通道：痕检员抵达现场后，会固定地面有价值的痕迹，并用粉笔画好，没被粉笔圈到的地面就是其他勘查人员可以踩踏的地面。

② 中心现场：一起命案中，尸体是整个现场的中心，所有的犯罪活动都是围绕尸体进行的。因此，尸体所在的范围就是中心现场。

放在脸旁，明明是做出了现场拍照的姿势，却迟迟不按快门。原来，顾红星全身都在颤抖着，连带着手中的相机也在剧烈发抖，这样他根本就对不上焦。

"嗨。"冯凯拍了顾红星肩膀一下，说，"问你话呢。"

顾红星被猛然一拍，就像触电了一样，原地跳了起来。此时冯凯才发现，他的脸煞白煞白的，本身皮肤就白的顾红星，此时真可以用面无血色来形容。他的额头上全是汗珠，连眼睑都在微微跳动着。

"你不至于吧？"冯凯想笑，但知道在这里笑出来很不合适。

"别慌，虽然现场看起来惨烈，但毕竟人已经死了。"老马踱进屋内，慢慢地接过了顾红星手中的相机，说，"我来拍吧，你拍出来的照片，全都是糊的，也不能用啊。胶卷可不便宜，别浪费了。"

相机被拿走，顾红星愣在了原地，不过双腿还是在不自觉地发着抖。他也没有想到，自己的身体这么不听使唤，明明告诉自己不要害怕，可是全身的潜意识反应并不受他的控制。他此时既害怕，又尴尬，眼神里充满了自责和愧疚。

冯凯知道，这小子刚刚建立起来的信心，很容易就被摧毁，于是他走过去对顾红星说："看起来，很可怜，对吧？但我们是做什么的呢？我们是为她申冤的！来，你走近一点。"

冯凯把顾红星拉到尸体旁边，说道："你看看她，才12岁，就被不知道哪个王八蛋害了，你不帮她申冤，她该有多冤？你知道我为什么不害怕吗？因为我知道我们全身上下都是正气，这种正气就可以抵御所有的恐惧。"

顾红星的颤抖，似乎减轻了一些。

"还有，你不要把注意力都放在她的伤口上，你是痕检员，你要专注于你的工作。"冯凯说，"当你专注于你的工作后，你就会忘记恐惧。来，告诉我，地上的血足迹，会不会是我们自己民警的？"

顾红星咬着牙，狠狠地点了点头，从包里拿出放大镜，趴在地面上看了起来。

"就是普，普通解放鞋的花纹。"顾红星看了一会儿，说道，"看不到，看不到什么磨损的痕迹。"

冯凯无奈地摇了摇头，心想这个年代所有人穿的鞋子都差不多是一种类型。既然鞋底花纹都一样，那确实无法判断是不是民警所留了。

"不过，这，这血足迹肯定不是我们民警留的。"顾红星说道。

"哦？"冯凯来了精神。

"你看啊，死者是躺在床上被割颈的，从喷溅状血迹可以看出来是这样。"顾红星越说越顺畅，声音已经不再发抖，"所以，主要流的血，都流在床上了。那么地面上的一些滴落状血迹，肯定是凶器滴落下来的血迹，还有割、割下体的时候，流出来的。"

"下身的创口，是死后伤。"马法医一边拍照，一边说，"所以不会流太多血。"

"所以，这就是地面上血迹不多的原因。"顾红星说，"昨晚十一二点发生的事情，到今早被发现，有好几个小时了，这么几十滴血迹，早就干了。所以我们民警进来的时候，即便踩到血滴上，也不可能有血液黏附在鞋底了。"

"所以，这些有花纹的血痕迹，都是凶手的鞋踩上血迹，然后留下的。"冯凯说。

"是这样，但是没意义。"顾红星说，"我说了，看不出磨损程度，只能说明凶手穿着解放鞋。"

"不，有意义。"冯凯陷入沉思。

"小伙子，你常说你是天才，那现在看完现场，你有什么高见啊？"穆科长从屋外走了进来，皱着眉头急着问冯凯。

"别的不敢说，但有个问题不知道老头儿你可注意到了？"冯凯把穆科长拉到客厅，指着被翻乱的橱子，说道，"凶手为什么只翻动客厅的橱子，而卧室的橱子、柜子都没动？说明他是来盗窃的，因为客厅的橱子就正对大门，所以他就先翻动这里了。可是在翻动的时候，却被卧室的张春贤撞见了。你看，张春贤的外衣都脱下来放在床头，说明她已经是睡眠状态了。这时，她在睡觉的时候，听见了响动，于是出来看看。凶手看到张春贤，色心大起，将她强奸了，并且割下了她的下体皮肤。这时候，胆小的凶手已经没有胆量继续留在现场盗窃了，只能逃离。"

"敢割人身体、敢杀人的人，胆小？"穆科长质疑。

"你没听说过色胆包天吗？这人不仅好色，还是恋童癖，真变态！"冯凯皱着眉头，说，"当变态的性欲充斥他的心灵的时候，他就不是他了，他就是个魔鬼。所以他杀人、割皮肤带走，都是为了满足他变态的性欲。但等他冷静下来的时候，他就因为胆小，迅速逃离了。因为这个时候对他来说，逃跑比偷到钱财更重要。"

"为什么不能是杀完人之后，再去翻找橱子的？"穆科长皱着眉问，"假如是熟人，他比较了解张春贤家的钱或值钱的东西藏在客厅橱柜里，也不是没可能啊？"

"这就是我刚才说的血足迹的意义了。"冯凯说，"现场的血足迹是从西侧卧室直接到客厅大门然后离开的，并没有往橱柜方向走。如果血足迹肯定不是民警留下的话，那说明凶手杀完人肯定就直接离开了。"

"你认为不是熟人？"穆科长问。

"不好说。"冯凯摇摇头，说，"如果张春贤看到了凶手的脸，不管认识不认识，凶手就都有杀人的动机了。但能断定的是，既然强奸未成年女孩，还割走下体，这个人肯定是变态的。不是一点点变态，是很变态！"

可能是"变态"一词在这个年代还没有流行，穆科长听完这一连串推理后，似懂非懂地点了点头。

"客厅大门的门锁是被匕首类的工具撬开的。"顾红星不知道什么时候已经开始检查现场出入口了，而且不再发抖，这让冯凯很是欣慰。

"匕首可以撬锁，也可以杀人。"冯凯说道。

"根据调查，发现人，也就是死者的邻居，清早起来发现张春贤家院门是虚掩着的。"穆科长说，"说明凶手是翻墙进院子，撬开门锁作案，走的时候是打开院门的门闩离开的。"

"所以从入室方式，也不能证明是熟人。"冯凯说，"如果是为了强奸张春贤而来，就不应该先翻动现场，如果是熟人，不如直接敲门入室。毕竟一个12岁的女孩子基本没有反抗的能力。"

"那就不好查了。"穆科长在现场也待不住，说，"冯凯你在这里和顾红星一起把现场处理好，看能不能找到什么线索。我带着他们几个去走访看看，不知道村民有没有看到什么陌生人进村，也看看有没有哪个村民形迹可疑。"

老马在门口张罗着派出所民警找个门板和砖头在院子里搭一个临时解剖床，搭完后把尸体搬运到床上。

"就在这里解剖啊？"冯凯问道。

"不然呢？"老马奇怪地看着冯凯。

"不去殡仪，啊，不去火葬场？"

"火葬场那么远，也没地儿解剖啊。"老马说，"而且这边肯定是土葬，解剖完就交给家属入土为安了。来，你帮我照相。"

"我来吧。"顾红星居然自告奋勇地接过相机，说，"这相机他不一定用得明白。"

3

在一旁凳子上坐着观摩的冯凯，心里开始有些佩服顾红星了。

从刚刚进入现场时候的脸色煞白，到现在可以保持不颤抖状态拍照，顾红星只用了不到一个小时的时间。冯凯想起当年自己第一次见到死状惨烈的尸体时，心里还是很不舒服的，甚至晚上还做了噩梦。

当然，冯凯觉得顾红星今晚肯定也会做噩梦的。因为他现在拍照的模样还不能用泰然自若来形容。当老马用手术刀缓慢地划开死者胸腹腔的时候，顾红星还是有些微微颤抖的，但是他很快就克制住了自己。当老马让顾红星靠近拍摄一些重点部位的特写镜头时，顾红星那僵硬的动作也说明他的内心还是非常抗拒的。

不过不管怎么说，这是顾红星的一道坎，一道他职业生涯中非常重要的坎。只要迈过去，后面就会是一片坦途了。顾红星自己显然也是能够意识到这一点，不然不会主动请缨来进行拍摄的。

"死者全身多处约束伤①、皮下出血。"老马慢动作似的检验着尸休，说，"生前被殴打了。阴道多处擦挫伤，处女膜新鲜破裂，是生前强奸的。"

"是不是能提到精斑？"冯凯问道。

"没有见到有形的精液，回头我拿回去在显微镜下面看看，如果有精子，就有希望能做出血型。"老马说，"不过她下体被切割，都血染了，不知道能不能做出来。"

"那匕首是啥样的？"冯凯接着问。

"这个可看不出来。"老马说，"如果是刺创，可以根据创道的形态来分析匕首的形态，可是切割创，只要是个匕首，形成的样子都一样啊。"

"那你还能看出来啥？"冯凯说。

"只有这些了。"

"那也不行啊，都没啥用。"

"咋就没啥用了？死亡原因、死亡时间、致伤工具我都告诉你了，还告诉你是

---

① 约束伤：指凶手行凶过程中，对受害者约束的动作中，有可能控制了双侧肘、腕关节或膝、踝关节，造成受害者这些关节处的皮下出血。

生前强奸、死后切割下体的。"老马很不服气，语速也快了一点。

"那你说，对破案有什么用？"冯凯毫不客气。

老马一时语塞。

"根据死亡时间来调查这个时间在现场附近出没的人啊。"顾红星帮老马说道。

"这村子这么偏僻，除了村里的人，谁会大晚上的到这里来？"冯凯看向不远处的派出所所长，问道，"对了，王所长，你们派出所，最近可接到群众的报警，说有东西被盗的？"

"没有。"派出所王所长斩钉截铁地说道，"上一起盗窃案报警，是一年前了。"

"喔，治安真好。"冯凯说，"既然这种村落大晚上一般没人来，而且附近几家的房子都比张家建得好，那如果是外面的贼进来，为什么会选择张家呢？"

"你是说，有可能就是村子里的人，知道张家平时没大人？"王所长问。

"强奸肯定是临时起意的，但盗窃必然是要经过谋划。"冯凯说，"这村子有多少户？多少男人？"

"哟，这东桥村可是这一片最大的村子了。"王所长说，"有上千户，男人也有两三千人啊。"

"如果我的直觉没错的话，凶手应该就在这两三千人里了。"冯凯说，"既然不是预谋强奸，那说明凶手可能对张家的情况一知半解，对张春贤也不熟悉。他可能知道张家大人平时不太回家，就来盗窃了，结果撞见了穿着内衣的张春贤，就临时起意强奸杀人了。既然选择了这一家盗窃，杀完人不继续翻找就直接跑路，说明这人比较胆小。"

"胆小的流氓。"老马说。

"有这样的男人吗？"冯凯看着所长。

所长很是为难，说："这，这我哪知道？'流氓'又不会写在脸上。"

"连12岁的小孩都下手，这人变态不轻啊！可能还是个恋童癖，你知道恋童癖吗？就是那种专门喜欢小孩的人？而且还切割下体，这就更变态了。"冯凯说，"就是那种一眼看去就不正常的人，有吗？"

所长想了半天，摇了摇头。

"好吧，那看起来没有捷径可走了。嗯，也不一定就没有捷径。"冯凯一边喃喃自语，一边陷入了沉思。

此时的顾红星并没有因尸检的结束而结束自己的工作，他正在弯腰撅屁股地趴

在地上仔细观察着。

"你在看什么呢？"冯凯问道。

"找指纹。"顾红星说，"从现场来看，凶手应该在现场只接触了三个地方。一个是撬门时的大门外边，一个是橱柜，还有一个是逃离时拉开的门闩。"

"能找到指纹吗？"冯凯眼前一亮。冯凯也觉得自己很奇怪，在现代，冯凯是不太相信技术可以破案的，顶多是个比对的作用。但此时在这个没有监控、没有手机、没有DNA检验技术的年代，似乎除了指纹，就没有更好的甄别办法了，所以他才会对顾红星的工作有这么大的期许。

顾红星说："院门的门闩是没有上油漆的毛木头，看来是不可能留下完整指纹的了。院门外的这个门框，我刷了好多遍了，什么都没有，看来他就没有直接接触到。现在就剩橱柜了。可是这家的橱柜都太旧了，油漆都掉差不多了，载体也不好了。但不是没有希望。"

"那就加油啊。"冯凯说道。

解剖完尸体，冯凯他们去隔壁邻居老百姓家里，花钱吃了顿简单的中午饭之后，顾红星就在现场里弯着腰找、跪着找、趴在地上找，找到一丝像纹线的痕迹，他就拿宝贝似的拿出小瓶子、小刷子，在橱柜上慢慢地刷。

冯凯坐在院子里的凳子上思考案情，发了好长时间的呆，低头一看，顾红星还趴在地上找指纹。顾红星的鼻头都已经冻得通红了，双手也都冻得有些肿胀，但他似乎已经忘记了寒冷。冯凯看着顾红星在橱柜旁边不断地变换着姿势，心中有些感动。其实在这种条件下，即便顾红星什么都找不到，也没有任何一个人会说他没用。而且冯凯之前也听顾雯雯说过，在这种破旧掉漆的木质家具上，大概率是找不到任何指纹的。顾红星已经找了几个小时了，太阳都快下山了，可是他仍没有放弃。

也许，这才是真正的职业操守吧。

等顾红星的同时，冯凯似乎想到了一条捷径，但他没有马上去办，而是等张春贤的父母哭着喊着进门把尸体收走，这才和顾红星说："你在这里慢慢找吧，现在我要出去办点事了。"

顾红星微笑着点点头，他很感激冯凯。冯凯一直在陪他，是怕他一个人对着院子里的尸体害怕。而现在冯凯又没有说出来，是在照顾他的面子。

剥皮

　　顾红星初出茅庐之时，提取指纹都是在光滑平面上进行的，这次在粗糙平面上提取，难度要大了不少。在被凶手翻乱的抽屉下板上，顾红星看出了似乎有纹线的特征。这个发现让他十分兴奋，真的是功夫不负有心人啊。可是抽屉的下板很粗糙，纹线能不能被粉末完整恢复就不好说了。所以顾红星弯着腰，小心翼翼地把粉末刷在纹线上，甚至都得屏住呼吸，才能保证刷子的力度和粉末扑撒得均匀。幸亏有了更加细密的粉末，纹线终于在顾红星的凝神闭气中逐渐清晰了起来。刷完指纹后，顾红星又小心翼翼地用胶带把粉末黏附了下来，贴在指纹卡上。指纹被粉末从抽屉下板搬运到了指纹卡上，有了明显的色差，也就看得更清楚了。这不是一枚指纹，而是一枚掌纹。既然能从这么粗糙的地方提取下来，说明程度很新鲜。在抽屉下板上的新鲜掌纹，几乎可以断定就是昨晚翻动抽屉的凶手留下来的。

　　顾红星很激动，他第一次独立操作复杂载体上的指纹，也不知道提取的效果怎么样。因为哪怕是一个小区域没有处理好，都可能会丧失重要的纹线特征点。此时天色已暗，顾红星无法用放大镜来仔细观察掌纹，他决定回到办公室里，用马蹄镜慢慢观察。

　　为了能尽快知道答案，顾红星把自行车骑得飞快。刚刚骑到公安局大门口的时候，他就看见林淑真正一瘸一拐地经过公安局大门。

　　"林医生，你怎么了？"顾红星一怔，停下了自行车。

　　"今天病人特别多，我跑来跑去的，脚上磨了两个水泡。"林淑真皱着眉头说道。

　　"那怎么办？"

　　"没事，回去我用无菌针挑破就行了。"林淑真说道。

　　"从这里回宿舍，还得走几百米，我载你吧？"顾红星拍了拍自行车载物架，说道。

　　"那也行，谢谢你。"林淑真嘻嘻一笑，说，"减少行走就能降低水泡破裂的风险，就能减少感染的风险。"

　　顾红星也听不懂林淑真说些什么，骑车载着她到了宿舍楼下，又背着她上了宿舍楼。这一路他光想着林淑真的伤，也没注意林淑真的神情，奇怪的是，背着她上楼梯居然也没觉得累。直到进了屋，放下林淑真的时候，顾红星才忽然有些不好意思起来。倒是林淑真表现得很大方，她坐到床铺上，毫不顾忌地脱下鞋袜，露出了那只已经冻得通红的小脚。脚跟处，赫然有两个鲜红色的大血泡。

　　看见血泡，顾红星心慌了一阵，但很快也就稳定了下来。毕竟他都是见过惨烈

杀人现场的警察了，这两个血泡也不至于吓到他了。

林淑真翻箱倒柜，找了好久，才从抽屉里拿出消毒器械、酒精和纱布，开始自顾自地处理起脚跟部的血泡来。顾红星不好意思盯着她的脚看，便走到床边蹲下身来，拿起林淑真的鞋子看了看，说："每个人走路的姿势都不一样，这一点，从鞋子的磨损就能看得出来。你走路的时候，喜欢把重心都放在脚跟上。"

"你这是在分析我脚上磨出水泡的原因吗？"林淑真笑着说道。

顾红星似乎陷入了沉思，没有答话。

林淑真被顾红星的模样逗着了，倒在床上笑了半天，说："我看你拿着我的鞋子在那里发呆的样子，怎么那么好笑啊。"

"啊，没什么，没什么。"顾红星回过神来，说，"我是说，你看你的这一双鞋子，磨损严重的都是鞋跟。你看哈，因为你走路的姿势，导致鞋跟先磨损，越是磨损，鞋底越倾斜，你走路时候的重心就越靠近鞋跟。时间长了，鞋子前掌还是好的，但鞋跟已经被磨掉了一大半。因为鞋底很薄了，你当然容易磨伤脚了。"

"那你说，怎么办？"林淑真说。

"扔掉，换一双鞋。"顾红星把一双鞋子都拎了起来。

"哎，不行，还没破呢，怎么就换了，太浪费。"林淑真一把把自己的鞋子夺回来，嗔道，"我要攒钱，这个还能穿。"

"那我给你做一双鞋垫，把足跟部做厚一点。这样，既能保暖，也能保持你足面的水平，走路重心不过度偏移，就不容易磨伤脚了。"顾红星用手指量了量鞋底的长度，认真地说道。

"你还有这手艺呢？"林淑真瞪着大眼睛看着顾红星。

"其实，做鞋垫和痕迹检验也有那么一点点联系。"顾红星不好意思地挠挠头，说，"至少能从专业的角度调整鞋垫的厚度。"

"好啊，那我等着。"林淑真很开心。

"我也有个事情，想拜托你。"顾红星低着头说道。

"啥事儿，你说。"

"你是不是不怕去火葬场？"顾红星脸上红红的。

"火葬场？火葬场有什么好怕的？"林淑真说，"你是说死人吗？我是医生欸，医生怎么可能怕死人？"

"那你，能不能抽个时间，陪我去找个东西？"顾红星问道。

剥皮

"哦，就是上次你和冯凯偷偷摸摸去找的东西对吧？"林淑真哈哈一笑，说，"我们急救车驾驶员不是认识里面的人吗？明天我去问问他，看他能不能允许我们进去翻找一番。"

"那太谢谢你了！"顾红星高兴地道了别，迫不及待地回到了自己的办公室。

在办公室台灯和马蹄镜共同的作用下，指纹卡上部分掌纹特征被显现得很清楚。顾红星趴在桌面上，眼睛顶着桌上的马蹄镜，一点点地观察着自己提取下来的掌纹。这枚掌纹比他想象中的还清晰，是一枚右手小鱼际区域的掌纹。不一会儿，顾红星就在掌纹上找到了十几个特征点。有了这么多特征点，进行掌纹比对就不是什么难事了。他想尽快把这个好消息告诉冯凯，可是此时的冯凯音信全无，既不在宿舍，又不在办公室，也不知道什么时候才能回来。

顾红星在办公室坐着等了一会儿，觉得今晚都不一定能等到冯凯，于是回到了宿舍，找了一些布料来做鞋垫。正做着鞋垫呢，宿舍门被敲响了。顾红星以为是冯凯回来了，连忙跳了起来，去开门，没想到门口站着的是林淑真。

"你怎么跑来了？脚好了吗？"顾红星问道。

"我包扎过了，没事了。"林淑真说，"刚才我们驾驶员正好来我宿舍送东西，我就问了问他。他后来说，他那朋友今晚就在火葬场值班，让我们今晚就去。"

"这，大晚上的。"顾红星看了看窗外，有些犹豫。

"你害怕啊？"林淑真背着手、弯着腰，一脸似笑非笑的表情看着顾红星。

"不，我不怕。"顾红星挺了挺胸膛，说，"那我骑车载你去。"

两个人骑着一辆自行车，沿着漆黑的公路，又到了那座地处偏僻、形状诡异的建筑物面前。林淑真跳下自行车，一瘸一拐地走到铁门旁边，敲着铁门喊道："喂，有人吗？老吴让我们来的。"

顾红星左看看、右看看，附近一点声音都没有，一点光线也没有，林淑真这样喊着，总觉得有点让人毛骨悚然。

不一会儿，火葬场偏房的一个小屋灯亮了，走出来一个人，来到大铁门旁边，用钥匙打开了门锁。

"哟，真是公安查案啊。"那人打量了一下穿着警服的顾红星。

顾红星没有回答，但是对这个人崇拜得五体投地。居然真的有人敢在这么恐怖的地方，安然睡觉的。

"老吴和我说了，去杂物间找东西是吧？"那人把披在身上的外衣拉拉紧，说，"大概多久之前的？"

"去年六月的。"顾红星回答道。

"哦，还不到一年啊？那有可能还在这儿保存着。"那人指了指那天吓着顾红星的房间，说，"这恐怕有一年没清理了，乱得很，也有不少公安办完案留下来的东西。"

那人走到杂物间门口，推上门口墙壁上的电闸，一瞬间，整个杂物间就亮了起来。光明是战胜恐惧的利器。

"老吴打来电话说，你们公安查案。这半夜三更怪冻人的，你们也不容易。"那人吸了吸鼻子，一边自言自语着，一边走回了偏房。

顾红星推开门，朝里面看了看，重点是看了看依旧摆在杂物间一角的冰棺。还好，这次冰棺里面并没有尸体。顾红星自嘲地笑了笑，心想明明已经经历过杀人案了，还完成了全程尸检拍照，那自己还有什么好害怕的呢？

想到这里，顾红星开始在杂物间里寻找目标证物了，而林淑真就坐在门口等着他。

杂物间很大，堆放的物品很多，但这次有足够的光线照明，顾红星觉得机会难得，开始认真地寻找了起来。一个小时、两个小时，甚至连林淑真都坐累了，顾红星也丝毫没有觉得疲倦。

"嗨，究竟是什么案子啊？"林淑真打了哈欠，忍不住问道。

顾红星想了想，觉得林淑真是可以信任的人，于是一边寻找着杂物，一边把女工案的发生过程和自己的怀疑点都告诉了林淑真。林淑真听得津津有味，也不觉得困了。

时间已经超过了零点，顾红星也把杂物间翻了快八成，他发现在一堆草纸的下方，盖着一个落满了灰尘的大纸箱。纸箱上写着"玛钢厂"的字样，看来很有可能是当年女工案的物证。

顾红星心跳加速，连忙把纸箱抱到门口的电灯下面，然后一下掀开了纸箱盖。一股腐臭扑面而来，坐在门口的林淑真连忙跑出去几步，差点没吐出来。

纸箱里塞着一个蓝色的蛇皮袋，打开袋子，最先映入眼帘的，是一片残破的布片，布片的花纹样式，顾红星再熟悉不过了，他知道，这就是玛钢厂女工的制服。因为尸体被搅碎，女工的衣服也都被扯成了碎片，并且黏附了大量的血迹。火葬场

剥皮

杂物间阴冷潮湿，附着在衣物上的血迹发生了腐败，腐败的恶臭都集聚在纸箱之内，此时全部散发了出来。

顾红星似乎完全闻不到恶臭，他戴好手套，开始整理纸箱里的衣物。最终，他在纸箱的最底部，找到了那双被血迹染红并散发腐臭的解放鞋。

顾红星蹲在纸箱旁边，盯着一双鞋底仔细看着，良久，都没有动弹一下。而在这个过程中，林淑真的目光也从来没有从顾红星的身上离开：他那专注的神情，太好看了。

"我刚才和你说的故事，你还记得吧？"顾红星问林淑真。

林淑真点了点头。

顾红星说："他们都说，女工是用脚去拨动卡在传输带旁边的焦炭，结果不幸被传输带带倒，然后绞入了机器。我之前就对左右脚对不上而感到怀疑，现在更加坚信了这个观点。"

"你刚才说机器的方向、足尖的方向什么的，听得我一头雾水。现在这个观点，没那么绕人了吧？"林淑真说。

顾红星摇摇头，说："我记得很清楚，机器边框上的足迹，是枚前掌，不管是不是我分析有误，但前掌中央有明显的磨损痕迹。晚上我看你鞋子的时候，就确定照片里那足迹花纹的中断就是磨损痕迹。"

"你拿我的鞋子做实验啊？"

"既然有多处磨损痕迹，说明这个人走路的姿势重心是靠前的。"顾红星说，"可是你看，这是死者的鞋子，她的鞋子很新，前掌根本就没有什么磨损痕迹，因为磨损痕迹和你一样，都在脚跟部。"

"所以，卷宗里机器边框上的足迹，并不是女工的？"林淑真问道。

顾红星点点头，说："可以断定，那足迹不是死者的！你想想，女工案的案发当时，有另一个人在场。既然这个人在旁边，又没有给警方提供信息，说明这个人杀了女工。女工并不是站在机器框架上用脚去拨焦炭，而是被人一把推进或者拉进机器里的，因为凶手站立不稳，才踩在了机器上。我这样说，你能理解吗？"

林淑真点了点头。

"所以，我得和科长汇报，这个案子得重启。"顾红星斩钉截铁地说道，"我要去勘查那台已经被封存的机器，看能不能找到指纹。"

4

话分两头。

冯凯从现场离开后，在村子里绕了一圈，碰上了侦查员肖骏。肖骏按照穆科长的安排，在逐家逐户进行调查。

"咋样，有线索吗？"冯凯问道。

肖骏摇摇头，说："这么多人，得查到什么时候去？"

"是这村子里的人干的，这一点，意见可能统一？"冯凯问。

"我们都是这样认为的。"肖骏说，"流窜犯一般都会系列作案，可是这村子没人丢东西。而且流窜犯一般会选择房子建得好的家庭先偷，或者选择村口的房子开始。现场又不是村口，房子也破旧，如果不是了解家里没大人在的话，怎么会选择这家？"

"那就好办了。"冯凯说，"派出所和村委会有多少人能上前线？"

"不超过十个人。"肖骏说，"全上了也得查好几天，而且还要甄别。"

"我有办法。"冯凯神秘一笑，"上个案子，咱们来了个守株待兔，这个案子，咱们来个打草惊蛇。"

征得穆科长同意后，肖骏召集了派出所和村委会的工作人员，两三人一组，分成了四组，从村子的东南西北四个方向开始，从外围到中心，对每个院落进行搜查。当然，这种搜查是做做样子而已。在搜查的时候，工作人员传出话去，说公安已经掌握了证据，杀人凶手家中藏有淫秽物品，所以要进行清查。

四个小组里有十几名公安和村委会干部，一边敲着锣，一边喊着话，然后进到村民家中装模作样地搜查一番。可谓雷声大、雨点小。

而冯凯和肖骏气喘吁吁地爬上了村旁的一座小山。小山有一两百米高，但是足以鸟瞰这个全都是平房的村落了。

"我之前说了，这个凶手既然要切割死者的阴部，说明变态得不轻。"冯凯说，"既然是这么变态的人，家里绝对藏着很多淫秽物品。"

"啥是淫秽物品？"肖骏喘着粗气问道。

"就是淫秽碟片啊什么的。"

"碟片？碟片是什么？"

"不是，我是说，有淫秽的书刊啊什么的，比如手抄小黄书？"冯凯连忙掩饰道。

"有这些东西，也不能说明就是凶手吧？"

"不是凶手，他们只需要藏好就行了。毕竟万一被找到，顶多说是流氓。"冯凯说，"但是凶手就不敢藏了，因为万一找到了就掉脑袋，他一定会毁掉。这叫心理学，懂吗？"

肖骏不以为然地摇摇头。

"所以啊，趁着夜色，哪里出现火光，一览无余啊。"冯凯叉着腰，站在山坡上，注视着下方的村落。

大约等了一个多小时，肖骏甚至已经不耐烦了，冯凯突然指着山下，说："看到没有？蛇出洞了！"

村子中央，距离村委会不远的地方，一小堆火焰在夜色中跳动着，火焰还照射出一个模糊的身影。

肖骏有些惊讶，说道："你还真是料事如神啊！也说不准你小子就是员福将，运气好。"

两个人一边嬉笑着，一边飞速跑下山，向村委会的方向跑了过去。到了火光的附近，冯凯打了个手势，让肖骏直接上去拦住，而自己则从后面包抄。

"别动！手上的东西放下！"肖骏一声怒吼，吓得那个黑影夺路而逃。还没跑出巷子口，就被包抄而来的冯凯一个过肩摔按在地上，铐上了手铐。

"冤枉啊！我没有杀人！"男人哭喊着。

男人被带去了派出所，而冯凯则在男人的口袋里找出几张照片，从燃烧的灰烬中，还发现了一些没有燃尽的书籍、照片和女性内衣的残片。

男人叫张建设，29岁，单身，是村子里国营照相馆的工作人员。从他身上缴获的照片以及灰烬中的照片残片可以看出，这人长期私自偷带照相馆的相机和胶卷，偷拍女性照片。有在女厕所偷拍的照片，有在女澡堂偷拍的照片，也有在窗外偷拍的女性换衣服时的照片，甚至还有一些是在国营照相馆的更衣间里偷拍的女性裸体照片。而燃烧未尽的书籍残片经过拼凑，大致可以看出是手绘的淫秽图片集。无论是照片还是书籍图片里面，都有不少涉及未成年少女。

通过针对张建设的调查，冯凯还发现了一个线索。案发当晚，因为有一户村民家的老人临终，这家人去找了国营照相馆的负责人，希望可以给老人在临终前拍摄

一张遗照。负责人发现馆里的照相机不在，于是去张建设家寻找，当时是晚上十点多，张建设不在家。老人当晚没有离世，第二天一早，张建设上班时，就被负责人差遣去老人家拍摄了。因为没有造成严重的后果，负责人也没有深究，但是张建设对前一天晚上的去向，支支吾吾的。

有作案时间、作案动机，甚至还符合心理刻画，冯凯内心直觉，就是这个张建设作案，不会有错。

"嘿，你还真别说，调查来调查去，认识张建设的人，还都说这个小伙子人很好，很热心。"肖骏说，"如果不是他自己跳出来，那怎么也想不到他还有这么多不堪入目的癖好。"

"所以啊，即便不是他杀人，那治他个流氓罪也毫无问题。"冯凯知道那个年代里，流氓罪最高可以判死刑。

"怎么可能不是他杀的？"肖骏笑着说，"你看到那些照片没有，有一些就照着别人私密部位拍的，这和拿刀切割尸体阴部有什么区别。"

侦查员们都集中到了派出所里，审讯在派出所里展开了。张建设很狡猾，和民警们兜起了圈子。他一会儿说这些照片和书籍不是他的，只是他捡来的，一会儿干脆抵赖得干干净净，说公安抓错了人，根本不是他在焚烧东西。对于杀人案，他根本提都不提。

冯凯把话题拉到了案发当晚，张建设一口咬定自己是和几个朋友在打麻将。问他和谁在打，他又支支吾吾，说的人都变来变去，显然是在说谎。

审讯一时陷入了僵局。

在审讯的同时，派出所对张建设的家进行了搜查，可是并没有找到凶器，燃烧的灰烬里也不可能有人体组织。冯凯知道，现在能不能突破张建设的心理防线，就要看顾红星的了。

冯凯骑着车就往局里赶，到了局里一身大汗，却发现顾红星并不在办公室。冯凯又跑回了宿舍，还不错，宿舍的灯是开着的，说明顾红星在里面。

此时已经是深夜，顾红星趴在桌子上睡着了，身边放着一双鞋垫。

"哟，你还会做鞋垫呢，心灵手巧啊。"冯凯拿过鞋垫和自己的脚底比画了一下，说，"这也太小了吧？"

"不是你的。"顾红星一把抢过鞋垫，说，"对了，我今晚去了火葬场，找到女工的遗物了。"

剥皮

　　冯凯心领神会，坏笑了一下，说："女工案不女工案的，我不关心，但你现在得跟我去一趟东桥派出所。人我是抓到了，但是审不下来，需要你的痕检技术给他致命一击。"

　　"这么快就抓到了？"顾红星瞪大了眼睛，被冯凯一路拉着到了楼下。

　　在骑车回派出所的路上，冯凯得意扬扬地把自己设计骗出张建设的过程叙述了一遍，并阐述了张建设的诸多疑点和他的直觉。而顾红星对这个过程并不感兴趣，他把女工案的线索又重新梳理了一遍，并且提出要向领导申请，重新勘查女工案的涉案机械。当然，冯凯对他说的这些，也毫无兴趣。

　　不一会儿，两人就骑车来到了东桥派出所的门外。冯凯还是迫不及待地拉着顾红星的袖子，把他一路拖到了审讯室里。

　　顾红星走到张建设的旁边，拿出指纹卡，让他捺印指纹和掌纹。张建设倒是很配合地把手掌抹黑，然后按在了指纹卡上。

　　"能看出来不？"一出审讯室，冯凯就迫不及待地问道。

　　"肯定能，现场的掌纹处理得很清楚。"顾红星一边走着，一边来到了民警办公室。穆科长、肖骏等几个人都在办公室里坐着，因为疲惫，神色萎靡。

　　顾红星趴在办公桌上，一边放着刚刚捺印的张建设的掌纹，一边放着他自己制作的现场指纹卡，用马蹄镜左看看、右看看。冯凯站在顾红星的身边，焦急地咽着口水，却又不敢打扰他。

　　"看完了，不是他。"顾红星抬起头来，说。

　　"不是他？胡扯什么。"老侦查员陈秋灵最先跳了出来，说道，"不是他，还能是谁？各方面都符合，他还不说真话。"

　　顾红星被猛然而尖锐的驳斥吓了一跳，顿时不太敢说话了。

　　"你确定不是他？"冯凯问道。

　　"不，不是。"顾红星有些委屈地说道。

　　"你这是在动摇军心知道吗？"陈秋灵走了过来，指着顾红星说，"审讯比拼的就是毅力。现在本来审讯工作就陷入了僵局，最重要的就是审讯者的军心！你现在来动摇军心，这接下来怎么审？"

　　"我，我，我不，不知道怎么，怎么审，但，但确实不是。"顾红星面对陈秋灵的咄咄逼人，有些退缩。

　　"会不会是有什么其他原因？"穆科长示意陈秋灵声音小点，说，"比如，现

场的手印，根本就不是凶手的？"

"不会，这么新鲜的手印，肯定是刚刚留下不久就被我们提取到的。"顾红星说，"我也排除了死者及其父母，那么就不会有其他人去她家橱柜里留下掌纹了。"

"确实没有其他人可能去她家接触橱柜。"冯凯很是失望，此时陷入了沉思。

"你说新鲜的就是新鲜的了？说不定是以前打家具的人的呢？"陈秋灵说，"这时候不能动摇军心，不是他，他为什么要撒谎？"

"很久以前的掌纹是刷不出来的。还有，偷拍也是流氓罪，他为了躲避打击，撒谎也有可能。"顾红星的声音小得像是蚊子叫。

"他有作案时间，案发当晚他的去向他自己都说不清。"陈秋灵说。

"那，那，那说不定他又是去偷拍了。"顾红星仍然小声地做着回应。

"那他直接交代了不就好了？明明知道警方怀疑他杀人，还这样兜圈子。"陈秋灵说，"承认流氓罪比杀人罪要轻得多吧？我当了一辈子侦查员，也没遇见这么拎不清的人。"

现场的气氛很紧张，大家顿时都陷入了沉默，陈秋灵接着说："你就敢保证你不会看错？是技术，总会有错吧？这么多人的直觉感受，比不上你这个愣头青的技术？"

这句话似乎煽动了侦查员和派出所民警们的情绪，大家都纷纷表达了自己的直觉，认为张建设确实就是凶手，无论从哪个角度看，都是。陈秋灵见大家都来支持他，开始有些得意扬扬了。

冯凯拍了拍顾红星的肩部，让他不要再接话了。

穆科长思考了一会儿，说："既然侦查和技术出现了意见分歧，那我们还是稳妥一点比较好。各位刑侦科的伙计呢，你们继续轮班审讯。冯凯和肖骏，你俩和派出所的同志一起，还是对全村的男人进行摸排，一个个排除，总是能找出有疑点的来。对了，尤其是我们抓了张建设以后，那些表现很反常的人。"

"看吧，因为你的好兄弟，咱们的捷径走不了喽。"肖骏笑着拍了拍冯凯的肩膀。

这总有点指桑骂槐的意思，让顾红星心里很不舒服。

"没事，好久没玩过撒网摸排了，这不是我们刑侦的'三板斧'之一吗？正好重新捡回来玩一玩。"冯凯一边打着圆场，一边拍了拍顾红星的肩部表示安慰。

"喊，搞得好像你以前摸排过似的。"小秦说道，"这可不是件容易事呢。"

剥 皮

"就为了一个说不清、道不明的所谓新技术，就要大动干戈的，值吗？"陈秋灵摇着头说道。

穆科长比陈秋灵资格老，急躁地说道："又没让你去排查，你有本事快点审下来，我们都省事儿。"

返回公安局的路上，顾红星心事重重。他不知道自己的坚持，究竟是正确的，还是错误的。如果真的是自己错了呢？这些战友岂不都是在浪费劳动力吗？

燃烧的蜂鸟

第五章

捞尸

1

两天过后，顾红星的焦虑就更加严重了。因为马法医从尸体上提取的擦拭物里，检出了留下精斑的人的血型是A型，而张建设的血型也是A型。不过，马法医说过，死者的下体被割裂，所以血型检验有可能会受到污染。而死者张春贤的血型恰恰也是A型，这个做出来的精斑血型有没有被污染，连马法医也不敢打包票。加之张建设一直没有低头认罪，所以给顾红星留下了一丝希望。

摸排工作虽然是侦查工作的"三板斧"之一，可也是一项异常艰苦的工作。顾红星咬着牙，决定跟着冯凯、肖骏一起，承担了对全村人员排查的重要任务。一家一家清查，一户一户梳理，对于重点人，又要多方面印证案发当时有没有作案时间，如果排除不掉的，就又要打听事发后这人有没有反常迹象等等。总之，梳理清楚全村人的亲友关系，就花了他们两个多礼拜的时间，然后他们又花了一个半月的时间，排查完了所有的重点人。

眼看着，五月份了，天都暖和起来了。

冯凯每次查否[1]一个重点人，内心都会十分暴躁，可是看到顾红星更是忧郁焦虑的模样，就暴躁不起来了。冯凯安慰自己，当了好几年刑警，也从来没有像这起案件一样，沉下心来细心排查这么长时间，也算是好好体验一把摸排工作的艰难困阻吧。这样看来，现代的工作还是要幸福很多，毕竟有那么多科技作为支撑。而当年自己一直不相信技术，实在是有些身在福中不知福的感觉了。

虽然到最后，也没能排出重点嫌疑人，但顾红星依旧坚定地认为，他的技术没有错。他在这两个月的时间里，又查看、比对了无数遍张建设的掌纹和现场的掌纹。去现场复勘了十几次，他认为这枚非常新鲜的掌纹一定是案发前刚刚留下的，

---

[1] 查否：经查证核实，没有符合条件的嫌疑人。

捞尸

一定是嫌疑人的掌纹，因为过了一礼拜、一个月复勘现场，掌纹就明显不清晰了。而这掌纹又确定不是张建设的，张建设已经按流氓罪被审查起诉了，也没有交代承认他杀人，所以这案子一定另有蹊跷。

既然顾红星坚持，冯凯知道这个人命案马虎不得，所以也就一直咬牙坚持着在做排查工作。他甚至都觉得自己变了，可以一个人一个人地慢慢审查而不去寻找捷径。不过话说回来，在这个年代，他还真是不知道该如何寻找捷径。不过，排查了两个月，至少有一点好处，那就是冯凯凭着自己这种自来熟的性格，很快成了东桥村的熟客，每次进村都会受到热烈的欢迎。

顾红星很崇拜冯凯的这一点特质，他入警的时候，老师就说过"从群众中来，到群众中去"才是公安工作的真谛。如今这两个月的工作，让他实实在在体会到了这一点。从和村民混熟开始，他们的调查就越来越顺利。从刚开始连重点人的性格、家世都要调查大半天才能弄明白，到现在一天可以查一个重点人所有零零散散的信息，甚至花边信息都能轻松查到，其实都因为两人在东桥村的熟门熟路。而这种熟门熟路，顾红星认为主要是冯凯混来的。

可是，最后的结果不尽如人意。他们两人已经查到了无法再查的地步了。

顾红星相信，山重水复疑无路，柳暗花明又一村，他重新梳理了重点人的名单，又逐个对排除的依据进行审核，最后发现，没问题。他不放弃，又拿出全村男人的名单，看除了重点人之外的其他人，是不是有确凿的排除证据，最后发现，也没问题。这个村子算是给他们两个人从头到尾"清洗"了几遍，也最终没有发现比张建设更像凶手的人了。

冯凯知道顾红星在这两个月中对于掌印已经多次复核检验，依旧坚信他的观念。既然他这么坚持，自己也就不好去提出质疑了。只是冯凯不知道，此时的顾红星都有点怀疑自己了。

因为被这起案件的摸排工作耽误，顾红星一直没有机会去向领导汇报重启女工案的事情。其实也不是没有机会汇报，而是没好意思拖着冯凯一起去。冯凯很聪明，早就看出了这一点，可是他就是不主动提出陪顾红星去。直到眼下这个案子的调查重新陷入僵局后，顾红星终于憋不住了。

"女工案那个事情，要不你陪我去领导那里说一下？"顾红星小心翼翼地说道。

"我下午要去东桥村，继续找找看有没有其他的线索。"冯凯说，"你自己去就是了。"

"可是，可是……"

"可是啥可是。"冯凯打断了顾红星，说，"一个人的自信是怎么建立起来的，就是其欲望，或者说是愿望给逼出来的。如果你真的对这起案件有那么大的疑问和执念，那你就自己去找领导。"

冯凯觉得，这件事是培养顾红星自信心最好的机会了。

顾红星涨红了脸，低头犹豫着。

"我是真有事儿。"冯凯忍着笑，说，"我给你出个主意，上次咱们破案后尚局长来表彰咱们，然后拒绝了你买设备的要求，肯定对你负疚。所以啊，你别找穆科长了，你就直接去找尚局长，这种小事儿，他一定会允的。你想想啊，他允了，也是你去查，又不是让他查，他为什么不允？"

顾红星想了想，觉得冯凯说得很有道理，说："说是这样说，可是我怕我说不明白。"

"你和我说得不是挺明白的吗？"冯凯继续出主意，"你要是怕你说不明白，你就手绘个PPT。"

"PPT？"

"啊，就是讲解演示示意图。"冯凯说漏了嘴，立马解释说，"就是你找几张纸，把你要说的情形大致画下来，这样一边给局长看，一边说，你肯定就不紧张了。"

顾红星将信将疑地看着冯凯。

"你相信我，你没问题的。"冯凯拍了拍顾红星的肩膀，骑车走了。

当天下午，顾红星没有去找局长，而是花了一下午加一晚上的时间，画了不少图。有些是现场方位图，这本身就是痕检工作的一项内容，对顾红星来说不是什么难事。还有一些是足迹方向、鞋底花纹磨损的示意图，这想通过简单的绘画来说明白就有些麻烦，所以顾红星画得很细致。

画完图后，顾红星又仔细准备了开场白和发言稿，甚至把从火葬场里找出来的女工的鞋子也带上了。第二天一早，就在局长办公室门口等着了。

上午八点，尚局长拎着一个包，准时出现在了办公室门口。见顾红星捧着一大堆不知道是什么的东西，尚局长一边开门一边说："怎么了？你们的案子，有进展了？"

"不是，不是，那，那个案子，嗯，好像，不太行。"顾红星被突然一问，问到了自己没有准备的内容，一时不知道该怎么形容自己和冯凯的工作和结果。

"那你这是来汇报什么事？又要买设备？"尚局长放下包，指了指自己办公桌对面的椅子，让顾红星坐下。

"也，也不是。"顾红星说道。

"那是啥事儿？"尚局长盯着顾红星说道。

终于问到了准备好的问题，顾红星把手中的画作一一摊在桌面上，然后按照自己一晚上熟背的陈述词，开始讲述他是怎么成为这一起案件的目击者，怎么意识到这起案件的疑点，又是怎么查证这起案件的矛盾点的。最后，他提出申请，要求局里可以同意他重启这起案件的侦查，去案发工厂重新勘查涉事机械，对工厂的员工进行重新排查。

顾红星说得很是生硬，就像背书一样，但他觉得自己已经把事情说得很清楚了。冯凯教他的这个什么P什么T法，还真是挺管用。

尚局长耐心地听顾红星全部讲述完，然后有些严厉地问道："所以，东桥村的这一起强奸杀人案，你们准备怎么办？"

昨晚一晚上的准备，顾红星想了很多很多尚局长可能会提出的问题，可他万万没想到，尚局长听完之后问出来的问题，居然和女工案毫无干系。

"啊？这，我们，我们查了上百人。这个，可是……"顾红星顿时慌了手脚。

"可是？可是你们啥也没查到，还是觉得张建设最像，对吧？"尚局长依旧是严厉的口气，说，"你敢在这里拍着胸脯和我说，张建设绝对不是犯罪分子吗？"

顾红星被问愣住了，呆在原地，憋不出一句话来，心想要是冯凯在就好了，好歹他能帮助自己回答局长的问题。

"不瞒你说啊，红星。"尚局长的口气柔和了一些，"现在大家已经把这一起被办成了'夹生饭'①的案件，算在了你的头上。说是因为你的一意孤行，导致我们的预审员丧失了审讯的信心。审讯啊，是意志力和自信心的较量。你说你的技术把张建设否了，那么我们的预审员就被动摇了军心，就容易被犯罪分子牵着鼻子走啊。你想想，这个张建设幸亏有其他的违法行为，不然我们把他放回去，老百姓会

---

① "夹生饭"：警察的行内话，指案件证据不足时，放人也不好放，定罪又不够证据，不知道该如何往下进行的困境。

怎么说我们？"

"可，可，可是毛主席说过，实事求是。"顾红星嘟囔了一句。

"是，是要实事求是。"尚局长说，"那你实事求是地告诉我，你想要重启这起女工案件的目的是什么？"

顾红星有些不解，抬眼看着尚局长说："有，有疑点，就，就应该调查吧？"

"我知道，你母亲是这个工厂的，因为这个事情，你母亲还被劝退了。"尚局长盯着顾红星的眼睛，说，"你真的，没有一点私心？"

"没有！"顾红星突然不结巴了，他迎着局长的目光，说，"我没有私心，我就是觉得这起案件有疑点，我担心会有一条冤魂没有昭雪。"

尚局长盯着顾红星看了良久，像是相信了他，说："好，没有就好。可是，你也没必要把这么臭的一双鞋带到我办公室吧？你知道吗？带着一只破鞋来，是在骂人啊。"

顾红星知道局长这是在开玩笑，来缓解尴尬的气氛，但他心头不服，所以也没笑出来。

"红星啊，这起案件是一年前的。当时在市里的影响非常恶劣。"尚局长语重心长地说道，"市领导要求迅速定性，不能因为这一起意外案件，影响现在经济大势。现在，你就凭借一双鞋子、一张看不清楚的照片，要求把旧事重提，你说我怎么和市领导交代？"

顾红星想了想，不知道该如何回话。

"而且，东桥村的案子，现在等于还是个悬案。"尚局长说，"我刚才说了，大家把这案子没办好归咎于你，现在如果我让你放下这个案子，重新办一个陈年旧案，还是已经结案的案子，大家会怎么想？"

"可是……"顾红星还想做最后的挣扎。

"不要可是了。"尚局长果断地说，"把你自己该做的事情做好。你今天说的事情，往后放放再看。好了，我要开会了。"

这是下了逐客令，顾红星无法死皮赖脸地留下来，只能悻悻地走出了局长办公室。

不知道真的是因为别的案件影响，还是因为自己没有说明白，顾红星最终还是没能说服局长。看来他是真的不适合沟通。原本通过两个月的工作，和老百姓打成了一片，他认为自己的沟通能力已经有了长足的进步，可是今天一看，根本就不是那么回事。

顾红星垂头丧气地走出了公安局大门，正好碰见了前去上班的林淑真。

顾红星突然想起了什么，从自己的绿色斜挎布包里，拿出了一双鞋垫。

"都做好一个月了，但最近一直在出外勤，见不着你，就放在包里等哪天遇见你再给你。"顾红星把鞋垫递给了林淑真。

"嘿，我还以为真的要等我的鞋子磨破了才能等到你的鞋垫呢。"林淑真嗔怪道，"好在我的鞋子还没有破。"

"我在足跟的部位加了海绵，你走路重心靠足跟，穿上这个肯定会舒服很多。"顾红星说道。

"还真的挺精致的呢，比供销社里卖的都要好。"林淑真把鞋垫垫在鞋子里，穿好鞋子跳了跳，说，"嗯，别说，真的挺舒服。对了，你怎么没精打采的呀？"

"哦，没什么，重启女工案的事情，被领导否了。"

"那你自己去查不就得了？"

"那哪行？公安查案也不能乱来啊。而且，厂里也不会让我进去勘查的。"

"那就想别的办法偷偷进去查呗。火葬场你都敢去。"林淑真哈哈一笑，说，"我去上班了，不然要迟到了，谢谢你的鞋垫哈。"

说完，她一蹦一跳地向人民医院的方向跑走了，留下顾红星若有所思。

"顾红星，你上来一趟。"穆科长的声音在身后响起。

顾红星回头一看，穆科长正站在办公室外的走廊上喊他。他赶紧一溜小跑，跑回了办公室。

"你去局长那里了？"穆科长目光炯炯，连珠炮似的说道，"你还敢自己去找局长呢？怎么着？对东桥村的案子，不服气？"

"不是，不是，我，我是为了另一起案件。"顾红星连忙摆手解释。

"我看你是不是太闲了？"穆科长显然对顾红星的越级汇报有些不满，说道，"既然你感觉到自己太闲了，那我交给你个事情吧。西苑那边有一户人家丢了两只鸡，你去勘查现场吧。"

"好的，具体地址是？"顾红星从包里拿出笔记本。

穆科长本身就是想挤对一下顾红星，但看到顾红星这么认真地就接受了任务，反而有些不好意思了，他打了个哈哈，说："啊，这个，我也不是很清楚，你去辖区派出所问吧。"

"好咧。"顾红星欣然领命，蹬上自行车就向西边去了。

到了派出所，说明了来意，倒是把值班民警吓了一跳。

"嘿，你们还真来啊？看来刑侦科最近也不太忙啊。"民警笑着说，"我就是去刑侦科办事，这么随口一说，说南城派出所辖区居民丢了咸肉，你们都要勘查，那我们西苑派出所辖区有人丢了鸡，你们来不来啊？结果你们还真派人来啊。"

"在，在哪儿啊？带我去吧。"顾红星说。

"虽说群众的事情无小事，但是你看我这儿是真走不开啊。"民警指了指桌子上成堆的卷宗说道，"我在整理案卷，说是1976年之前的所有刑事案件卷宗都要复审一遍。要不，你自己去？"

顾红星点头答应，并按照民警给的地址，来到了一个小院。小院的主人是一位六十多岁的大妈，见到真的有公安来她家里，在鸡窝的顶上刷指纹，很是感动。

"你是党员吧？"大妈问道。

"是啊，我18岁就入党了。"顾红星一边刷指纹，一边说道。

"我就说嘛，共产党员全心全意为人民服务。"大妈竖着大拇指说道，"对了，小伙子，你有对象了吗？我外孙女啊，今年19了。"

大妈后面说什么，顾红星完全没有听到，因为他在鸡窝顶棚的光滑漆面上，提取到了两枚残缺指纹。顾红星把残缺指纹沾上了指纹卡，纹线清清楚楚。只不过，残缺指纹是很难找到足够的特征点来进行同一认定的。

顾红星看着两枚指纹发呆，突然发现两枚指纹其实都是右手拇指留下来的，而且残缺的部位不同。如果把两枚指纹相同的地方剪掉，不同的地方拼接在一起，不就可以组成一枚完整的指纹了吗？

想到了这里，顾红星很是开心。这个方法上课的时候老师并没有说过，自己倒是可以试一试。

"嗨，小伙子，我说话你听见了吗？要不要见一面啊？"大妈说。

"啊，知道了，大妈，我现在忙，回头说。"说完，顾红星骑上自行车就回到了局里。

顾红星在马蹄镜下，把两枚指纹卡上指纹不同的地方给圈了出来，然后小心翼翼地把圈出来的地方剪下来，再重新拼合在一起。指纹卡只有这么一张，如果一旦剪不好，就无法再次拼接了。好在顾红星心灵手巧，很快把指纹拼接了起来。他心满意足地看着拼接好的指纹卡，突然觉得这枚右手拇指指纹似曾相识。难道，是这两个月来排查重点人的时候，看到过的指纹？

顾红星把指纹卡从抽屉里全部拿了出来。他工作了两个多月，现在的指纹卡已经有五百多张了，都是他平时工作中重点收藏的。冯凯还嫌他太多此一举，也不怕麻烦。

一边翻着指纹卡，一边脑子里迅速转动，终于，顾红星想起来了。这枚指纹，和两个多月前，他们出勤的那起偷盗咸肉案件发现的指纹是一模一样的。

顾红星说不出现在的心理感受是什么，一方面他有些失望，毕竟这枚被比对上的指纹是现场指纹，而不是从已知身份的人捺印来的指纹。所以它主人的身份，顾红星也不知道，因此不能根据这枚指纹直接破案。另一方面他又有些欣喜，自己通过收藏指纹卡，倒是比中了一枚一模一样的指纹，这就说明他收藏指纹卡的工作是有意义的。顾红星在想，假如有一天，所有和警方打交道的人都会被录入指纹，这样就会收藏数以十万计的指纹了，那么一旦现场可以提取到指纹，就可以直接比对嫌疑人身份了，这样痕检技术不就可以撇开摸排工作而直接破案了吗？破案效率不就大大提高了吗？不过他又转念一想，自己还是太幼稚了。几百枚指纹，自己还是能看得过来的，要是几十万枚指纹，得要多少痕检员夜以继日地比对啊？显然，这个想法有些不太现实。

2

冯凯得知顾红星重启女工案调查的想法失败后，嘻嘻哈哈地把他数落了一番。当然，冯凯的心里也很清楚，即便是自己去了，局长也不可能同意他们重启案件的。这件事情，如果真的要遂顾红星的愿，还得从长计议。

对于东桥村案件的调查，已经到了山穷水尽的地步。冯凯觉得，如果顾红星真的是对的话，那么很有可能凶手并不在东桥村里。可是，既然选择张家实施盗窃，一定是有目的性的。全村人都排查过了，对张春贤父母的询问也至少经过了五六次，确定知道他家具体地址和家里只有一个女儿在家的情况的，只有村里的人。因为其父母只是工厂里的厨师，打交道的同事不多，也不会深交。就算是那几个有一点点可能知道他们家情况的人，也都做了指纹排除。如果不是熟人呢？如果是流窜作案，实在是说不通。即便是巧合，也不可能只偷张家一家。案发前、案发后，东桥村及附近几个村落，都没有盗窃的报警。冯凯甚至感叹这个年代的治安，可真是够好的。

不过，无论是二十世纪七十年代，还是二十一世纪二十年代，不要随便立Flag[①]这种事情倒是一直没有变过。就在冯凯感叹后不到一天，就又发案了。

"两个月！两个月发生两起命案！新中国成立年后就没这样乱过！"穆科长拍着桌子说道，"上一起还没着落，这又来一起！再不破的话，我们一起卷铺盖滚蛋吧！"

"时代发展，经济进步，人的欲望也会跟着膨胀。"冯凯说，"不要那么大惊小怪的，破了它就是了。"

和上次一样，刑侦科其他人坐着吉普车，冯凯和顾红星骑着自行车，向龙番市南边的二十岗镇进发。

不知道是不是受到冯凯两个月前一个下意识动作的影响，现场的小院落此时已经被一根绳索围了起来，绳子旁边站着两名民警负责维持秩序，不允许无关人等进入现场。

冯凯把车停在绳索的旁边，摸了摸绳子，很是欣慰，感觉自己似乎给这个时代带来了一些先进的东西。

"他们是刑侦科的人。"派出所所长站在绳索外围，对身边的一个男人说道。

男人身高不高，微胖，秃顶，但是穿着的中山装很整洁，一点褶皱都没有。他一脸痛苦的表情，看到穆科长几个人走了过来，扑通一声就跪了下来，哭着说："青天大老爷，为我家媳妇做主啊！"

穆科长一边把男人拉了起来，一边瞪着眼睛说："搞什么！社会主义了！别搞封建那一套。说，怎么回事？"

"我今天上午去上班，一切都好好的，这下午四点钟收工了，就回到家里，发现家里的门没有锁，到处都被翻乱了。"男人说，"我找了半天，才在水缸里找到我媳妇。"

说完，男人指了指院子里的一口直径约九十厘米、高约一米的大水缸。

"他就是报案人，段翔，今年……"所长说。

"今年42岁，我有个女儿，今年19，在上海当兵。"男人抢着说，"我是个木匠，给各个大家具工厂提供技术服务。"

"哦，是军属啊。"穆科长的眉头拧得更紧了。

"死者叫刘翠花，是段翔的妻子，今年41岁，没有工作。"所长说。

---

① 立Flag：是一个网络用词，表示一个人说了某句话，之后却出现打脸的情况。

"虽然没有工作，但是她在家里照顾我啊，她把家里照顾得很好，你看我这衣服，都是她熨的。她总说，过去的木匠没地位，现在不一样了，工人阶级最光荣，所以要注意形象。"男人潸然泪下，说道。

"节哀吧。"穆科长拍了拍段翔的肩膀，接过老马递过来的手套戴上，率先快步走入了现场。

和东桥村的案子差不多，段家也是三联平房加一个小院落的结构。只是这一起案件的中心现场不在屋内，而在院子里。

虽然各家各户都已经通了自来水，但是为了节省水费，这些家有小院落的人家，还是会沿用在井里取水的习惯。井水打出来后，就放在陶瓷的大水缸里储存。中心现场，就是这口大水缸。

"我让段翔在外面等了，我总觉得这人反应有点强烈，有点可疑。"派出所所长说道，"我们的民警去调查了，段翔说今天一天都在一个家具厂里指导技术，但这个家具厂的工人说，段翔早上就是去了一下，之后就走了，所以不知道他上午的时候去哪里了。"

"也就是有作案时间？"穆科长压低声音问道。

"刘翠花上午九点去买菜时，还有很多人看见。"所长说，"死亡时间肯定是上午九点到下午四点之间。这期间这个段翔去哪里了，还搞不清楚。"

"而且，有邻居证明昨天他们俩吵架了。"另一名派出所民警说道。

"那就有意思了。"冯凯说道。

顾红星走近大水缸，深吸一口气，往里看去。水缸里黑黝黝的，看不清什么，只能看到一双布鞋脚底板漂浮在水面上。

马法医慢悠悠地戴上胶皮手套，又给顾红星递了一双过来。

顾红星有些慌张，指着自己的鼻子说："啊？我？我？"

"你什么你？"马法医笑道，"你不帮忙，我怎么把尸体弄出来？"

对于顾红星来说，尸体已经看过了，解剖也已经看过了，但是动手触碰尸体这种事，他似乎还没有做好心理准备。顾红星连忙回头看了看冯凯，希望他能够在此时站出来帮他解围。可是冯凯明明听见了老马的话，偏偏又转身走进了厨房，像是去看外围现场了。

冯凯当然是听见了，但是此时他的心里想着：我是侦查员，让我碰尸体？做梦！

"快点啊。"老马抖了抖手中的手套。

顾红星此时已经是被赶鸭子上架了，他哆嗦地接过手套，又十分笨拙地戴到了自己的手上。

"喏，一人拽一只脚，我喊一二三。"老马率先把手伸进水里，握住了尸体右脚的脚踝。

顾红星屏住气，硬着头皮把手伸进了水里。明明天气已经暖和了，可是水缸里的水依旧冰冷刺骨，冷到了顾红星的心窝里。

"一、二、三！"老马一边喊着，一边和顾红星一起用力，把刘翠花微微蜷缩的尸体从水缸里拉了出来，平放在地面上。

刘翠花很瘦小，不足百斤，可是顾红星此时已经大汗淋漓，不停地喘着粗气。

"尸僵还没有在大关节形成，角膜也还没有开始混浊，嗯，也就是中午那会儿死的。"老马一边看着尸表，一边慢慢地说道。

"能，能看出怎么死的吗？"顾红星强行稳定自己的心神，问道。

"还用说吗？你看口鼻还在溢泡沫，溺死是没跑的了。"老马指了指死者的口鼻腔。

此时死者的鼻子还在往外冒着泡沫，擦掉后会继续溢出[①]，看起来十分诡异，这让顾红星又出了一身冷汗。

"如果是溺死的，那我们法医就看不出来她是被人推进去的，还是自己掉进去的了。"老马说，"你去看看外围现场吧，这里交给我。"

顾红星点了点头，端着相机拍了几张照，然后走进了偏房的厨房。厨房里，冯凯正站在饭桌旁对着饭桌发呆，见顾红星进来，他指着桌子问道："这是什么？"

顾红星看了看，桌子上放着一个茶杯和一个小盘，盘子里有一些零食。所谓的零食就是用面粉、鸡蛋和调料调制出面浆，然后把面浆搓成香烟大小的条状，放在油里炸熟。这种东西吃起来，香脆可口。

"我们这儿，把这个叫作'小炸'，你没吃过？"顾红星说。

冯凯摇摇头，说："就是闲来无事时吃的零食？"

"我妈每年过年的时候都会炸上几斤，然后放在饼干桶里密封。"顾红星说，"过年期间用来招待来访的客人。吃剩下的，短时间里也不会软掉，就会储存在饼

---

① 编辑注：尸体口鼻腔周围溢出的白色泡沫是蕈状泡沫，它一般是在溺死案件中出现，也可能会在机械性窒息或电击死中出现。

干桶里。等家里来人了，会拿出来招待人。"

冯凯这才意识到，在这个缺吃少穿的年代，这种需要消耗鸡蛋、香油的食品，肯定不会天天拿来自己吃。他戴上白纱手套，左看右看，在厨房碗橱的下柜里找出一个饼干桶，一打开，果然有半桶和桌子上一模一样的小炸。

"你家条件算不错的，都不舍得平时自己吃。"冯凯对顾红星说，"那你说，这个刘翠花会自己一个人闲来无事吃这个吗？"

顾红星摇了摇头。

冯凯接着说："如果她经常闲来无事自己吃，从过年到现在快三个月了，怎么还会剩这么多？"

"你是说，她家来人了？"顾红星眼睛一亮。

"是啊，不会是自己吃，又不会是拿给段翔吃，那就说明是有人来她家了。"冯凯沉思着，说道，"而且还是挺熟悉的人。"

"是不是要问问段翔？"顾红星问道。

"派出所怀疑段翔是凶手，已经把他带回派出所询问了。"冯凯说，"不过没关系，他们也只是怀疑。目前从现场看，不像是他干的，我一会儿去说明一下就好了。"

"那就是这个熟悉的人干的？"顾红星问。

"这个可不好说。"冯凯说，"首先你还得排除她不是自己掉水缸里淹死的吧？你看那水缸快一米高，刘翠花要是不小心滑了一下，倒栽葱一头扎水缸里了，恐怕也不好自救吧？"

顾红星恍然大悟，陷入了沉思。

"我要解剖了，来帮我照相。"老马的声音在屋外响起。

"好咧！"顾红星答应道。他突然发现自己自从碰过了尸体后，似乎已经没有那么害怕尸体了，想到即将到来的解剖工作，他内心甚至没有一丝波澜。

"那行，你和老马在这里先忙着。"冯凯说，"我先去派出所看看那个段翔怎么说。"

顾红星点头答应，挎着相机走到院里。

老马蹲在地上，已经去除了死者的衣物，正在不紧不慢地整理着。

"尸体表面上没有什么损伤。"老马说，"有个问题，我提醒你一下，你看看水缸边的桌子上摆着什么？"

顾红星抬起头看了看桌子，说："卫生纸。"

"是啊，如果人掉落到水缸里，即便因为头朝下不好自救，但肯定会有剧烈挣扎，对吧？"老马说，"如果剧烈挣扎，这水平面几乎到了缸边，扑腾出来的水，会把卫生纸浸湿吧？"

顾红星又一次恍然大悟，他脱下手套，摸了摸卫生纸，十分干燥。

"这么厚一沓卫生纸，如果浸湿了，几个小时内是不会这么快干的。"老马说，"而且今天是阴天。"

"您真厉害，我算是学到了。"顾红星由衷敬佩地说，"不过，如果是有人把她推进了水缸，她不也会挣扎弄湿卫生纸吗？"

"这就需要生活经验了，这种水缸是有盖子的。"老马说话、做事慢，但解剖速度却很快，此时他已经打开了死者的胃，说道。

顾红星左右看看，发现院墙的角落里，果然有一个木质的盖子，直径比水缸略大。看来犯罪分子杀害刘翠花后，把水缸盖子藏了一下，就是想造成她自己失足落水的假象。

院墙的角落周围，和院子里的水泥地面不一样，那里都是松软的泥土，这让顾红星燃起一丝希望，说："如果犯罪分子去了那边，肯定会留下立体足迹。立体足迹更好比对鞋底的磨损痕迹，我得先回局里取一些石膏来。"

"去吧，这边我来收尾。"老马微笑着点了点头。

内心燃起了巨大的希望，顾红星骑车一点也不累。他骑着车回到局里，取了石膏粉，又骑着车回到了现场。老马已经把尸体解剖完毕，正张罗着刘翠花的娘家人把尸体装进棺材里。见顾红星回来，说："法医这边是解决不了什么问题了，她果真就是溺死的，没有任何损伤。"

"交给我吧，老马。"顾红星一边戴着手套，调制石灰粉，一边走到了缸盖的旁边。

松软的泥土里，果真有几个深深陷入泥土的脚印。鞋底花纹看起来都是解放鞋，和死者脚上的布鞋不一样。顾红星找来找去，找到一枚整个鞋底都保存完整的足迹，然后把石膏倒进了足迹的泥坑里。

做完这些，在等候石膏干透的过程中，顾红星开始了对现场的勘查。

现场勘查的重点分为几个区域，一是刘翠花招待熟人的厨房。厨房里可能有犯罪分子触碰过的茶杯和小碟，这些都是提取指纹最好的载体了。二是水缸盖。虽然是木质的，但是也有较为光滑的漆面，提取指纹的可能性也非常大。三是家中被翻乱的衣橱、五斗橱、床头柜。这些家具也有提取指纹的良好条件。

说起来简单，可是做起来难。毕竟只有顾红星一个人，他只能一点一点地刷。

很快，天就黑了。不过顾红星发现，在漆黑的环境中，用自己手中的手电筒更容易发现那些在白天阳光照射下反而被遮蔽的指纹。这个发现让他十分惊喜，他就这样一寸一寸地用手电筒照射，然后一点一点把指纹刷出来，再用胶带转移到指纹卡上。不知不觉，就已经到了深夜。几个区域几乎被顾红星全部清理了一遍，只可惜顾红星没有找到一枚完整的指纹，更不用说联指指纹了。顾红星知道，这并不是犯罪分子有意反侦查，而是十分不凑巧的原因。

不过不要紧，顾红星心里清楚，虽然自己提取的几十枚指纹都是残缺指纹，但是有很多都属于某一根手指。自己昨天既然能够把两块残缺的指纹拼接起来，那么今天也能把更多的残缺指纹碎片给组建成一枚完整的指纹。

提取完指纹，顾红星又来到了石膏的旁边。此时的石膏已经全部都干了，他小心翼翼地把石膏模型从泥土里拿出来，手中的石膏模型就像是一个被卸下来的鞋底，完整地保存了鞋底的花纹形态和磨损痕迹。这项顾红星只在学校做过一次实验的立体足迹提取技术，今天完美实现了。

正当顾红星沾沾自喜的时候，突然从门口传来"嘿"的一声，把顾红星吓了一跳。

3

"我就知道你还在这里！现在已经凌晨三点多了！你居然不害怕？"冯凯从大门走进了院子。

顾红星这才意识到，自己在这个刚刚死过人、偏房还有口装尸体的棺材的偏僻小院子里，居然独自工作到了凌晨。这要是以前的他，不被吓破胆才怪。可是刚才连续工作好几个小时的他，根本就没有往害怕的方向去想。看来冯凯说得对，专注工作是克服恐惧最好的办法。

"我知道这个现场的勘查面大，你没有几个小时肯定是完不成的。"冯凯说，"可是，这黑漆漆的，你也等天亮了再来啊。"

"这你就不懂了，天黑了更容易看指纹。"顾红星摆弄着手中的石膏模型，

说道。

"那你以后专挑晚上勘查好了。"冯凯笑着说,"你拿个鞋底干什么?"

"这哪是鞋底,这是石膏模型,是犯罪分子的鞋底样本。"顾红星哭笑不得。

"是吗?那是不是要和段翔的比比?"冯凯连忙说。

"不应该是他作案吧。"顾红星说,"你不是说,他家来了熟人吗?哦对了,我和老马都认为,死者不可能是自己掉进去的,应该是被人推进去,然后盖上、按住缸盖溺死的。"

"是嘛。"冯凯说,"如果排除了意外,那很有可能就是段翔作案了。因为他总是闪烁其词,对昨晚吵架和今天上午自己的消失一直给不出合理的解释。他一会儿说是去这个工厂了,一会儿说是去那个供销社了。按照他交代的,我们查来查去,都否定了。你说,他为什么要一直说谎?"

"不要紧,等我回去连夜拼起来指纹,再加上这个石膏足迹,大概能知道是不是他干的。"顾红星掂了掂手中的石膏模型。

"我的天,我很担心啊,你的结果要是又和侦查不一样,你又得被告状了。"冯凯说道。

顾红星坦然一笑,说:"我也不知道,试试吧。"

冯凯吩咐派出所的同志一方面给段翔捺印指纹,一方面让他们提取段翔所有的鞋子,然后送去局里。

两人骑车回到了局里,困到不能自已的冯凯趴在桌子上立即就睡着了。而顾红星仍在台灯下面,在一张张指纹卡上面标记着,他需要拼接出一枚完整的指纹。

一直到第二天早上九点,派出所同志把提取到的所有东西送来局里的时候,冯凯仍没有醒来。而顾红星则已经拼接出三枚完整的指纹了。

"左手拇指、左手中指和右手环指三枚指纹,都比了,对不上。"顾红星说,"鞋子上,也没有能够对得上磨损痕迹的。"

冯凯背后一凉,说:"又是这种情况,靠谱吗?"

"足迹的磨损痕迹呢,只能说大概率比对,不敢说死。但是指纹这个不会错啊。"顾红星说。

"可是指纹你是拼接的呀。"冯凯说。

顾红星被冯凯这么一说,有些不自信了,没有搭话。

"别急，别急。"冯凯意识到自己打击到顾红星敏感的自信心了，于是说道，"你说说，对于此案，你怎么看？"

"我就是觉得，咱们不能盯着段翔。"顾红星说，"来她家吃小炸、喝茶水的人，至少要找到吧。"

"嗯，说的也是。"冯凯说，"可是，刘翠花和哪些人熟悉，会招待哪些来家里的人，这些只有段翔知道。段翔现在不说实话可不行。所以，我今天去诈诈他。"

冯凯知道，在现代，用证据来忽悠嫌疑人可不行，但这个时代，似乎没有那么多条条框框，自己可以随意发挥。

回到了派出所的审讯室，冯凯让顾红星给段翔出示了指纹卡，然后说："交代吧，我们提取到你的指纹了。"

"交，交代什么？"段翔吓了一跳，问道。

"你杀妻的过程啊。"冯凯说，"你和刘翠花前天吵架被人看见了，昨天你又有作案时间，现在又有了证据，法庭肯定可以判你死刑的。"

"冤枉啊！我冤枉啊！"段翔差点没跪下来，哭喊道，"我家有我的指纹，这怎么能算是证据呢？"

"那照你这么说，以后丈夫杀妻子，都不用找证据了？"冯凯问道。

"可是我真的是冤枉的啊。"段翔擦了把鼻涕眼泪，说，"哦，对，我，我没有作案时间，我真的没有作案时间。"

"少来，又要说自己去哪个家具厂，去哪个供销社了？"冯凯说。

段翔咽了口唾沫，像鼓足了勇气一样说道："我是去，去赌场了。"

"哪个赌场？"

"西门王老六自己在家开的，只有我们赌客才知道。"段翔哭着说，"我之前不说，是因为我怕你们关我啊，我知道赌博也犯法。"

冯凯给派出所民警使了个眼色，然后接着问："那你说说，有哪些人到你家去，你老婆会拿小炸出来招待他？"

"那可就多了。"

"男人，缺钱的。"

"缺钱的？"段翔抱着脑袋，自己嘀咕着，说，"都缺钱啊，谁不缺钱啊，我也缺钱啊。"

"那你好好想想，你老婆这么热心招待什么人，这个人反而会恩将仇报杀人抢

劫？"冯凯接着追问。

段翔紧闭着眼，苦思冥想了良久，说："我知道了！我知道是谁干的了！"

"快说。"

"我徒弟，我徒弟陈三。"段翔说，"他18岁就跟着我学木匠，学了十年，和我老婆也很熟悉。哦，对了，我去赌场就是他带的，不然我怎么会去那种地方？"

"你为什么会觉得是他？"

"因为他最近输得比较惨，总问我借钱。"段翔说，"我的私房钱已经输得差不多了，怎么有钱借给他。"

"你家里究竟丢了多少钱？"

"我昨天刚从供销社取的钱，三十块，新票子，我和我媳妇说是借给同事看病的。"段翔说，"其实，其实我准备拿去翻本。"

"既然你赌博，至少也得在这儿被拘留几天。"冯凯说，"这几天你好好想想，有什么新的线索再告诉我们。"

调查结果很快就出来了。经过派出所民警的化装侦查，确定西门有一个地下赌场，于是派出所、刑侦科集体行动，给它端了。果然，段翔消失的那一天，都是在赌场里度过的，他确实没有说谎。正是因为自己干了亏心事，所以段翔在开始的时候一直隐藏着这些重要线索，误导了公安机关。

在听到这个消息后，顾红星一直悬着的心也放下来许多，看来他的判断并没有错。

不过，民警们在赌场里，并没有找到陈三的身影。根据赌场老板的供述，陈三昨天上午来输掉二十块钱后，就走了，一直到现在也没出现过。民警又对陈三的住处进行了搜查，发现他也并不在家。

既然无缘无故地消失，那陈三的嫌疑迅速提升了起来。但是，民警却怎么也找不到他的行踪。这个陈三就像人间蒸发了一样，亲戚朋友都找不到他了。

在民警开始追查陈三的时候，有一个群众提供线报说是陈三出现在西七村里，他的老房子就在这个村子。接到线报后，民警立即全员上岗，把整个村子围得水泄不通，同时对他可能躲藏的人家都进行了搜查。

已经有一起命案没有着落了，这又发了一起，市领导都十分重视，这才这么声势浩大地布控、搜查。可是冯凯倒是看得很清楚，这么声势浩大的搜查行动，确实把陈三给围在这一片区域里出不去了，可是同时也把他吓得不敢出来了。现在是农历四月多，冬麦还没开始收割，田里的麦地长了老高。这个陈三随便往哪一片麦地里一趴，上哪儿找去？毕竟民警加武警只有那么百十号人，能把必经通道都堵死就已经不错了，哪来警力一片片土地慢慢找？如果是现代，带上警犬、飞起来无人机，说不定能找得到。但在这个纯靠走的时代，想在田地里搜个人出来，和大海捞针也差不多了。

"麦地里缺吃少喝，我就不信憋他三天他还不出来。这就已经两天了吧？"穆科长气急败坏地在指挥部里掐着腰，说。

"我看未必。"冯凯跷着二郎腿，说道，"饿了嚼麦粒，渴了喝水渠里的水。夜间还可以窜到其他田地里找东西吃。只要意志力坚定，撑个十天半个月肯定不是问题。问题是我们的民警日夜不休在各个地方蹲守，怕是三天后就军心动摇喽。"

"你小子别给我阴阳怪气的，有什么主意赶紧说。"穆科长看来已经对冯凯很是了解了，知道他鬼点子多。

"办法很简单，谁都不想嚼麦粒。"冯凯说道，"我们用大喇叭喊着，说省里的领导要来检查公安工作，然后把我们的人全部都撤了，换上农民的衣服，下地干活儿。"

"哦，我明白了，你这是釜底抽薪。"穆科长微笑着点头，说道，"不失为一条捷径啊。"

在穆科长规划好防控区域之后，警用吉普车闪着警灯，带着一辆从运输公司临时借来的中巴车，一边用喇叭喊着"撤回去迎接领导检查"，一边路过每一个卡点，让民警上车。上了车的民警，则在中巴里换好农民的衣服，开到下一个防控点，和下一个防控点的民警交换。这样神不知鬼不觉，防控点的民警看起来都被中巴带走了，其实一个人也没少，一个防控点也没落下。

坐在吉普车里的冯凯，思绪万千。这个年代，真是好啊。

冯凯不由得回忆起了自己以前经手过的一个案子。

从刑警队调离后，陶亮一直在派出所里出外勤。后来局里搞改革，要求大的辖区派出所，要在人员密集的社区，设立临时警务站。说白了，就是在一些热点地区，盖一些小房子作为警务站，平时把民警放在这些警务站里工作。警务站设立后，民警们不仅每天要按照指挥中心的指令处警，还要在警务站里接待老百姓的求助。很多鸡毛蒜皮的事，群众不好意思打110，就会直接来附近的警务站求助。

对于群众来说，这不仅更加方便，而且更有安全感了。但是对于派出所民警来说，工作就繁忙了不止一倍。

陶亮天天忙得不亦乐乎，今天给这家找狗，明天劝那家的矛盾。终于接到了一个像样的案子了，还是个专门偷盗女性内衣的。那一段时间，在一个礼拜内，连续有七八个人来警务站报警，说自己的内衣被盗，怀疑有变态犯在附近，担心自己的安全。一开始陶亮没太在意，但既然多了，就要重视起来。于是陶亮就带着辅警天天在小区里蹲守。可是蹲了一个礼拜，变态没再出来作案了。陶亮的内心，是非常厌恶这种变态的，所以他下决心一定得把这个变态绳之以法。

可是逐家逐户排查，那可是需要大量精力的。陶亮平时只有两名辅警帮他忙，又有那么多指令要去处警，怎么也不可能做到深入查下去的。于是陶亮只有想一些"歪门邪道"的办法。他在警务站门口贴了一张告示，说是最近有领导检查，所有民警要回到所里办公，警务站暂停使用，有事请拨打民警的手机号码。

这个方法很奏效，告示贴出去没两天，这个变态就被晚上蹲守在小区里的陶亮给抓获了，人赃俱获。

变态是个大学生，放假在自己的小区里作案。不过这个嫌疑人的母亲是龙番市很著名的一个上访户，常年靠缠访、闹访来获取自身利益。儿子被抓住后，这个上访户很是不服，无奈证据确凿，也没有办法。倒霉的是，陶亮贴在警务站的这个告示，没有来得及及时撕掉，被上访户拍了照片。

"人民群众的安全和领导的检查，哪个更重要"的网络热帖标题应运而生。

虽然这件事情，陶亮并没有直接背上处分，但是也被自己的老同学、副局长高勇骂得狗血喷头。而且，也为后来他被通报批评埋下重要的伏笔。

没想到，如今的故技重演，居然受到了领导和同事们的支持和配合。

等全部防控点都落实完毕后，穆科长带着刑侦科的同事又回到了指挥部。

"白天就下地干活儿，晚上就找个犄角旮旯蹲守。"穆科长说，"我就不相信这个陈三真的有火眼金睛能看得出这是我们的民警。"

"兄弟们都在干活儿，我们也不能闲着，换上便服，咱俩去转一下。"冯凯对顾红星说。

冯凯和顾红星穿上农民的衣服，扛着锄头，在田间晃悠着。

"我说的，只要天一黑，陈三保证迫不及待地钻出来。"冯凯自信地说道，"你拿毛巾把脸遮着点，哪有你这么白白净净的农民。"

顾红星把头上的毛巾裹得严实了点，沉默了半天，说："你说，张春贤的案子，会不会是我们锁定范围有问题？"

冯凯一惊，想了想，说："你是说，凶手的范围可能不止东桥村的人？"

"她的父母说，他们单位的人也都不知道她家的地址，会不会瞒住了什么呢？"顾红星说。

"工厂的重点人，指纹也都取了，你不都排了吗？"冯凯说，"而且，女儿都死了，还要瞒什么呢？"

"段翔不也瞒了赌博的事情？"

"为了赌博，就不给女儿申冤了？"

"如果不是赌博，而是其他什么有可能严重影响她父母声誉的事呢？"

"你是说，第三者？"

"是啊，我就是猜啊。"顾红星说，"如果张春贤的家长搞破鞋，那这种时候他们肯定不会出来说这事儿啊。"

"搞破鞋？"冯凯被顾红星的这个用词逗乐了，说，"那也是和女人搞破鞋吧？可这是一起强奸杀人案啊。哦，对啊，如果是她母亲出轨，那就有可能了！"

"如果她母亲有个姘头，在聊天中无意说到自己家的住址，自己家里平时没人，那这个姘头在缺钱的时候，是不是就有可能去偷？"顾红星抬起头看着冯凯。

"这个我要想想办法了。"冯凯若有所思。

突然，他们听见了一声怒吼，紧接着，有很嘈杂的声音，从东边不远处传了过来。

"看来陈三没憋到天黑啊！走！"冯凯拉起顾红星，向东边跑去。

冯凯和顾红星赶到的时候，两名民警已经把一个人按在了田埂上。

冯凯走过去看了看这个人的面容，和派出所提供的陈三的照片是一样的。

"陈三？"冯凯问道。

"你们抓我干吗？"陈三挣扎着。

"少废话。"冯凯走过去，狠狠地把陈三摁住，然后开始搜身。而顾红星则从口袋里拿出印泥和指纹卡，把陈三的指纹捺印了下来，又把他右脚的鞋子给脱了下来。

"这是什么？"冯凯从陈三的内衣口袋里，掏出了三十块钱崭新的钞票。

"钱啊，我的工钱。"

"你的工钱？"冯凯说，"你不知道吧？这种连号的新票子，可以到储蓄所去

查号码的，谁取了这号码的钱，储蓄所都有记录。"

陈三顿时蔫了下来，不一会儿，又说："这钱，这钱是我捡的。"

"嚯，捡的？你还真行啊你，一捡就捡我一个月工资，你再捡一次我看看？"冯凯说完，看着顾红星。

顾红星此时已经看完了指纹和鞋底，朝冯凯狠狠地点了点头。顾红星此时的眼睛里闪着光，嘴唇甚至都有些微微发抖，这是他难以抑制住内心激动心情的表现。

"指纹、足迹、赃物都有了，我看你还有什么话说。"冯凯让民警把陈三押走。他自己站起身来，拍了拍手上的泥土，说："恭喜你啊，比中了。"

喜讯是冯凯带回专案组的，专案组瞬间沸腾了起来。不过，大家讨论的都是这个陈三意志力还真强，在麦地里趴了三天两夜。说布控的民警们很不容易，这季节居然都有蚊子了。但是没有任何一个人说到顾红星的指纹和足迹的比对。

确实，按照现在的证据要求，即便是没有指纹和足迹，这案子也可以定得八九不离十了。顾红星略有一丝失望，但和大家一起精神振奋。

第二天一早传来消息，这个陈三终于架不住民警的盘问，全盘托出了自己是如何赌博输掉所有的工资，如何听说自己的师父刚刚取了一笔钱放在家里准备当赌资，又如何以找师父为名去他家里，趁刘翠花不注意将她推进水缸溺死，然后抢走三十元钱的犯罪事实。

按照市领导的要求，刑侦科快马加鞭，用两天的时间整理好所有的证据和口供资料，并且把案件移交给预审科审核起诉。

4

忙碌了两天，冯凯他们也没有闲下来休息休息，而是直接去找了张春贤的父亲张强。

"为啥不直接找她母亲啊？"顾红星开始还很不理解。

"废话，你去问她妈，她怎么会老实交代？"冯凯说，"这种事情，作为丈夫即便没有确凿证据，多半心里也会有点数。让丈夫放下要面子的心理来交代清楚，比让妻子直接说出自己的丑事要简单多了。"

被叫到辖区派出所的张强坐在询问室里，显得有些局促。

冯凯坐到张强的对面，跷起二郎腿，说："今天找你来呢，是想了解一些关于你妻子的事情。"

"什么事情?"张强很警觉。

"你不想说的事情。"冯凯低着头,脱下自己的解放鞋,在桌腿上磕了磕。

张强盯着冯凯,良久,涨红了脸,说:"这,这,这和贤贤的案子有关系吗?"

"当然有关系,没有关系,我来问你做什么?"

"你们都知道了?"

"不知道,我会来直接问你吗?"

"其实,我也不确定。"张强的眼神里黯然无光,"而且我也不知道,你们想知道的是不是这件事。"

"是这件事。作为一个男人,你很难说出口,对吧?"冯凯抬眼看着张强,说,"要知道,这不是你的错。"

显然,张强的内心已经确定冯凯是知道这件事了。而且,为了自己的女儿,面子又算什么呢?

张强说:"其实,一年前我就发现不对劲了。"

"不用和我说前因后果。"冯凯说,"你直接告诉我那男的名字和住址就行了。"

整个询问过程中,到底是哪件事情最后两边都没有说出来,张强就直接说出了关键的线索。这让顾红星佩服得五体投地。冯凯则没觉得这有什么,这只是男人之间的心照不宣罢了。不去问清楚,也是给张强留足了面子。

"我只要结果,为了结果,可以不惜一切代价寻找捷径。"冯凯得意扬扬地说道。顾红星隐约觉得哪里有点不对,看冯凯正在兴头上,也就没说什么。

现在的嫌疑人叫作赵丰收,是乡政府的一个文书,35岁,未婚,长得白白净净的,为人谦虚谨慎。冯凯从侧面了解了一圈,所有人对他的印象都是非常正面的,甚至没有一个人说这个赵丰收有什么缺点。也就是说,从外围调查来看,这个赵丰收作案的可能性在下降。

"如果从侦查的角度看,这个赵丰收即便和张春贤的母亲有私情,也不具备任何杀人强奸的人格条件。"冯凯说,"当然,我说的只是人格条件。"

"人格条件?"顾红星不懂这个名词。

"是啊,这个词儿是我自创的。"冯凯说,"俗话说,老百姓的眼睛是雪亮的。周围的人对某一个人的印象,反映了这个人可能存在什么样的人格。而作奸犯

科者，肯定是人格上有问题。尤其是这种割裂尸体的行为，其作案人人格上绝对有很大的障碍。如果所有人对这个人的印象都是没有任何人格障碍，那么他作奸犯科的人格条件就不具备。"

"别人的评价，太不靠谱，假如有些人特别会装呢？戴着面具过活的人。"顾红星说，"我觉得，还是手印比较靠谱，装不出来的。"

"可是，赵丰收是个干部，我们毕竟没有他作案的证据，甚至连他是否和已婚妇女有私情我们都没有证据。肯定不能直接抓了去问，不能明目张胆地取他指纹。"冯凯说，"想个办法密取吧。如果你真的比对上了，可能会动摇我的三观。"

"三观？"

"嗯，就是我一直以来信奉的道理。"冯凯若有所思，"你提取到的是掌纹对吧？掌纹比指纹要难取啊。"

顾红星觉得冯凯懂的还挺多。指纹的接触面小，在人接触载体的时候，留下指纹的可能性就大。掌纹的接触面大，必须要在很大的平面上才能完全留下。对于密取的行为，难度就会增大。

但是此案侦查快三个月了，破案迫在眉睫，冯凯决定试上一试。

冯凯和顾红星一起去了乡政府，坐到了赵丰收的对面。赵丰收正趴在桌子上，奋笔疾书，见到两名公安不请自来，表情略显紧张。

"公安同志，不好意思，乡长有篇讲话稿，我上午就得赶出来。"赵丰收头也不抬地说道。

"哦，我们不是来找你的。"冯凯故作轻松地说道，"这样吧，我写张条子，你帮我转交给你们乡长？"

"自便。"赵丰收还是头也不抬，但表情轻松了许多。

冯凯装模作样地从制服的上口袋里掏出一支钢笔，在纸上划了几下，说："哟，我这钢笔没水了，您借我点儿？"

赵丰收拉开抽屉，拿出一瓶蓝墨水，放在桌子上。

"嘿，真感谢您了，您真是个好人。"冯凯拧开墨水瓶，说，"看您年纪不大，成家了吗？"

赵丰收继续奋笔疾书，似乎没听见冯凯说话一样。

"哎哟哟。"

只听见冯凯一声惊叫，蓝色的墨水噗的一声泼满了桌面，把赵丰收写的稿子全部污染了。

"你搞什么！"赵丰收几乎是跳了起来，下意识地想用手把蓝色墨水抹开。可是他的稿子还是被污染了，而且他的双手也都沾满了墨水。

"墨水瓶没放稳，对不起，对不起。"冯凯拿出两张白纸，说，"快，把手擦擦干净。"

赵丰收气得青筋暴出，还没来得及发作，就被冯凯强行把手按在了白纸上。

"这擦不干净，我来找毛巾。"冯凯把白纸递给顾红星，转头从门口的洗脸盆上拿来一条毛巾，递给赵丰收。

"我写了一上午！现在全废了！"赵丰收气得只能挤出这句话。

"怪我怪我，不能怪你那墨水瓶。"冯凯点头哈腰，"这样，我去和你们乡长当面说，是我的原因，不能怪你。请问你们乡长在哪儿呢？"

"楼上！"赵丰收一边擦手，一边心疼地看着被墨水盖住了一半内容的信纸。

冯凯给顾红星眨了眨眼睛，和顾红星一起走出了秘书办公室。

"怎么样，怎么样？"冯凯拉着顾红星躲在楼梯后面，急切地问道。

"真有你的，纹线好清楚啊，和捺印的一样。"顾红星蹲在地上，拿出包里的马蹄镜，把白纸放在膝盖上，用马蹄镜仔细看着。

"是他！"顾红星猛地站起来，头顶撞在了冯凯的鼻子上。

冯凯疼得捂着鼻子，说："你能不能不要这么一惊一乍的？我都说过，我最怕一惊一乍了。"

"你的三观都要动摇了，我能不激动吗？"顾红星胸口起伏着，握着的拳头都在颤抖。

接近三个月的工作，终于在今天出现了战果。这么久以来，顾红星一直承受着"动摇军心"的流言，心里委屈却又无法申诉。如今这一切，不仅即将给死者洗冤，更是还他一个清白了。

而捂着鼻子的冯凯，内心就复杂多了。

对于他来说，一个喜欢走捷径的人，居然在这起案件上绕了这么大的弯路，实在是吃亏得紧。归结起来，是冯凯为了最大限度寻找捷径，过于相信死者父母的供述，这才导致侦查范围出现漏洞，给了犯罪分子可乘之机。可是这种隐瞒，又是不可避免的，是防不胜防的。冯凯不知道在今后的侦查工作中，还会碰见多少这种事情。他一直自诩的火眼金睛，一直自诩的直觉，很有可能在人们因羞耻感而说出的

谎言里失效。没有了监控,没有了手机,没有了各种先进的科技支撑和印证,那么侦查的可靠性又有多少呢?在这种时候,唯一值得信赖的刑事技术,是不是更应该被侦查员们奉若神明呢?

捷径本身没有错,但是捷径容易忽略更多的可能性,终究会有失误。

冯凯看着顾红星欣喜的模样,若有所思。

冯凯和顾红星还是去找了乡长,但并不是帮赵丰收解释讲话稿的污染,而是把案件的前因后果告知了乡长。乡长带着冯凯和顾红星重新回到了秘书办公室,要求赵丰收跟着冯凯他们一起,回公安局接受调查。

两人推着自行车,把赵丰收夹在中间,带着他回到了公安局。

重新出现了新的嫌疑人,刑侦科里的态度却是不一样。穆科长等人期待这一次能够一举破案,结束这已经长达两个多月的繁重的调查工作,也能让大家喘口气。

而陈秋灵等人,在接到乡长打来的电话之后,立即赶去对赵丰收家里进行了搜查,却一无所获。他们觉得冯凯是在死马当成活马医,这个文质彬彬、白白净净的文职人员怎么可能是犯罪分子?家中任何淫秽物品都没有,和当初他们对犯罪分子的刻画一点也不相符。于是,他们是在抱着看笑话的态度来看待审讯的。

"如果可以的话,先抽血验血型,可以进一步坚定你的审讯信心。"顾红星和正准备进审讯室的冯凯说,"可是老马不在,他请了病假。"

"那怎么办?"冯凯问道。

"我去找别人来帮忙吧。"顾红星低着头,红着脸说道。

"哟,林医生是吧?你们进展够快啊?"冯凯坏笑着说道。

"没有,没有,就是朋友。"顾红星连忙解释道。

"去吧。"冯凯拍了拍手上的笔录纸,说,"上午让他按了蓝手印,今天一定要让他在这上面按上红手印。"

一路走到公安局,赵丰收都沉默着。毕竟案发已经过去了两个多月,所以冯凯已经做好了赵丰收会抵死不认的准备。

"真不好意思,泼了你墨水,还得带你回来受罪。"冯凯坐到赵丰收的对面,跷着二郎腿说道。

"少废话,有什么事快点说,我还要回去工作。"赵丰收说,"要不是乡长发话,我是不会和你来的。"

"嘿，跟不跟我来，还真不是你说了算。你不来，我就抓你来。"冯凯轻描淡写。

"你们公安是土匪吗？想绑人就绑人？"赵丰收怒道。

"别别别，别和我来这套。心里虚的人，才会故意给自己造势。"

"你们找我究竟什么事？"

"什么事，你自己清楚。"冯凯说，"你要是想不起来了，我提醒你一下。你口味还挺重啊？有丈夫的女人，还比你大不少，你都有兴趣？"

赵丰收的肩头明显放松了下来，说："你别胡说！我可以告你诽谤我的名誉！"

"我这不是在问你嘛。"冯凯说，"有人举报，我们不能不查吧？"

"证据有吗？"

"哟，你乱搞男女关系这事儿，还真是没有证据。"冯凯话锋一转，说，"不过杀人越货的证据，倒还真是不少。"

赵丰收抖了一下。

冯凯看到后，心里基本上是有数了。

"什么，什么杀人越货？"赵丰收说，"你说什么我听不懂。"

冯凯冷笑了一声。

恰好此时，顾红星带着林淑真进来了。

"胳膊伸出来，抽血。"顾红星严厉地说道。

"抽血干什么？"赵丰收明显更加紧张了。

"你说干什么？"冯凯说，"我都说了有很多证据。怎么，抽个血，不敢？"

被这么一激，赵丰收毫无退路了，他犹豫地伸出了胳膊。

林淑真显得有些紧张，一直在嘴里自言自语似的默念着："东西都带齐了吧？嗯，东西应该都带齐了。"

她拿出无菌针，刺了赵丰收手指一下，用毛细管吸了一点血，和顾红星一起走出了审讯室外。

"血型你也会做啊？"顾红星站在林淑真的背后，看她用老马的工具做血型，"老马教过我，但我没试验过。"

"那肯定的，我可是个医生。"林淑真滴完了试剂，用显微镜看着，说，"这个真的是个杀人犯啊？看起来一点也不像，还挺帅的。"

"杀人犯还能写在脸上吗？是不是杀人犯，得看你告诉我的结果。"顾红星焦

急地等待着。

"你进去和他说话的时候，好狠啊，一点都不像你了。"林淑真说。

"对杀人犯还能温柔吗？"顾红星此时一反常态，不想和林淑真聊天，他只想尽快知道结果。

"A型。"林淑真抬头说道。

顾红星狠狠地拍了一下大腿，兴奋地说："我不送你了，你自己回医院吧。我欠你一个人情。"

林淑真听他这样一说，有些失望，说："那好吧，欠我的人情怎么还？"

顾红星此时已经快跑出办公室了，他回头说："你说怎么样都行。"

"那请我看电影吧。"林淑真对着已经消失不见的顾红星喊道。

从顾红星走进审讯室开始，赵丰收的眼神就没有离开过他的身上。顾红星对冯凯兴奋地点点头，然后信心百倍地坐在冯凯身边，这些细节都没有逃离赵丰收的眼睛。

"张春贤，只有12岁。"冯凯拿出一张现场尸体的黑白照片，举了起来，放在赵丰收的面前，说，"你不做噩梦啊？"

赵丰收这次没有反驳冯凯，而是在努力扼制自己的颤抖。

"别扛着了，早点撂了，早点休息等死，省得在这里受罪。"冯凯说，"你不撂也没关系。我为什么要用墨水泼你？为什么给你抽血？你也是知识分子，心里应该清楚。"

赵丰收不说话，冯凯也不再逼他。因为事实真相，现在已经很清楚了。

过了大约一个小时，赵丰收长叹了一口气，说道："你是怎么知道，这两个月来我每天都做噩梦的？"

冯凯心中一喜，坐直了身体，拧下钢笔帽，开始记录。

"一年前，我们政府去她们厂里搞活动。"赵丰收说。

"说清楚点，谁的厂里。"

"去肥皂厂，就是张丽的厂子。哦，张丽就是张春贤的妈妈。"赵丰收说，"那次活动，我和张丽一组，于是认识了。认识之后，她就总是纠缠我。我也是男人，单身男人，所以在一次开豁之后，我喝多了，就和她，和她……"

"知道了，接着说。"

"后来，大约四个月前吧，乡长给我介绍了个女朋友，年轻漂亮。"赵丰收接着说，"我就想，既然张丽也有家庭，那干脆我就和她断了吧。没想到，她激烈反对，还说我们俩以前在她家里偷情的时候，她偷拍过照片。如果我要分手，要么给她五百块钱，要么她就去举报我。五百块钱啊！我两年的工资！我没有那么多钱，如果她真的举报我，我的工作肯定就没了。"

"你们以前的不正当关系，都是在她家里进行的？"冯凯问。

赵丰收点点头，说："她家里平时是没有人的，所以我根本就没想到那天晚上，张春贤会在家里。"

"所以，你是去找照片？"

赵丰收苦笑了一下，说："我真是傻，像她那么穷，怎么买得起照相机？我在翻找他们家橱柜的时候，发现真是一样值钱的东西都没有，这时候才意识到，张丽只是在诈我罢了。可是当我准备离开的时候，张春贤跑出来了。"

"你找相片，还带刀？"冯凯问。

"不，不。"赵丰收说，"刀是张丽家的，就放在橱柜上。"

冯凯心中一惊。自己在调查的时候，还专门问了张丽，家里丢了什么东西，比如说钱，比如说刀。她说什么都没有丢。要么张丽就是忘了这把刀的存在，要么就是心中有数是谁干的了。只是，她为了自己的名誉和面子，居然不帮自己的女儿申冤，这让冯凯心中一阵悲愤。

"你不说她12岁，我真的不知道她只有12岁。"赵丰收接着说，"张丽从来没说过她有个女儿。因为没有灯，我当时看见的张春贤明明是成人的模样了，而且她和张丽简直一模一样。我当时以为那是张丽，于是把她按到了床上。这才发现，那不是张丽，而是一个小女孩。小女孩挣扎着，让我十分兴奋，所以我，所以我一念之差，就，就……"

"你为什么要割她下体？"冯凯说道，"也是因为兴奋？"

"不，不，我射到她的肚子上了，我知道公安能通过精液查凶手，所以我就把她肚子上的皮割下来带走扔掉了，我想，这样你们就查不出了。"赵丰收说道。

冯凯没有接着问，他合上卷宗走了出去。后续还会有多次讯问来确认案件的细节，还会带赵丰收去指认现场，固定证据，并且找到他遗弃的刀。但这些都不着急了，现在冯凯着急的是尽快把破案的喜讯告诉大家。两个多月来，他们终于可以睡个好觉了。

审讯的结果，显然是被门外旁听的穆科长传给了大家。所以冯凯和顾红星一走进办公室里，大家就给予了他们热烈的掌声。

"恭喜你们又立一功。"穆科长说道，"冯凯你那句'做噩梦'说得好，直接击垮了他的心理防线。像他这样的人，初次犯罪就犯了这么大的罪，是不可能睡得好觉的。交代出来，也许他就摆脱了折磨。你准确抓住了他的特征，对症下药，不错！"

"没那么夸张。"冯凯指了指顾红星说，"他的掌纹，才是关键。这种对侦查技术懂一点，又不是很懂的人，最好审了。"

"确实，之前我们错怪你了。"穆科长拍了拍顾红星的肩膀，说，"一直以来，你都是对的。"

顾红星躲闪着穆科长炙热的眼神，说不出话来。

陈秋灵有些尴尬，扭头走出了办公室。

燃烧的蜂鸟

第六章

围堵

1

两起恶性杀人案几乎同时破获，让冯凯和顾红星成了公安局的焦点。走在公安局大院里，那些其他部门看起来只是面熟的同事都会热情地向他们点头。

接下来的大半个月，冯凯负责赵丰收杀人案案卷的报送、移交工作，天天忙得不亦乐乎。终于，在这个开始炎热的晚上，冯凯算是准备好了所有的证据材料，明天就可以移交了。

晚上九点，穆科长走进了办公室说："那个陈三，翻供了。"

"翻供了？"冯凯吃了一惊，说，"他凭什么翻供？"

"说你们刑讯逼供。"穆科长笑着说，"你们没有打他吧？"

"真是天晓得！"冯凯觉得很委屈，转念一想，即便是再过几十年，犯罪嫌疑人翻供的说辞还都是一成不变吗？

"他说他是屈打成招，他没有杀人。"

"我才不会打他，有那个必要吗？"冯凯说，"倒是那个赵丰收，我是真想打。"

"你没打赵丰收，这个我可以证明。"穆科长哈哈一笑，说，"没什么，这种事情经常有的。这个陈三，到了预审科就翻供了，说那赃款是自己捡来的，说他去了师父家做客，当然会留下指纹。但不能证明他杀人啊。"

"我明明去了储蓄所，查了段翔取出来的人民币的号码，和陈三身上的赃款对上了啊。"冯凯说道。在查明这个证据的时候，冯凯当时还感慨了一下。这个时代居然可以通过人民币的号码来查赃款，真是好手段啊。不过还是不如现代，有了电子支付，凶手想抢钱都不好抢。

"是啊，我们都认为证据确凿。但是人命关天，毕竟是死刑案件嘛。"穆科长说，"那个足迹和指纹就比较重要了。如果说水缸盖旁边的足迹也确定无疑是陈三的，那他就没办法狡辩为什么会踩到那边去吧？如果说指纹不仅仅在厨房餐桌旁边被发现，那他也就没办法解释为什么会去里屋里了。"

"那这些，我可说不了，得顾红星去说。"

"去吧，你去找他，今晚做好准备，明天一早就去预审科。"穆科长布置道。

冯凯知道，在这个年代之前，检察机关被取消了，这时候还没有恢复，案件办理的审查工作都是公安预审科在做。他点头应允，看了看手表，此时已经九点钟。顾红星这个没有夜生活的人，如果没有工作任务，这个时候可能已经洗漱完毕上床看书睡觉了。于是，冯凯回到了宿舍。

宿舍的灯黑着，顾红星并不在里面。

"咦，这小子跑哪儿去了？"冯凯很是意外，准备回局里找找。

可是走到楼梯口的时候，他似乎听见有人声从楼上传来。冯凯循着人声，走到了顶层四楼，发现人声是从楼顶平台上传下来的。冯凯于是继续循着声音的来源，从一个木梯子爬到了楼顶平台。

平台上，有两个熟悉的背影，一个是顾红星，另一个是林淑真。两个人相隔一米的距离，席地而坐，仰望着星空。

冯凯心中一喜，这两个人正在这里谈恋爱呢。

冯凯坐在了楼顶入口边，抱着膝盖，想起了顾雯雯。自己已经离开顾雯雯快一年的时间了，不知道陶亮究竟是死了呢，还是消失了，也不知道顾雯雯此时此刻正在做什么，是不是也在思念自己呢？没有了自己，顾雯雯的生活又会是怎么样的呢？

想起自己和顾雯雯谈恋爱的时候，曾经也想仰望星空，可是那时候雾霾挺严重的，很少能看见星星。后来空气好了起来，星星重新出现的时候，他们已经没有一起仰望星空的时间和精力了。

还是顾红星好，能在这里和林淑真一起看星星，多浪漫啊。冯凯用双手向后撑住身体，仰视着繁星点点，顾雯雯的模样一直在脑海里若隐若现。如果自己再回不去，可能就会忘记顾雯雯长什么样子了。可是，自己如何才能回去呢？自己从那时代过来，是因为翻看了太多案件的卷宗。可是那卷宗是1990年的案子，难不成要自己在这里待上13年？

"对了，你上次说的那个女工案，后来怎么样了？"林淑真问道。

"没有领导的批准，我没有机会推进。"顾红星说。

冯凯心想，这两个人真傻，多好的环境下谈恋爱，谈的还是工作。

"那你放弃了？"林淑真问。

"不放弃。"顾红星说，"前不久，我看过一本书，说到一种我们没见过的鸟，叫蜂鸟。"

"蜂鸟？"

"是啊。"顾红星说，"它很小、扇动翅膀很快，一副很忙碌的样子，像小蜜蜂一样。"

"那和你也差不多。"林淑真笑着说，"你天天跑来跑去，怪忙的。"

"关于蜂鸟还有个故事呢，传说很久很久以前，人类住在伸手不见五指的黑暗之中，为了寻找光明，就向蜂鸟和其他动物求助。很多动物都觉得这件事太难了，做不到，但蜂鸟答应了这个请求。因为它长得娇小，其他动物都笑话它，于是蜂鸟就憋着一口气一直飞一直飞，终于从远方衔来了燃烧的火种，把希望带到了人间。"顾红星说着蜂鸟，也好像在说着自己，林淑真都听得入迷了。

"当然，这，这就是个故事。"顾红星侧头看到林淑真的模样，脸一红，"我查了资料，真实的蜂鸟，可以识别出更多的颜色，比人的眼睛厉害，这一点，倒是很适合当痕检。"

"是吗？"林淑真笑了。

"看到没？天上那么多星星，就像是一只只蜂鸟，把光明带到人间，指引着探险者们的方向。有了方向，中间的艰难险阻并不算什么。"

冯凯心中一惊，这顾红星还真有文学家的潜能啊。看来，爱情果真是最能激发人潜能的东西。只是这两个人在这种环境下，依旧保持着一米的距离，也不挪近一点。或者，牵个手什么的。这个年代，还真是够保守的。

两个人就那么坐着，看着天上的繁星，冯凯觉得自己没必要再等下去了，在这个二十世纪七十年代末的思想环境下，自己再怎么等，两个人也不会发生点什么的。

于是，冯凯恋恋不舍地又看了几眼星空，然后站了起来，说："呀，你们在这里啊。"

林淑真直接跳了起来，柳眉倒竖，说："吓死我了，人吓人会吓死人的知道不？"

顾红星则在一边憋红了脸，不说话。

"并没有想吓唬你们。"冯凯信奉"只要自己不尴尬，尴尬的就是别人"的道理，说道，"我也不想来打扰你们，可是穆科长有任务。"

"那你们忙，我困了。"林淑真逃也似的跑下了楼。

"那个，嗯，其实是我欠她一个人情，要请她看电影，结果今晚没有电影，所以，"顾红星解释着，"所以，天气挺好嘛，就来这里聊会儿天。"

冯凯并不关心顾红星心里怎么想的，说道："现在，陈三翻供了。穆科长的意思是，为了坚定起诉信心，需要我们去给预审科说明一下证据。"

"证据？"顾红星立即从尴尬的情绪里解脱了出来，说，"证据确凿啊。有赃款，有指纹，有足迹。"

"别的不说，他都有狡辩。"冯凯说，"现在关键是指纹和足迹，预审科的人似乎完全不懂你们痕检技术，比我还不懂。而且陈三只承认去喝了茶、吃了小吃，但没杀人。"

"嗯，关键是拼接的指纹。"顾红星说，"要证明里面被翻乱的橱柜上的指纹，和外面茶杯、小碟上的指纹是能拼接起来的。"

"还有足迹也很重要。"冯凯说。

"如果是平面足迹，让我比对同一，我不敢说。"顾红星说，"但是我们提取到的是立体足迹，那磨损的痕迹比对，就很有证明价值了。"

"这个我懂，你当天晚上是做了一个和鞋底差不多的东西。"

"那是石膏模型。"

"两个鞋底一比较就行了。"

顾红星想了想说："那我们还是连夜拍一点照片吧，用你的PPT法来和他们解释，会比较好说明。"

"指纹可以拍，鞋底你直接带过去不就好了？"冯凯说，"两个一比，一目了然。"

"好像，带一只鞋子去别人办公室，不太吉利？"顾红星想到了自己上一次带着女工的鞋子去局长办公室的情形，有些顾虑。

"随便你，我是在想，明明一个立体足迹挺不错的，硬是又变回了平面的，能说得清楚吗？"冯凯说。

"只要能拍得清楚，就能说得清楚。"顾红星很是自信。

两个人回到了办公室，从柜子里拿出了案件的物证：指纹卡、鞋子、石膏模型。

"这么多东西，都塞在你的柜子里啊？"冯凯说，"那要是丢了怎么办？弄乱

了怎么办？以后案件多了，你柜子还能放得下吗？"

"你的想法和我不谋而合了。"顾红星说，"我之前已经和档案室的大姐说了，希望她能腾一个档案架给我，专门存放这些案件的物证。"

冯凯暗地里给顾红星的超前意识竖了竖大拇指。

办公室的灯光全靠房顶的两盏日光灯来支撑，十分昏暗。指纹卡的拍摄工作倒是进展得很顺利，很快就能拍出基本上可以说明拼接道理的照片。但是立体足迹就没有那么容易了。无论从什么角度拍摄，石膏模型和鞋子的拍摄，都会被阴影影响到磨损痕迹的判断。

"不行明天一早再拍？"冯凯说，"这光线实在是不行啊。"

"明天一早拍摄也是一样的，无论怎么放，都会有影子，有影子就会影响细微痕迹的呈现。"顾红星忙得一头汗。他一会儿拿来台灯，一会儿让冯凯做助手打着手电筒。但是无论从哪个角度打光，对侧总会有影子的出现。

"你不能再浪费胶卷了。"冯凯说，"要不，足迹这一块，还是拿着实物去吧。"

顾红星又变换了几次光源的角度，还是不能达到完美的拍摄效果，于是只能作罢，说："好吧，也不早了，等把照片洗出来，也就快天亮了。"

为了让顾红星的工作效率尽可能地提高，冯凯在他洗照片的时候，主动当他的助手。在现代，胶卷相机早已经淘汰了，只是陶亮小的时候还对胶卷相机有一丝印象。但那个时候，也是自己的父母把拍摄完的胶卷送去冲洗店来进行冲洗。对于一张底片如何变成一张照片，陶亮是一点也不知道的。

顾红星受过训练，对洗照片这件事胸有成竹。他配好显影药水和定影药水，确定好温度，按照步骤先显影，再定影，最后用清水把胶片冲洗干净，就可以看到胶片上那一枚枚小小的指纹了。

接着，把底片晾干，用灯光在底片上方照射，下面放上相纸，相纸涂布感光剂，曝光后，相纸再行冲洗，一张张黑白照片就显影出来了。

顾红星把黑白照片一张张夹起来，晾干，一张张原始的指纹照片，和最后被他拼接起来的完整指纹照片就出现在了相纸上。顾红星又按照顺序，把相纸编好顺序，又把拼接起来的完整指纹照片中，拼接的各个部分对应的号码给编了出来，这样看起来，就一目了然了。

不知不觉中，天都已经亮了，两个人丝毫没有睡意。冯凯并不是变勤快了，主要是对冲洗照片的过程比较感兴趣，在学习中，不知不觉就过了一晚上。而顾红星则不存在什么新鲜感，支撑着他熬夜的，就是为了明天能够完美汇报证据，让犯罪分子得到应有的惩罚。

顾红星制作好的照片集，有编号、有标识，看起来和现代的PPT演示似乎区别已经不大了。顾红星忙来忙去、不知疲倦地工作了一晚上，冯凯也帮不上太多的忙。冯凯看着他还能把照片集弄得这么细致，由衷地佩服他的不怕麻烦。要是自己，怎么也做不到。

"要是我能有个翻拍架，就能把鞋子拍出来了。"顾红星看着照片集，觉得有些美中不足，说，"可惜，太贵了。"

"什么翻拍架？那么神？"冯凯好奇道。

顾红星拿出一本图册，里面都是一些刑侦技术用品，他翻到翻拍架那一页，指了指，说："我不是之前和你说过吗？看起来，并不复杂，就是上面一个可以固定相机的架子，下面一个灯箱。物证放在灯箱上面的毛玻璃上，因为底部四周都有光，就没有阴影了。"

冯凯看着图，陷入了沉思。

"走吧，差不多到上班时间了。"顾红星收好照片集和石膏模型，说，"尽早让犯罪分子服法吧。"

两人并肩来到了公安局的预审科，科长廉风很热情地接见了他们。廉风很年轻，三十岁出头，一个精神小伙。

"真不好意思让你们跑一趟。"廉科长说，"对于指纹、足迹这些东西，我以前还真是没有接触过。毕竟犯罪分子翻供了，但我相信你们并没有刑讯逼供，所以希望你们能让我理解这案子里的证据体系。"

这一次，顾红星虽然准备了照片集，但是并没有像上一次找局长那样，准备了台词。所以在刚开始解说为什么指纹可以进行个体识别、留下指纹的科学道理的时候，顾红星还是有些结巴。不过，不管他怎么结巴，冯凯也没办法帮助他，只能靠他自己克服了。

等顾红星说到什么是斗形纹、什么是箕形纹、什么是弓形纹的时候，已经讲到了他最拿手的地方，慢慢地，他也不紧张、不结巴了。

"从箕形纹箕头的方向，我们就可以看出来左右手，再从接触面的大小和形状，可以判断是哪根指头。"顾红星对着照片说，"你看，从我们模拟的动作，也

可以分析出这是哪根手指头。"

廉科长一边听，一边做笔记。

"同样，我们找到一些残缺指纹，就会损失很多特征点，不能孤立地进行比对。"顾红星说，"所以，我就把分析出来的同一根指头的残缺指纹归类。比如，1号图就是指纹的顶部，2号图是根部。把重合的部分取掉，不一样的部分，就可以拼接成一枚完整的指纹了。"

"可是，那是你先入为主这是一个人的指纹。"廉科长一下看到了点子上，说，"如果是不同人、同一根手指头，被你拼在一起的话呢？"

"这，"顾红星还没考虑过这个问题，说，"可是，如果是不同人的手指拼起来的指纹，恰好和嫌疑人的指纹一模一样，这也太巧合了吧？"

"万一存在这样的情况呢？"廉科长说。

"那你这是在吹毛求疵啊。"冯凯插话道。

"不是吹毛求疵，是人命关天。"廉科长说。

"所以，我也没觉得一枚指纹就能定案。"顾红星从包里拿出鞋子和石膏模型，说，"我们还有鞋印。"

不知道是陈三的鞋子太旧，还是在塑料袋里闷出了气味，鞋子从袋子里一拿出来，一股臭气立即弥散到了整个办公室。

廉科长连续干呕了两次，连忙打开了窗户，说："这个你们都带来了。"

"臭吗？这不算臭吧。"冯凯冷笑道，"你是没去过尸体解剖的现场吧？"

"你直接说吧。"廉科长有些窘，离了老远说道。

"我直接说不行，得您来看。"顾红星把鞋子往前递了递。

廉科长皱着眉头，捂着鼻子说："下次还是拍一些照片来比较好。"

"我们尝试了，但是拍不清楚。"顾红星说，"你可以看看这两双鞋子的鞋底，以及我在现场泥巴里提取出来的嫌疑人鞋印。"

"这就是解放鞋，现在七成的人平时都穿这个吧？"廉科长说，"光看大小，也不能认定吧？"

"是啊，所以要看它前掌的磨损痕迹。"顾红星说，"这个人的鞋子比较旧，磨损痕迹很清晰，而且位置也很有特点。"

虽然廉科长很痛苦地坚持着，但顾红星还是饶有兴趣地给他科普了足迹比对的一些知识点。只是这时候廉科长苦于要捂着鼻子，都没有办法腾出手去记笔记了。

"你这个石膏鞋底，是你做的？"

"是啊。"顾红星说，"一个人的鞋踩到泥地里，会陷进去，在底面形成鞋底花纹。这时候的花纹是立体的，比平面的更加全面和清晰。咱们把石膏水倒进去，等凝固后再拿出来，就把鞋子底面和侧面的痕迹都提取上来了。"

"这个，出现一模一样的概率有多大？"廉科长依旧捂着鼻子。

"没人测算过有多大，但肯定不容易有那么多巧合。"顾红星说，"指纹和足迹都比对上了，那就更不可能那么巧合了。"

"好了，我懂了，我知道怎么和法院说了。"廉科长拉开房门，说，"谢谢你们。"

既然廉科长迫不及待地逐客，冯凯和顾红星相视一笑后并肩走了出去。

"你现在真不错啊，可以和陌生人无障碍交流了。"冯凯出门后，拍了拍顾红星的肩膀。

顾红星似乎没有意识到自己今天的解说状态创造了历史，被冯凯这么一说，再回头想想，确实是这样。他低着头微微笑着，为自己今天的表现而深感满意。

2

顾红星在沟通能力上的自信心增强的结果，是他又琢磨着要去找局长了。当然，这一次他说什么也不会自己一个人去了。

酝酿了两天后，顾红星在食堂吃饭的时候，对冯凯说："你说，咱们连续破了两起命案，局长会不会给我们什么奖励啊？"

"奖励？想啥呢？破案是你的本分，破不了案给惩罚还差不多。"冯凯一边吃着，一边说。

"我是说，同意我重启女工案之类的。"顾红星说。

"那不可能。"冯凯说，"领导之前都明确拒绝你了，理由是这案子影响大，不能因为你的一些小想法，就重新拿出来'炒'。大局为重，知道吗？哦，现在又同意你，那不就是打自己的脸嘛。"

"我想也是。"顾红星说，"那，如果是要求买翻拍架呢？"

"那我觉得比重启女工案要容易。"冯凯说。

"那你陪我，下午上班的时候去一趟？"顾红星说。

"你自己去就是了。"

"你刚才还说容易，你在打自己脸吗？"

冯凯瞪了顾红星一眼，说："你约林淑真去看电影，我就陪你去。"

这个条件出乎了顾红星的意料，他的脸就像被突然染色了一样，一阵青一阵红。

"行了，行了，你至于吗？"冯凯说，"我就是觉得你们俩挺合适的，早点确定关系，说不定我就回去了。"

"回哪儿去？"

"没啥，我陪你去好了。"

顾红星早就踩好了点，尚局长若不是有会议，中午都会在办公室里休息。一个人若是在想休息的时候被打扰，是很容易妥协的。

两个人一起敲门进了局长办公室，尚局长正在支开行军床，准备睡个午觉。在听二人说明来意后，尚局长苦笑着摇头说："怎么你们只要一有点工作成绩，就想着回报啊？"

"这哪算什么回报？这是为了更好地投入工作啊。"冯凯抢着说道。

"那你们说说，这个翻拍架，有什么用处？"

冯凯于是把在廉科长办公室的经过说了一遍。

"就为了这个？"尚局长忍不住乐了，"下次你们拿着臭鞋来我办公室，我保证不说你们。"

"不仅仅是这个作用。"顾红星说，"这东西可以拍很多物证。尤其是微小的物证，要仔细看细节的话，就得用这个拍成照片看。案件到了法院，也很容易让法官理解。"

"那行吧，我听着，你说的这个东西，也不复杂。"尚局长拿起茶杯，抿了一口，说，"多少钱？"

"四千。"顾红星说。

尚局长一口水喷在桌子上，说："顾红星啊顾红星，我看你小子是膨胀了吧？这么贵的东西，你也敢张口要？"

"您张罗这么大一个公安局，四千块还拿不出来啊？"冯凯想用激将法。

"你们是自己走，还是我赶你们滚蛋？"尚局长把茶杯摔在桌子上说道。

"局长，您别急，您看哈，公安局这么多警种，老百姓最关心的是什么？是生命财产安全啊！生命财产安全被侵犯了，靠谁来打击？靠咱们刑警啊！现在你深谋远虑培养了顾红星这么一个技术尖兵，现在在实际工作中已经屡见奇效了。"冯凯拎起水瓶给尚局长续上水，说，"可是他就一个人，又缺设备又缺精力，很难继续发挥作用啊。如果你给他装备都配齐，那可就是如虎添翼啊。"

"一个人。嗯。"尚局长眼睛珠子一转，说，"好。四千块的装备我是买不起的。不过，我派个人当你顾红星的助手，还是可以的。冯凯，我命令你，从现在开始，跟着顾红星学习技术。两个人，也算是如虎添翼了吧。"

局长这一招让冯凯直接愣住了，他明明想帮顾红星一把，可没想到把自己给牵扯进去了。他愣了半天，还没来得及说话，顾红星倒是先点头说："嗯，这样也行。冯凯拍照拍得挺好的。"

对于阵前倒戈的顾红星，冯凯很是无语，他想再辩驳几句，可是局长却直接喊来了秘书，把两人轰出了办公室。

真是偷鸡不成蚀把米，冯凯出了门就狠狠瞪了顾红星一眼。

"技术其实不难，你好好学，三个月就能独立勘查了。"顾红星哈哈一笑，说道。

"我不学，爱谁学谁学。"冯凯说道。

"局长下的命令。"顾红星说，"尚局长对政令畅通很看重的，听说上次给政保科的一个人下了命令，结果抽查的时候他没完成，就直接给开除了。"

冯凯吓得一个激灵，政保科就是现代国保部门的前身，是一个很重要的部门。这样的部门里的人，都能被开除，那他一个小刑警就更不用说了。自己之所以回到了这个年代来当警察，肯定是有意义的。如果自己被开除了，那说不定可就真的回不去了。变不回陶亮，又没了工作，那可咋办。

"来吧，今天我们就从指纹学起。"顾红星把冯凯按在座位上，自己拖了张凳子过来，开始讲授起来。

接下来的两个礼拜，是枯燥的。六七月份，天气炎热了起来，因为没有案件，几乎全部的上班时间，顾红星都会来教授冯凯痕检技术。几乎每天，顾红星都能把冯凯给讲睡着。就连休息时间，顾红星也不忘出题来考冯凯，这让冯凯生不如死。

终于，刑侦接到案子了。虽然只是个盗窃案，但是冯凯主动请缨，要求去办理。刑侦科的同事们都感到很奇怪，这个平时很懒、不是大案子不愿意主动去办的冯凯，怎么这次一反常态了。

说是盗窃案件，但是到了现场才知道，也不是小案子。

现场位于居民楼三层小楼的一楼，因为只是个盗窃案件，派出所民警并没有学着目前已经在龙番市推广使用的"拉绳子"法去框定现场范围、保护现场。现场的门口站着一个眉清目秀、打扮得挺时髦的女孩，约莫着有二十岁上下的年纪，派出所所长正在给她记笔录。

"报案人，喏，就这姑娘，费青青。"派出所所长用笔指了指女孩，说，"今天上午去菜市场买菜，回来就发现自己家门是虚掩着的，门锁被撬坏了。还不错，很聪明，没有贸然进家，而是直接跑去了派出所。我们民警陪她过来，发现家里被偷了。"

"丢，丢了啥？"顾红星低着头从勘查包里拿工具，问道。

"两条大黄鱼。"所长说道。

"看来这个年代，小偷也怪难混的，偷鸡摸狗，偷的还真是鸡鸭鱼肉。"冯凯一边嘀咕着，一边在一楼楼道里转着圈。

费青青听冯凯这么一说，立即涨红了脸蛋。

所长看了看楼道外面的十几个围观群众，拍了拍冯凯的肩膀，示意进屋说。

冯凯一走进屋里，所长就一边比画一边说："大黄鱼啊！不是真的鱼。"

冯凯见所长比画着一个方块的模样，这才反应过来，说："哦，金条啊。"

所长"嘘"了一下，说："这事儿还是不能声张，这姑娘也说了，这大黄鱼是她母亲去世的时候留给她的，所以'破四旧'的时候也没交出去。要在头两年，这可是犯错误的。"

"现在不是不说这些了吗？"顾红星已经开始在刷门框了，说道。

冯凯心里盘算着，民国时期的"大黄鱼"，一根三百多克，两根就是六百多克的金条，放到现代，也是一笔不菲的财富啊。

"青青是我的外甥女，你看，我姐留下的遗物，你们还得帮忙费费心。"所长不好意思地说道。

"哦，原来你有私心啊。"冯凯严肃地说。

"不管是不是亲戚，老百姓丢了东西，咱们都得找啊。"顾红星一边刷着指纹，一边说道，"前一段丢了咸肉、丢了鸡的案子，咱们不也跟着的嘛，更何况这次丢了这么值钱的东西。"

费青青向顾红星投去了一个感激的目光，然后好奇地走到顾红星背后看他在做什么。

"是啊，是啊，'白日闯'①的案子，危险性还是挺大的。"所长说，"如果青青不是去报案，而是贸然进去了，而贼还在家里，那后果不堪设想啊。"

"指纹是有几枚新鲜的，但似乎有点变形。"顾红星转头拿勘查包取胶带，却和在背后看他做事的费青青差点撞脸。

"不，不好意思，我只是在看你做什么。"费青青抱歉地说道。

顾红星的脸此时就像是被泼了红墨水，他一言不发地从包里取出胶带，黏附指纹。

"有指纹，就表示能破案吗？"所长问道。

"那可不是。"冯凯看到了刚才发生的一幕，有些心不在焉地说，"这种流窜作案的'白日闯'案件，可还真不好破。范围没办法框定，有指纹也没用。"

"你这粘下来黑乎乎的东西，就是指纹？"费青青试探性地问顾红星。

顾红星窘迫地点了点头。

冯凯连忙走到了顾红星的身后，对费青青说："姑娘，我们到外面聊聊吧，你得告诉我，平时你家几口人，一般什么时候不在家。这种案件，犯罪分子通常是要先踩点的。"

在门口，冯凯了解了费青青的情况，原来她是市话剧院的演员，父母双亡，自己独自居住在这个父亲留下来的小房子里。因为长得漂亮而且工作刻苦，她现在应该是话剧院的"一姐"了。话剧院的工作时间不稳定，没有演出的话，就待在家里。但即便是在家里的休息日，上午她也会去买菜，所以不管是不是工作日，她家上午八点到十点总是没有人的。冯凯知道，很多"白日闯"的案子，就是会寻找这些有明显作息规律的家庭下手。

说话间，冯凯突然注意到了费青青家门口的墙壁上有一处痕迹，于是连忙上前两步去观察。这痕迹很明显是有人用木炭画上去的，因为和破旧的墙壁上的污渍混杂在一起，不注意的话还真是发现不了。

画面是不规则形状，线条很是复杂，没办法用只言片语来形容。冯凯不自觉地想起了现代的自己在派出所工作的时候，有群众来报警，说自己家的信报箱上被人用记号笔做了记号，估计是小偷干的。当时的陶亮还为群众的警惕意识而感到高兴。可是经过几天的调查，这才发现，这些记号其实都是送奶员画上去的。因为

① 白日闯：又称"白日鬼"，指犯罪嫌疑人在大白天入室盗窃的犯罪行为。

楼层较高，每个单元的住户很多，为了方便投递鲜奶，送奶员就在信报箱上做了记号，方便准确投递不同类型、品牌的鲜奶。后来陶亮想想也是，在这种信息通信如此发达的年代，门牌号那么清晰，有必要在邮箱上做标记吗？

可是冯凯这个时代就不同了。一是每幢房子都没有标明明确的门牌号，二是信息通信也只能通过这种土办法来解决。所以，这个新鲜的、复杂的标记，很有可能是小偷标记上去的。而既然需要标记，那么很有可能这就是一个分工合作的盗窃团伙，有人专门负责踩点，并将主人的行踪特点用某种特定的符号来代替，另有人负责撬门入室，实施盗窃。

冯凯喊来了顾红星，让他看一看这个标记。

"呀！这是小偷的记号啊！"顾红星喊了一句。

冯凯还来不及让顾红星小点声，周围围观的群众都已经听见了顾红星的话，纷纷聚拢过来观察。然后对标记议论纷纷。

"你倒是小点声啊，这是侦查秘密，会打草惊蛇的。"冯凯皱起眉头，说道。

顾红星吐了吐舌头，说："可惜我们看不懂这个符号的意思，而且，留记号也不会留下指纹。"

"你一天天的，就知道指纹，指纹。"冯凯摇摇头。

"我突然想起来，前一阵子丢鸡的案子，老婆婆家门口，好像也有类似的。"顾红星拍了拍脑门，说，"当时完全没在意会是这种标记。"

勘查完费青青家的现场，除了发现了两枚有些变形的指纹之外，并没有找到其他的痕迹物证。对周围的邻居调查，也都没人注意过上午的时候有什么可疑的人员活动。看起来，小偷选择的时间，是大多数人上班的时间，而且也可以避开周围不上班的人的眼睛。

两枚指纹中，有一枚指纹是右手拇指的，但是和之前咸肉案、偷鸡案的右手拇指指纹并不相符，可以排除同属于一人的可能性。顾红星不死心，又去了老婆婆家。老婆婆还以为顾红星是来找她介绍对象的，高兴了一场，没想到顾红星打完招呼，把墙壁上的标记拍照下来后就又急匆匆地离开了。顾红星来无影去无踪的，让老婆婆一阵失落。

两枚被顾红星拍照下来的标记经过比对，有非常多的相似之处，虽然里面复杂的笔画并不完全相同，但是整体的模样还是有很多共同点的。冯凯断言，他们出勘的这三起盗窃案一定是同一个盗窃团伙所为。

因为盗窃咸肉案和偷鸡案是同一人所为，所以顾红星又拉着冯凯去了盗窃咸肉案的现场。可惜，那个小院近期重新粉刷了墙壁，找不到痕迹了。

随之而来的问题让两人很是苦恼，不过只是获得了两枚犯罪分子的指纹，这又如何寻找犯罪分子呢？串并案件确实可以给案件的侦破带来一些契机，但是毕竟案件数量有限，而且受害家庭都是被踩点观察、做上标记后下手的，并没有直接的社会关系交往。案件侦破一时陷入了僵局。

顾红星每天垂头丧气的，说如果自己真的有一个"指纹样本库"就好了，那样指纹的比对就有了依据。冯凯心想，你确实预言得挺准，但在这个年代，这个想法还是不切实际的。

顾红星并不放弃，除了每天按照他制订的"教学计划"，定时定点强行给冯凯灌输痕迹检验学的相关理论实践知识之外，其他时间，顾红星就会拉着冯凯到前两起盗窃案现场附近找群众聊天，希望可以获取一些有关可疑陌生人员出没的线索。

直到七月中旬的一天，他们刚准备出门，就发现公安局的大门已经被堵住了，外面站着上百号群众。这样的阵仗，冯凯在现代倒是见过，可是顾红星是第一次见，他甚至被吓得瑟瑟发抖。

这是出什么事儿了？

3

"说吧，怎么回事，是谁把侦查秘密透漏出去的？"穆科长了解完情况，把笔记本狠狠地摔在了桌子上，说，"局长让我们刑侦科解决这个问题，现场是你们俩勘查的，你们俩负责吧！"

原来顾红星在现场说到了门口的标记，一传十、十传百，整个龙番市的老百姓都知道了这个"小道消息"，然后都回家观察自己家门口的墙壁。还真有几十名群众在家门口发现了类似的标记，有的已经时间久远了。这些群众于是联想到几个月前甚至一年前自己家里丢失过的东西，于是群众自己判断并"串并"了案件。有些曾经丢失过较为贵重物件的群众，奔走相告，收集类似被盗案件的情况，然后组织了这一场"群体性请愿"。目的只有一个，就是希望公安局能够重视这一起连环盗窃案，尽快破获，追回损失。

"泄露不泄露信息并不重要，外面站着的，都是我们公安局欠下的账。"尚局

长突然走进了办公室，咄咄逼人地说，"你们看看外面的人，你们羞愧吗？"

冯凯有些不以为然，他心想自己天天跑来跑去、屁颠屁颠的，比在现代还要繁忙，几乎没有自己的业余时间。自己已经尽力了，这些小案件，没精力侦破，有什么好羞愧的？警察不也是人吗？又不是神。

可是尚局长的这句话，却让顾红星振聋发聩。他的表情瞬间凝固了，两腮的咬肌高高地鼓了起来，双手狠狠地握着拳。

"我去！"顾红星只说了一句话，就拿着笔记本冲出了办公室。冯凯一脸莫名其妙，他完全不知道这个顾红星要去干什么，要去单挑这一百多号人吗？

隔着办公室的窗户，冯凯看见顾红星走到了人群中。群众刚开始似乎还有些情绪激动，有些人红着脸，像是在大声抗议着什么。但不知道为什么顾红星摆了摆手、说了几句话后，群众开始安静了下来。然后顾红星拿着一本笔记本，和上百名群众一个一个地说着话，还在笔记本上记录着什么。

这让冯凯很是诧异和不安。诧异的是，这个社交恐惧的顾红星，居然可以这样顺畅地和人们交流，而且只是用了几句话，就让大家的情绪平稳了下来。不安的是，自己毕竟是顾红星的搭档，看着他一个人在忙碌，心有不忍。在现代，他调任到派出所工作后，因为自来熟的性格，拥有了很好的群众基础。社区里的大爷大妈甚至都把他当成了干儿子一样。可是，当他的处分决定被不小心透露出去以后，群众似乎就开始疏远他了，甚至在背后指指点点。他想解释一下自己的处分并不是群众最厌恶的腐败问题，但并没有人理会这些。每次深入群众见面办事，场面都很尴尬。这一度让他心灰意懒，让他从内心里抵触那些深入群众的工作。即便每次民主生活会，大家对陶亮的批评都是希望他"加强群众路线、增强群众意识"，但他似乎有了心理阴影，依旧我行我素。

来到这个年代，换了一个身份，冯凯为了侦办张春贤被杀案，在一段时间里，和群众打得火热。可是这一次不一样，这些群众是来找他们"清账"的，他的心里还是存在一些戒惧和抵触。

最终，不安的情绪还是压过了抵触心理，冯凯也走下了楼，去看看顾红星究竟在做什么。原来，顾红星被尚局长这么一激，攒了一股狠劲，居然去一个个登记丢失的物品、丢失物品的时间和被盗的地址。难不成，他这是要一个个复勘现场？通过了解，这些群众被盗的日期大多已经过去很久了，这样的现场复勘，还有什么意义吗？

围堵

没有深究顾红星的意图，冯凯开始帮助顾红星一起按照固定的格式，向每个群众登记上述内容。登记完的群众总会略不放心地嘱咐几句"一定要破案啊，不能让这个贼再横行龙番啊"什么的，然后再离开。随着工作的开展，公安局大门口的人越来越少，交通也恢复了畅通。在登记完最后几名群众之后，两人都已经大汗淋漓了。此时，冯凯注意到墙角有一个靓丽的身影，居然是费青青。

费青青见他们工作完了，走过来，递了一块深蓝色的手帕给顾红星，说："我知道你姓顾，顾公安同志，是我家的案子连累了你，对不起。"

"没，没有，这怎么是连累呢。"顾红星一时不知道该怎么说，嗫嚅了半天才说，"这本来就是我们欠的账。"

"那你保重吧。"费青青转身跑了。

"哎，哎。"顾红星挥舞着费青青的深蓝色手帕，不知所措。

"我跟你说，作为男人，一定要专一。"冯凯拍了拍顾红星的肩膀，若有所思地说道。

"你什么意思啊？"

"没什么意思，你记住就好。"冯凯说，"现在，这么多盗窃案，从哪一起开始？"

顾红星低头想了想，不知道是在想冯凯刚才意味深长的话，还是在想下一步办案策略，说道："这个，我还真没有想。我就是觉得，只有我们认真去办每一起案件，大家才能满意。"

"我的天，我以为你有什么办法了呢。"冯凯挥了挥手中的笔记本，说，"你记了四十一起，我这边二十五起，六十六起案件啊！认真去办每一起？怎么办？一个现场一个现场去勘查吗？"

"我只是觉得，会不会，有什么规律呢？"顾红星被冯凯一问，也没了主意，有些窘迫地解释道。

这一句话让冯凯有一种茅塞顿开的感觉，是啊，规律。顾雯雯曾经总是在他耳边说规律，说统计学。如何根据鞋印来推断身高、体重，就是统计学的概念。数据样本越大，那么得出来的结论就越接近真相。可是，今天这六十六个数据，加上之前的三个，能得出什么结论呢？冯凯的脑海里又闪过了大学时候侦查老师的脸，老师给他们介绍过一门冷门科学，叫作"犯罪地图学"，虽然并没有展开向他们教授，但是至少说了一些原理。

"走，说不定还真有规律。"冯凯一把拉起顾红星，跑回了办公室里，翻箱倒柜找了半天，终于找出了一张一米长的龙番市地图。

"找地图干吗？"顾红星一脸莫名其妙。

"来，把我们刚才登记下来的地址都圈上，在圈的旁边写上被盗时间。"冯凯一边说，一边把他们之前出勘过的三个被盗现场给圈了出来。

"那有用吗？"顾红星半信半疑地也拿出笔记本，开始照做。

不到一个钟头，整张淡蓝色的龙番市地图上，就被画出了数十个密密麻麻的红色的小圈。冯凯直起腰，俯瞰了一会儿地图，说："怎么样，看到规律了吗？"

"规律？嗯？"顾红星趴在地图上看了看，说，"有同一时间段，在城西、城南同时发案的，说明不是一个人所为。既然标记相似，说明是一个团伙，而不是一个人作案。"

"这个是一个规律。"冯凯点点头，说，"不过，既然会在现场画标记，本身就能认定是一个团伙作案了。除了这个，还有别的规律。"

"你说的是，这一片比较密集，这一片，嗯，没有？"顾红星用双肘撑在办公桌上，脑袋凑在地图边，说道。

"你看啊。"冯凯拿出一支蓝笔，沿着地图上的龙番河以北的几个名字，连成了一个大圈，说，"六十九起盗窃案，遍布全市。我们整个龙番市，所有的区域都会有零星的作案痕迹，只有我画出来的这个城市北边的圈子里，从来都没有一起盗窃案。"

"你是说？"顾红星恍然大悟。

"犯罪地图学里，有很多理论，什么同心圆啊、缓冲区啊，这我没学好，不懂也不记得。"冯凯挠挠脑袋，说，"我就知道一个道理，兔子不吃窝边草。"

"这里就是犯罪团伙的居住地。"顾红星若有所悟地点了点头，随即又皱起了眉头，问，"这个，靠谱吗？"

"我也不敢说一定靠谱，但是我信奉一件事情：事出反常必有妖。某种现象的出现，一定会有它的道理存在。"冯凯说，"如果我们找不出规律也正常，但是目前看，很明显的规律就在眼前。"

"一、二、三……"顾红星数了数，说，"这个范围里，至少有十个村子，如果按每个村子的生产队有两百人来算的话，总共也有两千人啊，我们怎么知道哪些人和盗窃团伙有关？"

冯凯抱着胳膊，说："确实，我们一点点排除的条件都没有，男的女的都是可以实施盗窃的，十几岁到几十岁也都可以。"

"但我们有指纹啊！"顾红星从抽屉里拿出指纹卡，扬了扬，说，"大不了一个个排查，两三千人不算多。"

"可是你怎么取他们的指纹？"冯凯说，"是把几千人都喊来公安局，还是去村里一个个秘密取指纹？"

"我们可以去村里公开取指纹啊。"顾红星说。

"那你能保证，这些实施具体盗窃行为的人，不跑、不躲避吗？那么多人，即便少一个能被你发现，但他们刻意让别人来冒名顶替，你能发现得了吗？"

"那就用你之前的办法，说一个理由，比如有传染病、体检送鸡蛋什么的，骗他们来摁指纹。"顾红星说。

"这事儿，早就传遍整个龙番城了，再来一遍，你说谁信？"冯凯还是摇了摇头。

"那你说怎么办嘛。"顾红星有些着急了。

"声东击西，加上暗度陈仓。"冯凯嘿嘿一笑。

毕竟引起了群体性请愿，市局对这个连环盗窃案十分重视。尚局长除了要求限期破案以外，还要求所有警种在不影响工作的情况下，给予积极配合。

冯凯遵照尚局长的这条要求，约见了城市南边的五个派出所所长和三个交警大队长。冯凯老气横秋地说："从这个礼拜日开始，希望你们单位腾出所有不值班的民警，对城市南边、你们辖区内进行挨家挨户的排查。"

"一个礼拜就这么一天休息，还要全员上，我怕民警有意见啊。"一名所长说道。

"排查，也得给我们一个甄别的依据吧？贼也不会把'贼'字刻脑袋上。"另一名所长说道。

"是啊，这种流窜'白日闯'本来就不好破，让民警做无用功，我们也不好交代啊。"

会议室里喧哗了起来，大家各说各的，对这个摸不到头脑的命令表达了非议。

"静一静，静一静，谁说没有依据？"冯凯举起手中的牌子，牌子上面画着从费青青家门口临摹下来的标记，说，"你们只需要让被排查对象模仿这个标记画下

来，然后标好名字，将画带回来给我们就行。"

"你当破案是儿戏呢？画得一模一样的就是犯罪分子吗？"一名所长说道。

"犯罪分子知道我们在公开排查，还故意和这个画得一模一样，这犯罪分子肯定脑子不好了吧？"交警队长笑道。

"就是，我听说你们市局有了刑事技术，这就是技术啊？"另一名所长附和着。

大家哄堂大笑，笑得顾红星不知所措，不过他也觉得冯凯这个办法，太过于幼稚。

"笑，就知道笑，我说的话都是耳旁风？"尚局长突然推门走了进来，厉声说道。会场顿时安静了下来，大家都低下头，不再说话。就连顾红星都很纳闷，这个英明的老公安为何会给冯凯的胡闹撑腰。

"按照小冯的办法，把工作做细做实。"尚局长说，"有人漏查的，启动倒查机制追责，散会！"

所长和队长们一个个拿起笔记本，悻悻地离开了会议室，表情里写满了不情愿和轻蔑。

接下来的两天，对城南的大规模排查开始了。礼拜日，冯凯和顾红星去门口国营早点店吃早点的时候，小店服务员都在议论公安的这种"荒唐做法"。

这种议论让顾红星坐不住了，小声说道："我能理解你的声东击西，故意在城南搅浑水，让藏身在城北的团伙放松警惕，可是你这画图究竟是什么意思？"

"明修栈道，暗度陈仓。"冯凯咬了一口包子，说，"好久没吃肉包子了，你能让我安心享用一下吗？"

顾红星低头想了想，说："可是，你让那么多民警干了两天活儿，我们在家睡了两天大觉，被他们知道，还不得给骂死。"

"你知道我今天为什么要破天荒吃一顿肉包子吗？"冯凯指了指咬了一半的包子说，"那就是养精蓄锐，待机出击。"

顾红星还想问些什么，冯凯把剩下的半个包子塞进嘴里，一把拉起顾红星走了出去。

一路无话，冯凯骑着车和顾红星一起来到了城北的镇政府里，按照镇政府的要求，会议室里已经坐上了十个生产队的队长。有的人穿着衬衫，有的人则穿着黑乎乎的白背心，卷着裤腿，趿拉着拖鞋，东倒西歪地坐在各自的椅子上，各自抽着烟卷。

"介绍一下。"一名穿着绿军装，看起来是个领导的人说，"这两位，是人民公社派来的督导员。"

一片稀稀拉拉的掌声响起。

这让顾红星顿时手足无措，他不知道自己怎么就成了人民公社的督导员了。让他来督导农业生产，那他可是两眼一抹黑。从小在城市里长大，四体不勤、五谷不分啊。

"今天来这呢，就是和大家商量包干到户的事情。"冯凯把手撑在桌子说道。顾红星看了一眼冯凯，他并不知道冯凯在说什么。

可没想到，这一句话，让所有东倒西歪的生产队长全都坐直了身子，眼神里也都闪出了光芒。

"这个，上面不是严令禁止的吗？"镇长显然也被冯凯说的话给吸引了。

"也不是立即就实施，先要看看人民群众的意见。"冯凯说道。

"人民群众当然是拥护。这几年，收成都不好。"镇长的脸色绯红，但显然觉得自己有些失言，连忙解释说，"啊，当然，上面无论下达什么政策，我们都是拥护的。"

"光你说没用，现在呢，我写了一份问卷调查，如果愿意拥护包干到户政策的，这一户不管男女老少，都要在后面写上名字、按上手印。"冯凯竖起右手拇指，说，"得用这根手指，而且，可不能一家一个人做主啊，所有群众，都要按。"

听冯凯这样说，顾红星似乎有些理解他的策略了。

"没问题，交给我们了，一天之内把问卷交给你们。"几个生产队长争着说道。

冯凯满意地点点头，说："反正呢，调查问卷是包干到户的第一步，你们办得快、办得好呢，就有希望尽早实施，我就在这里等着你们。记住啊，是这根手指。"

生产队长们才顾不上去询问为什么只能是那根手指，他们立即站起身，争先恐后地离开了会议室，镇长也跟了出去。

"我大概知道你的计划了。"顾红星说道。

"让城南被调查的人们传出话来，这样城北的犯罪分子就想不到我们掌握了他们的指纹信息，而且会认为我们搞错了侦查范围。这是明修栈道。"冯凯说，"我们在这里化装侦查，犯罪分子就会对按手印毫无戒心，才能保证他们都顺利地留下手印，而且我给他们的诱饵是充满诱惑力的。这叫暗度陈仓。"

"挺高明的。"顾红星说，"可是，你这不又是在欺骗群众？还有，你说的包干到户，是什么意思？"

"你不用搞明白什么是包干到户，你只要知道，现在的群众都希望能这样做。"冯凯说，"今年是1977年了，时代不一样了，当然，毕竟是一项重要的改革，还得两三年才能全面铺开。我现在搞个调查，也不算欺骗嘛。"

"你怎么什么都知道？"顾红星嘟囔道，不过他早已经习惯了冯凯的博学，倒也没有打破砂锅问到底。

一整天，顾红星都在镇政府会议室里走来走去，他不太习惯这种闲在这里什么也不做的状态。每当想到其他民警都还在城南挨家挨户画标记，他就有些于心不忍和愧疚。

冯凯倒是没什么，他靠在椅子上打着瞌睡，想着顾雯雯的样子，心想这时候要是能有一部手机，说不定游戏"王者"能上上分呢。

"你不要晃来晃去的好不好？有时间能不能想想什么时候请林医生看电影？"冯凯被顾红星绕得头晕，说道。

顾红星被冷不丁地一激，挠着头，说："本来上个礼拜日去的，但你安排了其他民警工作，我也不好意思自己去约会，所以就改期了。"

"改期也行，但是不要食言。"冯凯说，"这案子很快能结，结束了就请人家去，知道不？《黑三角》①，挺好看的，也让小林了解一下我们公安工作。"

陶亮喜欢老电影，在全局大会的时候，还在偷偷看这些二十世纪七八十年代的老电影。前不久冯凯经过电影院，见到正在上映他曾经看过的《黑三角》，就琢磨着得让顾红星请林淑真看看。

"那是反特片，不是刑侦的。"顾红星说道。

直到黄昏时分，生产队长们陆续赶了回来。每个生产大队有近一百户人家，大约有三百人左右，所以每份调查问卷的下面，都写满了歪歪扭扭的名字，名字上按上了鲜红的手印。

"有好多人不识字，我替他们签名的，不过手印都是他们自己盖的，这个请组织放心。"生产队长们留下调查问卷后，几乎都会这样说一句。

"没事，组织只是要大家的一个真实的态度嘛。"冯凯依旧是老气横秋地说道。

———————————————

① 《黑三角》：1977年上映的一部著名的电影，说的是抓特务的故事。

天还没有全黑，十份调查问卷都已经收回来了，十个村子三千多人的手印也都全部顺利拿到了。这让顾红星赞叹不已。他们俩在这里闲了一天的成果，比数十民警在城南工作了三天的成果还要丰硕。因为城南民警们只交来一千幅"绘画"。

冯凯满意地看着手上的调查问卷说："现在城南民警的工作也可以停止了，他们的作用不过就是烟幕弹。现在，剩下来的工作，就是你的了。"

顾红星摇了摇头，说："不，是我们的。"

4

冯凯很是郁闷，他没想到顾红星翻脸比翻书还快。在镇政府的时候，顾红星乖巧听话得就像是一只小猫。可是一拿到指纹、回到了局里，就板起了脸，成了他的"师父"。

"你喜欢看指纹，你自己看不就好了？"冯凯对顾红星要求他一起比对指纹很有意见，"三千多个，你两天不就看完了吗？"

"要不，我去问问尚局长？"顾红星斜着眼睛看着冯凯。

一提到尚局长，冯凯立即泄了气。这个局长很有魄力，听取了冯凯的汇报后，全力支持他使用这个侦查谋略。可是冯凯不能理解的是，为什么这个尚局长和顾红星一样，坚持要让自己也干技术的活儿呢？早知道自己也要这样做，他就不出这个馊主意，找这么多指纹回来了。

生活在二十一世纪，随着社会的发展，陶亮感觉生活节奏是越来越快。然后让他骤然回到了二十世纪七十年代，习惯了"快"的他，却没办法快得起来。这一点，让他很不适应。

这些指纹对于冯凯来说是徒增的工作量，而对顾红星来说，就像宝贝一样。他们一回到办公室，顾红星就迫不及待地拿出了马蹄镜，开始检查指纹。

为了不被尚局长教训，冯凯只能乖乖地坐在马蹄镜的前面，学着顾红星的样子，一枚一枚地看着指纹。

冯凯本来以为顾红星是和他一起分看不同的指纹，这样工作效率提高一倍。可没想到，顾红星是让他先初筛，然后自己再重新审核一遍。不相信他冯凯，就别让他来干技术了嘛！这不是多此一举吗？

不得已而为之，冯凯坐在办公桌前，强压着躁动的心，在调查问卷上看着指

纹。在此之前，最基本的指纹鉴定方法他已经掌握了。可是这份工作不是掌握方法就可以，更重要的是耐心和韧性。冯凯是越看越焦躁，心想着反正自己看完后顾红星还会审核，所以看得非常粗略。

在连续工作到深夜一点的时候，冯凯感觉自己的腰椎、颈椎一起发起了抗议，眼皮也不自觉地打起架来。说来奇怪，让他去蹲守、去抓人，一夜不睡对他来说啥也不算。但是看个指纹，就像陶亮看书似的，不出两个小时，瞌睡精就缠上身了。

冯凯是被门卫养的大公鸡喊醒的。他也不知道什么时候自己就迷迷糊糊地睡着了，此时天已经大亮，而冯凯一睁眼，就看见了仍在不停工作的顾红星。冯凯有些感动，顾红星不过二十出头，却可以把自己的全身心都投入到工作中去。顾红星似乎有些愚钝，他不会像自己那样一心只想着寻找捷径，而是踏踏实实、任劳任怨地去做着最基础的工作，不眠不休，努力寻找着一丝丝的可能性。放在过去，冯凯或许还会笑话这样的行为，觉得是没有意义的"内卷"。但现在，冯凯没有任何嘲笑他的心情，反倒有些自惭形秽。

"你醒啦？我已经看完四百多枚了。"顾红星扬了扬手中的调查问卷，一脸疲惫地说，"可惜，没有能比对上的。"

"本来就是大海捞针。"冯凯挠挠头，说，"我再想想，还有没有办法缩小点范围。"

"已经很好了。"顾红星说，"我算了一下，如果我们每天就睡四五个小时，那么三天就能看得完。不要再走捷径缩小范围了，即便缩小了，依据不足，我也不放心。"

"可是这种排查，真的比想象中难多了。"冯凯说，"你看十枚指纹，还行。看一百枚，眼前就全都是纹线了，根本就看不准了。"

"所以我才让你先看，我来审核。"顾红星说，"去洗漱一下，接着来吧。"

顾红星的这种"老黄牛"精神，让冯凯心情很复杂，他钦佩顾红星，但是当自己和顾红星一样沉下心来排查指纹的时候，他还是有些不适应，时不时会走神，推进的速度要比顾红星慢上许多。

就这样，两个人不眠不休地看着指纹，看到第二天下午的时候，顾红星突然从凳子上蹦了起来："找到了，终于找到了！"

"咦？那一张我看过啊，没有一样的啊。"冯凯说。

"所以说，必须要有审核机制吧。"顾红星兴奋地说，"这一枚，你再看看。"

冯凯半信半疑地拿过指纹，用马蹄镜看了一会儿，说："是，有不少共同点，但是这不是还有一个差异点吗？"

"指纹鉴别，不能教条，一定要考虑到捺印的环境。"顾红星说，"你看，你说的这一处差异点，其实是因为纸张变形的时候捺印上去而导致的。我们经常会发现一些变形的指纹，这时候进行鉴别比对，就需要鉴定人员主观判断哪些差异是变形导致的，而哪些是真正的差异点，所以我们鉴别指纹，不是简单地对比不同，而是要抓大放小。"

"那行了，我们出发吧。"冯凯开始解开警服的扣子。

"去哪里？我们只找到了其中一枚啊。"顾红星说，"现在去抓了这个人，如果他不招供，其他人就逃脱法网了。"

"你找到另一枚，不也就多抓了一个人而已吗？没事，我有办法。"冯凯说，"换便服，我这眼睛都看花了，终于可以出去活动一下了。"

从调查问卷上可以看出，这个签名为"魏甲"的人，是上魏家村的村民。通过辖区派出所翻出来的户籍资料看，魏甲所在的家族，是个大家族。他今年二十多岁，有七八个兄弟，而他的上一辈也有五六个叔伯，堂兄弟就更多了。冯凯认为，如果盗窃团伙想要稳固，在家族内部形成的可能性大，也更容易达成攻守同盟。为了不打草惊蛇，冯凯通过派出所联系了镇长，决定去他们的田地里探一探究竟。

此时正值下午四点多钟，是人们最容易感受到疲惫的时间。再次冒充人民公社督导员的冯凯，来到了田间地头，看见农民们都坐在田埂上乘凉，只有几个人慵懒地在田地里慢动作一样地干着活儿。一见镇长来了，所有人都从地上爬了起来，拍了拍屁股上的灰，装模作样地干起活儿来。

"你们都偷懒是不是？饿死你们，你们都偷懒是不是？"镇长气得满脸通红，"那个谁，你还趴窝不起来，督导员来了你们还趴窝。"

"说我干吗？不都没干活儿呢吗？"一个黑黑的汉子不情愿地站了起来。

"你们生产队，不止这么点人吧？"冯凯高声说道，"魏甲，魏甲在不在？"

一片死寂，但冯凯注意到每个人的脸上都出现了轻蔑之色。

"点第一个人名儿，就不在。"冯凯喊道，"究竟还有多少人不在？魏甲呢？谁知道他去哪儿了？"

还是没人说话。

冯凯低声对顾红星说："估计又去偷了，但是他们家族大，即便溜号，其他人也敢怒不敢言。"

"所以，点完名字，就知道这个团伙的情况了。"顾红星点了点头，佩服地说道。

"不仅如此，我们还得趁势追击一下。"冯凯说完，转头继续喊道，"生产队长点名，把今天下午溜号的人的名单都交给我，不干活儿还赚工分，想得美！"

在场的农民的眼神里，都露出了一丝不易察觉的欣慰。

"另外，你们通知今天下午所有没来的人，明天早上我会过来分别找他们谈话，让他们准备好检查材料向我汇报。"说完，冯凯转头就走，头也不回。

"你真要一个个审啊？"顾红星小跑几步，跟上了冯凯，问道。

"不需要，今晚就可以收网了。"冯凯说道。

顾红星蹬开自行车的支撑架，想了想，说："我明白了，你这是逼他们连夜开会，攻守同盟，好让他们聚集在一起一网打尽。"

"对。"冯凯骑上自行车，说，"这么老远的路，抓这么多人，我实在想不到，怎么把他们带回来。"

夜幕降临，十几辆自行车排成两路纵队，行驶在林间小路上。夏天的夜里，路边的蛐蛐叫个不停，给有节奏的自行车链条声形成了点缀。市公安局刑侦科和治安科全员出动，借用了局里所有的自行车，向远离市区的城北上魏家村进发，领头的两辆自行车是冯凯和辖区的派出所所长骑的。

"我们前线的侦查员已经摸清楚了，包括魏甲在内的十二个人，都在魏长江的家里开会。"所长一边骑车，一边小声说道，"魏长江是魏甲的二伯，其余十个人都是魏甲的亲兄弟和堂兄弟。"

"怎么样，我猜对了吧？家族企业。"冯凯朝顾红星挤了挤眼睛。

"魏长江是他们团伙中唯一的长辈吗？"顾红星紧蹬了几下，跟上冯凯，问道。

"是的，而且是在这个魏长江家里开会，说明魏长江就是团伙首脑了。"所长说道。

"可是他们这都开了二十分钟会了，我们到得是不是晚了点？攻守同盟恐怕都已经达成了。我们怎么问，他们都会统一口径的。"顾红星担心道。

"嗨,这个怕什么。怕的就是只有一个犯罪分子,只要是团伙作案,就没有无法攻破的同盟。"冯凯自信地说道。

说话间,一行人已经到了魏长江家的门外。穆科长招了招手,十几个人把那一座小砖房围了起来。穆科长从腰间掏出五四式手枪,一个箭步冲到前面,一脚踹开了大门,"砰砰"朝天上开了两枪。

冯凯一哆嗦,心想这老头儿可真是够心急的,抓贼也要开枪。他拍了拍一脸崇拜的顾红星说:"走吧,发什么呆,老穆干公安干了一辈子,这可能是他的常规操作。"

听到了枪响,屋里的人都吓傻了,不自觉地一个个蹲在了地上,根本就没有反抗的心思。

"怎么了,不就没上工吗?公安也管这个?是闲着没事干吗?"魏长江倒是没蹲下,仍坐在椅子上一脸淡定。

"少废话,都给我铐起来。"穆科长一挥手,民警们纷纷挤进小房子,一人管一个,把他们铐了起来。

"科长,这么多人,我们怎么带回去啊?"冯凯哭笑不得地说,"总不能一辆自行车带一个吧?"

"扯什么,新兵蛋子懂个屁啊。"穆科长皱着他那一脸的皱纹,说,"先拉开,分头审讯。等天亮了,走回去。"

说完,穆科长又对治安科的一个民警说道:"你晚上先回去,通知沿途的辖区派出所,明早七点开始,他们负责沿途警卫,防止人跑了。"

走回去!这二十几公里路呢。冯凯印象中,自己上一次走二十几公里路,还是在刑警学院拉练的时候。更何况,他们晚饭都没吃,还要通宵达旦审讯。

穆科长嘱咐了几句,由刑侦科五个人分两组开展审讯,剩下的民警在原地看守这十来个人。

审讯是在隔壁临时征用的民宅进行的。虽然村民们都不知道他们是盗窃团伙,但是他们在生产队点个卯就跑、不上工也能拿工分的举动,早就激起了民愤,只是大家都敢怒不敢言而已。隔壁邻居见这个庞大的家族此时被一网打尽,说不出的兴奋,不仅提供了自己家作为审讯室,还主动去门口烧了一大锅地瓜稀饭,招待这些一直在村口蹲守、连晚饭都没吃的民警。

地瓜稀饭烧好了,在穆科长的强烈要求下,村民收了民警给的五块钱。可是捧

着稀饭，大家都吃不下去，因为审讯进展困难，这些人早已达成攻守同盟，一口咬定是魏甲的堂兄家里的房子要倒了，大家都去帮忙修葺。对于盗窃的事情，都在装傻充愣。

大家在一筹莫展的时候，突然看到冯凯骑着自行车风尘仆仆地赶了回来，没人注意到他什么时候离开的。

冯凯的车龙头上，挂着几袋油纸包和两瓶二锅头。他停好车，和穆科长耳语了几句，拿着东西进了厨房。

审讯魏甲审讯了半个多小时，他缄口不言，穆科长摇了摇头，让顾红星带他去关押地等天亮。途经魏长江家厨房的时候，里面突然传来了嬉笑声。

"怎么样，老魏，这猪头肉不错吧？"是冯凯的声音，"来，再走一个。"

"你说你们这兴师动众的，干吗呀？"魏长江的声音里充满了醉意。

"年轻人嘛，总要给他们点颜色看看。"冯凯说道，"再说了，我手上有东西，还怕治不了他们吗？"

"他们都还年轻……"魏长江想说什么，却被冯凯打断了："你放心，既然你这么配合我们，我们不会对他们下手太狠的。"

顾红星心中一惊，难道冯凯用两瓶酒、几包卤菜，就把这个魏长江搞定了？这也太夸张了吧？

被铐着的魏甲显然比顾红星还震惊，他不自觉地发起抖来。

顾红星还没搞明白怎么回事，冯凯拎着裤子走了出来，朝顾红星挤眉弄眼。他陪着顾红星一直把魏甲押解到关押点附近，才说道："今天这是妥了。"

"为什么他能吃肉喝酒，我们只能喝稀饭？你们政府怎么这样？"魏甲从打战的牙齿里挤出了一句话。

"废话，他什么都撂了，当然喝酒吃肉了。要不是他供出你是头头，我们还真不知道怎么办。"冯凯说，"你没听说过，'坦白从宽，抗拒从严'吗？"

因为这句话有"重口供、轻证据"的引导指向，所以在现代早已不用了，但在这个时候，还是家喻户晓的。

"我是头头？"刚说出四个字，魏甲就瞪着眼把后面的话咽下去了。

"不要抵赖了，我刚才说话想必你也听见了，我们有你的指纹。"冯凯说，"像你们这种盗窃团伙，如果其他人都不交代，那就得把所有的罪责都算在你头上了，谁让你留下指纹了呢？"

围堵

"盗窃团伙"四个字一出口，魏甲马上哆嗦得更厉害了。

"别哆嗦了，我教你个办法。"冯凯故意凑到魏甲的耳朵边，说，"反正魏长江什么都交代了，你不如去说服大家，把你们真正的头头交代出来。其实我们都知道，老魏才是头头。你想想啊，要不是他的配合，我们怎么会在他召集你们到一起的时候下手、一网打尽呢？可是只有他交代了，我们也只有信他的话了。"

魏甲有些半信半疑了。

"哦，对了，你可能觉得老魏不会出卖你们，是吧？"冯凯说，"那是你不懂法，你们这次偷的两条大黄鱼，那可是大家伙。小偷小摸就判几年算了，偷了这个大家伙，那可是杀头的。当然，只是头头要枪毙，其他人也不会判太重。"

魏甲的双眼通红，眼珠子都快蹦出来了。

"你想想，若不是能判死刑，我们领导能还没见面就开枪吗？"冯凯说，"子弹不要钱啊？所以，你好好想想，为什么这么多人，唯独审了你两次。"

"行，行，我都交代。"魏甲突然崩溃了，"他老魏头真不是东西，我们走上这条道，都是他带的，现在好了，开会让我们什么都不准说，结果他来当好人。"

"哎，对了嘛，你去和大家说说。"冯凯说，"都来指认一下他老魏才是头头，我们再好好分析一下，究竟是毙了你，还是毙了他。"

"不行，不行，他的几个儿子都太狠了，我只能和我的兄弟几个说。"魏甲透过窗户指了指屋里蹲在地上的人，说，"那三个就是老魏的儿子，其他人我可以帮忙劝服。真不是个东西，顺回来的好东西，都是他们家人先拣，现在倒打一把。"

冯凯微笑着安排民警把犯罪团伙的人分成两拨，让魏甲去其中一拨做工作去了。冯凯很是心满意足，在现代，即便是能使用这种反间计，但这种欺骗审讯的方式是绝对不允许的，而在这个年代，还真是好用。

冯凯给一脸蒙的顾红星解释了一下，其实冯凯和魏长江根本就没聊到盗窃的事情，只单说溜号的事儿。冯凯冒充人民公社的督导员，说他们手上拿到了溜号的名单，只是吓唬吓唬年轻人，希望魏长江这个岁数大的，给予理解。这顿酒肉，就是给老魏赔不是的。所以，在这个过程中，魏长江根本就没有提起戒心。而带着魏甲来听到冯凯的这一段对话，也是事先就安排好的，利用堂亲几家之间的嫌隙，离间成功。

天亮的时候，除了魏长江和他三个健硕的儿子以外，其他人都全部交代完毕，以魏长江一家为首脑的盗窃团伙的组织结构、犯罪模式都说得清清楚楚，曾经做过的案子，也交代得八九不离十了。但之前盗窃所得，都是些不值钱的东西或者是食品，要么被瓜分后吃掉了，要么就藏起了。按照这几个人的交代，警方起获了剩下的赃物，尤其是那两根保存完好的大黄鱼。

大黄鱼是在魏长江床底下挖出来的，更能证明他是这个团伙的首脑。

第二天一早，十几个公安民警和十几名犯罪嫌疑人浩浩荡荡地从上魏家村出发，开赴市公安局。

十几名犯罪嫌疑人戴着手铐，手铐上又连着麻绳，十几个人被一根麻绳串在一起，两头被前后两名刑侦科的同事牵着。其他民警推着自行车走在队伍的两侧，负责警戒，有的民警还推了两辆自行车。

看着这战争时代控制战俘的办法还在使用，冯凯大跌眼镜、哭笑不得，不过，除了这个办法，也确实没有更好的办法在这个交通不便的年代押解嫌疑人了。

走了二十几公里，冯凯脚腕都快走断了，好在拐过前面的弯，就要到公安局了。一路上有沿途辖区派出所的护送，嫌疑人内部也已经分裂，所以押解任务并没有什么问题。

刚刚拐过弯，突然响起的鞭炮声把冯凯吓了一跳。在现代，龙番市早已不允许燃放烟花爆竹了，即便过年的时候他被鞭炮声吵了一夜，但这种熟悉的喜庆声，大多还只留在陶亮青少年的回忆里。

原来，盗窃团伙被一网打尽的消息，被昨晚回来的治安科民警传开了。消息不胫而走，很快传播到了全城。虽然大家心里都清楚，丢的东西大多数是找不回来了，但还是自发来到公安局门口，迎接公安同志们的凯旋。他们欢呼着、鼓着掌、放着鞭炮，比陶亮的年代过年还要热闹。

冯凯心里想着，这个年代的人真是纯朴啊，居然还会用这种方式来表达他们的赞扬。反正在现代他是没见过这样的阵势。不过他转念一想，其实也可以理解，老百姓的生活水平不断提高，不愁吃、不愁穿了，当然会更加重视保护自己的权益。这是社会进步的标志，自己不应该牢骚满腹。

冯凯瞥了一眼顾红星，顾红星的脸上洋溢着无法言喻的满足和喜悦。冯凯觉得，警察的职业荣誉感恐怕就源于此情此景吧。

"小顾！你是最棒的！"一个清脆的声音从嘈杂中传了过来。

费青青的身影在人群中格外醒目。

"哦，对了。"顾红星自言自语了一句，把自行车撑好，向费青青跑了过去。

围堵

"你的东西忘拿了。"顾红星从口袋里掏出一块深蓝色的手帕，递给了费青青。

人群更加嘈杂了，大家都在起着哄。这让顾红星措手不及，他完全没有想到会是这样的场面，一时红着脸，想解释什么，可是并没有人听他说话。

冯凯叹了一口气，忧心忡忡。因为他看见一个熟悉的背影，转头从人群里消失了。

燃烧的蜂鸟

第七章

无名尸

1

受到了群众欢迎、赞扬后的顾红星，就像变了一个人一样。这一天，他像打了鸡血一样，跑进跑出，一会儿采捺指纹卡，一会儿帮忙整理口供，一会儿联系看守所。倒是以往激情昂扬的冯凯，不知道是不是一夜没睡的原因，今天一直打不起精神，一副忧心忡忡的样子。顾红星知道冯凯自己会好起来的，所以也没多过问，只顾自己忙了。

一直忙到晚上，顾红星回到宿舍倒头就睡。模糊中感觉对面的冯凯正在辗转反侧，也没力气去关心他了，顾红星很快就进入了梦乡。

第二天一早，顾红星就被顶着黑眼圈的冯凯喊了起来。可能是终于破案，加之之前连夜工作的原因，顾红星睡得真是天昏地暗的。

"今早有任务，得去法院门口待命。"冯凯说完，又盯着顾红星欲言又止。

顾红星也没管那么多，洗漱完毕后，就和冯凯一起骑着车去了法院门口。

原来，这一天是对陈三和赵丰收两人的公开审判大会。冯凯知道，这个年代所谓的公开审判大会，不如叫作公开宣判大会。因为审理程序在之前就已经走完了，这时候在礼堂公开宣判，是起到震慑犯罪、教育大众的作用。让顾红星和冯凯作为办案人在法院门口待命，主要是让他们作为警卫力量的一部分，对之后进行的游街活动提供安全保障。这个任务，穆科长在昨天晚间的时候，就已经布置过了。顾红星可能是一直沉浸在那种无以言表的荣誉感中，差点把这个任务给忘记了。

公开审判大会是在法院的一个小礼堂进行的，可能是因为龙番市好几年没有发生命案了，这一发就连续发了两起，所以审判大会受到了市民的高度关注。既然是为了震慑犯罪、教育民众，那么和现代完全不同，什么人都可以进入审判现场旁听。所以等冯凯和顾红星到达法院的时候，小礼堂外都已经挤得水泄不通了。

冯凯和顾红星见挤也挤不进去，就站在审判台后面的小门处，听着审讯。在现

无名尸

代，陶亮也出过几次庭，听过几次审判。那时候庭审还是比较复杂的，程序、流程都很多，对于证据的审核、溯源都很严格，控辩双方的交锋也都很激烈。可是现在的这个审判大会，因为之前的流程已经走完了，内容只剩犯人陈述犯罪事实加上法官宣判，所以很简单。法官直接宣判了陈三和赵丰收两人死刑，而且还是立即执行。

审判长一宣判，观众席立即爆发出叫好声和鼓掌声。四名武装整齐的法警，往两人的背后分别插了块牌子。冯凯他们站得远，看不清两人的表情，但是能清晰地看到他们背后那块牌子在不停颤抖。

不一会儿，两队法警押解着两名罪犯，从冯凯和顾红星的身边经过，径直走到礼堂后院。冯凯清清楚楚看到了面色苍白、全身抖得像筛糠一样的陈三和赵丰收，看来无论一个人心理有多强大、强大到可以视别人的生命为草芥，轮到他自己的时候，都是一样脆弱不堪。

礼堂后院里，停着两辆圆头的解放大卡车。罪犯被法警像拎小鸡一样拎上了卡车的斗里，他们全身被五花大绑，背后插着写有"杀人犯，陈三""杀人犯，赵丰收"字样、名字上还有油漆刷的红叉的木牌。他们被押在解放卡车的最前面，后面站着一队荷枪实弹的、戴着钢盔的法警。

两名法官走到法院的门口，在门口公示栏上贴上了两张告示，告示上的字很小，冯凯看不清内容，但是告示上血红的钩号，让他知道这就是宣布两人死刑的告示。执行死刑会贴出告示，而这种特殊的告示上会画上红色的钩号，这种制度一直沿用到了陶亮小时候，以致他小时候在卷子上看到红钩，心里都不太舒服。

法院的一辆绿色吉普车，闪着警灯在前面开道，两辆卡车随后徐徐而动。按照穆科长的要求，冯凯和顾红星两人也跨上自行车，紧随着解放卡车，执行警卫任务。

卡车开得不快，绕着龙番市并不大的市区走了一圈，然后径直向郊区开去。因为车开得不快，所以有不少群众骑着车或者跑着步跟在卡车的后面，看这架势，他们是要围观枪决了。

虽然陶亮当警察很多年，但是执行死刑还真是没看过。二十一世纪以来，注射死刑逐步在全国范围内替代了枪决，用更人道的方式结束罪犯的生命。作为侦查部门的陶亮，从来没有被准许出现在死刑执行的现场。但毕竟在现代时接触过不少死刑犯，而且后来也知道他们都死了，所以冯凯倒是没什么特别的感受，对即将能看到的枪决现场甚至还有一些期待，就像那些尾随着卡车的群众一样。而顾红星就不行了，一个连鸡都没杀过的人，去看杀人，确实是对心理承受能力的挑战。可是没

办法，既然要承担警卫任务，顾红星也躲不掉。

卡车开到了郊外的一座荒山，冯凯知道，这里是公安局的靶场。

靶场位于三面环山的一个小山坳内，而卡车开过的一条土路就是靶场的唯一入口处。此时入口处已经有几名治安科的民警在等候了，冯凯见状，连忙拉着顾红星和他们会合，然后在入口处形成了一道屏障，防止围观群众进入靶场。

"就在这里枪毙啊？"一名群众说，"你们猜这里打死过多少人了？"

"你看到没？左边那个，就是奸杀小女孩的。这种人杀完应该鞭尸。"

"鞭尸有什么用？要我看，应该凌迟。"

"长得仪表堂堂的，没想到是个衣冠禽兽呢。"

"杀得好！"

"杀人偿命！"

几名群众情绪激动地喊了起来，引得人群开始躁动，大家都在高喊着口号，甚至鼓起掌来。

这时，几个人抬着担架，走到了人群后，见人群躁动，不敢上前，只能在远处等待着。冯凯知道，这几个人应该是杀人犯的家属，等着来收尸了。为了给人群"降温"，防止他们和杀人犯的家属发生冲突，冯凯连忙喊道："静一静，静一静，别喊了，你们都回去吧，这有什么好看的？"

人群中的躁动稍微弱了一些，不过并没有人离去。

卡车一直开到了山边，这才停下，几名法警把陈三和赵丰收押解下车，可是这两个人已经全身瘫软，就像没有了骨头一样。本来死刑犯是要跪在刑场的，可是他们怎么也跪不住，只能由两名法警一边一个把他们架住。

"罪犯已验明正身，申请执行枪决。"

法警的声音远远地传了过来，人群中又开始爆发出叫好声和鼓掌声。

"执行！"

"是！"

两名法警拿着六三式自动步枪，顶着两人的后脑勺。

"砰！砰！"

两声清脆的枪响后，两人的尸体瘫软了下去，紧接着是一名穿着白大褂的法院法医上前检查生命体征。

枪声响起，就像是一支镇静剂，原本闹哄哄的人群立即安静了下来。围观的群

无名尸

众一个个呆若木鸡，没人再鼓掌叫好。罪犯亲属抬着担架向执行地跑去的脚步声，在人群中回荡。

一名群众蹬上自行车，离开了，紧接着是两个、五个、十个……人群慢慢散开，大家都安静地离开了。

顾红星全程眯缝着眼看完，浑身都在颤抖，呼吸也粗重了许多，他的样子让冯凯想起顾雯雯看恐怖片时候的样子。而冯凯则想了很多。这种公审公判、游街、当众行刑的模式，不可否认，对于震慑犯罪有着强大的作用。看过一次枪决，那些怀有恶念的人，保准立即放下屠刀了。可是，确实毫无人道可言。尤其是这种"立即执行"的模式，确实有很大的风险。这个时代的死刑核准，有的地方形同虚设，有的地方马虎了事，对于严重暴力案件快侦快判的想法深入人心。如果没有经过细致的审核，便立即执行，万一出现了冤假错案，连挽救的机会都没有。在现代，那些作恶多端的罪犯因为核准程序还能苟延残喘一年以上，这曾经让他还觉得心里不忿。可是在这里看到了"立即执行"的场面，他瞬间就理解了严格、烦琐、细致的死刑核准程序的重要性。

冯凯不自觉地把陈三和赵丰收的案子的全部经过、证据情况、审讯情况像放电影一样在自己的脑海里又重新过了一遍，确保案件没有任何差错。

顾红星的心理感受比冯凯有过之而无不及，从中午回到办公室后，他就一直郁郁寡欢，一扫之前的兴奋情绪，不时地发呆。

冯凯一直安慰着自己，无论何时，他都一定是死刑的坚决拥护者。因为法律不仅仅只有"惩"的作用，更大的作用其实是"戒"。没有死刑的"戒"，很多怀有恶念的人就会把无辜的人命当成草芥。作为把恶魔亲手送下地狱的公安民警，他应该感受到的是自豪。可是这种安慰似乎没有什么作用，他做了一夜噩梦，梦中一个不知名的陌生人指着他的鼻子说"你冤枉了我，你害死了我"，把冯凯吓得几次惊醒。醒来后的冯凯，满身大汗地坐在床上，反思着，在这个死刑核准程序不完善的年代，他们办案真的要慎之又慎。送恶魔去地狱是他们的职责，而让人错失生命，那就是罪孽了。

"小顾，门口有人找。"肖骏从办公室门口进来，边走边说。

"哦。"顾红星低着头走出了办公室。

顾红星的样子很奇怪，像知道有人找他似的，显得不知所措。冯凯敏锐地观察到了这一点，于是站起身，从窗户向门口看去。这一看不要紧，吓得他一哆嗦。原

来，门口站着的，是花枝招展的费青青。

顾红星快步走到了门口，和费青青说起话来，费青青时不时地还掩嘴笑几下。她笑得很好看，却把冯凯笑得心惊肉跳。

虽然费青青只是来说了几句话就离开了，但是冯凯整个下午都心不在焉，无奈肖骏一直在办公室里，他也不好说什么。

晚上回到宿舍，冯凯迫不及待地对顾红星说："我给你讲个故事吧。"

顾红星正端着脸盆准备去洗漱，听冯凯这么说，乖乖地坐回了床边，听着。

"从前吧，有条狗，找到一块肉。"冯凯说，"它叼着肉回家的时候呢，经过了一片池塘。往池塘里一看，发现还有一条狗，叼着一块肉。它总觉得池塘里的狗叼着的肉更大更肥，于是就叫了起来，想要那一块肉。结果呢，嘴一张，它自己的肉掉池塘里了。"

顾红星先是一脸莫名其妙，很快又是一副憋笑的表情。他站起身重新拿起了脸盆，说："你才是狗。"

"我跟你说正经的呢。"

"我知道该怎么做。"顾红星头也不回地走出了宿舍。

有了顾红星的这句话，冯凯这一觉算是睡踏实了。一觉醒来，穆科长就让他俩赶去云泰市的云上县，这个县城是和龙番市南边接壤的，距离龙番市中心也有四十公里的路程。穆科长说，一大早云泰市公安局就打来电话，让他们刑侦科派员协查一个案子，但是因为电话信号不稳定，所以具体什么案情，市局总机并没有听清楚，只能让他们自己去看看了。

冯凯来这个年代一年了，已经基本了解清楚了，在这个年代，电话已经不是稀奇玩意，但是并不算普及，一般都只是每个单位有一台总机，然后接分机。在市内打电话，信号一般不会有问题，但是长途电话，通常会出现断线的情况，说起话来断断续续，很难把一件事情说清楚。

毕竟有那么远的路程，冯凯提出要动用局里唯一的那一辆吉普车，穆科长则不同意，非要让两个人骑自行车去。直到马法医主动提出要和冯凯他们一起赶去，而老马又没有自行车，穆科长才不得不同意去找局长要车。

开上了吉普车，冯凯突然觉得还不如骑自行车。虽然只有四十公里的路程，但他们开了一个多小时。基本上出了龙番市市区之后，就没有水泥路或是柏油马路了，有

无名尸

那么一段石子路和煤渣路还算是好的，大半路程都是在土路上颠簸，把冯凯都快给颠吐了。想到在现代，去哪个城市都是高速直达，再远了也是高铁直达，即便是到村里也有平整的村村通公路，冯凯真是觉得当时的自己有些身在福中不知福了。

不仅仅是颠簸，在这个连路牌都没有的年代，更别说导航了。出了自己熟悉的地域，想要找对地方，基本得靠问人。老马算是"龙番通"了，但是一进入云上县，他也两眼一抹黑。吉普车停了十几次，问了十几次路，这才找到了云上县警方说的现场所在位置。

云上县辖区和龙番市接壤的农村叫作夹沟镇，镇子下辖的大颖村是个有一百多户人家的村落。这些人家的田地旁边都有一些机井用来取水灌溉庄稼，而尸体就是在这种机井里被发现的。

因为最近云上县干旱少雨，机井水位急速下降，大颖村村民王年友于是想到对面已经废弃的机井里看看是不是水位都降了。这一看不要紧，他不仅发现这个废弃的机井本应盖上的石头井盖被打开了，还看见井里苍蝇萦绕，露出了一双脚底板。王年友给吓坏了，连滚带爬地跑去了镇子上的派出所报警。

派出所民警抵达后，通过仔细观察，发现机井里确实有一具头朝下的尸体，腰以上的部分全都浸泡在井水里，双腿则因为井内径过于狭窄而挺直朝上。井内径狭窄，尸体不能弯曲，这也给打捞工作带来了一些便利，派出所民警用绳套垂进井里，套住尸体的脚踝，然后将尸体打捞了上来。

死者是名男性，年龄不详。云上县的法医经过简单的搜索，发现尸体随身物品中并没有能够证明其身份的物件。唯一的线索就是死者身着一件印有"龙番发电厂"的工作服。因为尸体已经高度腐败，无法通过面容来进行身份认定，所以云上县公安局一方面派人赶往龙番发电厂去核对考勤表，从而确定失踪人员，另一方面打电话要求龙番市公安局派员协助侦查。

吉普车一停下，冯凯就迫不及待地跳下了车，强压着因为一路颠簸而带来的强烈反胃感。毕竟，作为驾驶员还晕车吐在了现场，是在丢龙番公安的面子。

"同志你好，你们到得挺快啊。"一名同样穿着白警服的年轻公安走过来和冯凯握了握手，然后摸了摸吉普车，说，"省会城市就是不一样，这出现场都是四个轮儿的。"

"啊，我们局，就这一……"顾红星连忙解释道，却被冯凯用肘关节戳了戳，才停了下来。冯凯心想，虽然他们应该是羡慕嫉妒恨我们，但是此时绝对不能丢了

龙番公安的脸。

云泰市和云上县的公安开来的，是两辆三轮挎子，停在井口旁边，威风凛凛的感觉。冯凯心想自己幸亏没骑个两轮自行车来，不然可就掉价了。连一个小县城，都有挎子，整个龙番市公安局都没几辆，看来回去得想办法说动尚局长把他们的"鸟枪"换成个"炮"。

老马打了个哈哈，说："开什么来不重要，重要的是为人民服务嘛。"

"说得对，说得对。"年轻公安有些害臊，说，"这尸体挺臭的。"

经他这么一说，顾红星最先闻到了弥漫在空气中的尸臭味，他不自觉地皱起了眉头。毕竟他们所站的位置，距离井口还有几十米的距离。相隔几十米就能闻到臭味，那靠近了会是什么样的感觉？顾红星不敢想象，这毕竟是他第一次见腐败的尸体。

"高度怀疑是龙番发电厂的人，我们派出去一队人调查了，估计还得一两个小时才能回来。"年轻公安说道，"我问了一下，发电厂距离这里二十公里呢，这肯定是熟人，才这么大费周折地抛尸。找到了尸源，案件也就好破了。"

"不会是跳井自杀吧？"老马一边慢慢地从包里拿出手套，一边说道。

"不会，头上都是伤。"另一名穿着白警服的老者说道，看来是云泰市的法医。

冯凯打量了一下眼前这个老者，想着，这年代，怎么法医全都是老头子？他们龙番也就老马这么一个宝，都不怕青黄不接的吗？看来是这个职业的特殊性让这个年代绝大多数年轻人望而生怯了。到现代，就好多了。

"老牛，你有接班人了吗？"老马微笑着看了看老者，又瞥了瞥刚才说话的、现在正在戴手套的年轻人。看来老马和老牛这两人关系很熟悉。

"他是侦查员，一天技术没学过，不过他自己有兴趣，我就带带他。"牛法医指了指年轻人，说道，"介绍一下，小杨，我们三个搁一起，牛马羊，赶上家畜聚会了。"

冯凯耸了耸肩膀，心想不管什么年代，干法医的都喜欢讲冷笑话。

这个年代，在哪里发现了尸体，就要在哪里现场解剖，毕竟连正儿八经的火葬场都没有几个，更不用说什么解剖室了。好在这里很僻静，尸臭也熏走了想来围观的群众，倒是个方便解剖的好位置。

"怎么？你没找个徒弟？"牛法医看了看冯凯和顾红星。

"嗬，两个人都是公安部民警干校的高才生，他是学技术的。"老马指了指顾红星，"不过，一看见尸体就抖，见到这个样子的，还不得吓趴下？"

顾红星欲言又止，很不服气，快走几步走到几个人的前面，想要用实际行动来证明自己并不害怕。可是，当他近距离看到尸体的时候，确实差点给吓趴下。

尸体的上半身因为浸泡在井水里，已经高度腐败，高度膨隆，上衣制服的扣子本是扣着的，都因为尸体的膨隆而胀开了两枚。尸体上半身的"粗壮"和下半身的瘦弱形成了强烈的反差。露在衣着外面的胳膊和脸呈现出暗绿色的模样，上面还有深浅不一的血管纹理。尸体的眼珠几乎全部突出了眼眶外，舌头也有大部分伸出了口部，就像是一个瞪着眼睛吐着舌头的绿色巨人。尸体穿着长裤，但小腿部位布满了蛆虫，还在不停地蠕动着。

2

冯凯有些嫌弃地站在解剖地点十米开外。

对于冯凯这个"身经百战"的"老刑警"，这种状态的尸体，他倒是看过不少，也没什么好大惊小怪的。但是这种不穿解剖服，几乎没有任何防护措施，仅仅戴着手套，就蹲在地上这样划拉尸体的，他还是第一次看到。当然，这个年代连白大褂都不一定配发，更不用说什么一次性解剖服、防毒面具什么的了。

冯凯亲眼看到，两个老法医在脱下尸体衣服的时候，暗绿色的尸水溅在他们的白色警服上，还亲眼看到有两只蛆虫爬进了老马的解放鞋里。他心里暗想，回去的时候，决不允许老马坐在副驾驶上。

顾红星就没有冯凯那么幸运了，他要负责照相，所以必须贴近观察。可是这剧烈的尸臭味，是顾红星从未闻过的，他几乎是用尽了全身的力气，来避免自己呕吐在解剖现场。

顾红星看着两名老法医和那个作为帮手的年轻人一起费力地从尸体上剥下衣物，脸上青一阵白一阵，还要在老马的不断提示下凑上前去拍照。拍照的时候，需要将相机抵近尸体，那股浓烈的恶臭更加令人无法忍受。顾红星总是长憋住一口气，然后将相机凑上前去、对准、调焦、按快门，十几张照片拍下来，顾红星因为缺氧都有些晕乎。

不一会儿，尸体上的衣服、裤子和鞋子都已经被脱了下来，被年轻人在身边的枯草地上摆成了一排。即便是脱离了尸体，但这些饱吸了尸水的衣服依旧恶臭难忍，上面还附着了不少白色、蠕动的蛆虫。

　　"尸表拍完了，你先去拍衣服吧。"老马转头对顾红星说，"等我们动完了刀子，你再来拍几张。"

　　"嗯，头上这十几个创口，很显然是奶头锤砸的。"尸体另一边的牛法医似乎已经得出了死因结论。

　　顾红星如蒙大赦，不管怎么说，衣服的气味总比尸体的好一些啊。他不再听两个老法医之间的讨论和推断，而是独自来到衣物旁边，戴上了手套，开始一边拍照，一边检查。尽可能地让老法医们拉动手锯、锯开死者头颅的声音不要钻进他的耳朵里。在之前办案的时候，他看见老马用手锯锯头，就很是不舒服，每一锯都像拉在了他自己的脑壳上一样。

　　尸体的衣物一共有五件：一件破旧的制服外套，一件大部分被尸水染成墨绿色的白色背心，一件黑色的裤衩，一条涤纶面料的蓝色长裤和一双黑色面、白色底的布鞋。

　　顾红星忍着胃里的翻江倒海，一会儿用手整理整理衣物，一会儿又拿起相机拍照。手套接触到衣物的时候，他能感觉到衣服上湿漉漉的，那种恶心的感受就又甚一番。顾红星犹豫着，自己刚碰完衣物的手套，又不得不接触相机，回去怎么才能把相机收拾干净呢。

　　冯凯似乎看透了顾红星的心思，于是走上前去，接下他手里的相机，担负了协助他勘查的任务。顾红星很是感激，朝冯凯竖了竖大拇指。对衣物检查的进展很快，背心和裤衩挺破旧的，没什么奇怪的，这个年代大部分人都是这样。破旧的制服外套之前已经被牛法医仔细检查过了，除了胸口有一个磨损得几乎消失的"龙番发电厂"字样之外，没有其他任何特征。倒是这条涤纶的裤子，引起了顾红星的好奇。毕竟在这个年代，这种面料是很时髦的，而且也不便宜。这一身破旧衣物的人，居然有这么一条时髦的裤子，这是个疑点。

　　经顾红星这么一说，冯凯低头看了看自己的布裤子，确实不一样。这个疑点，自己着实是发现不了的。在他的思维里，穿什么料子的裤子都是正常的，通过面料来发现疑点，这在陶亮十几年的警察生涯里，还没有过。

　　裤子因为尸体的腿挺直在井里，所以除了裤腰以外的地方都没有被污染。虽然裤兜里没东西，但顾红星还是趴在地上，对裤子的整体进行了观察。

　　"你看这是什么？"顾红星突然用激动到有些颤抖的声音说道。

　　冯凯凑近一看，在涤纶裤脚的位置，有一块暗褐色的印记，于是说道："你别告诉我，你又能找到指纹。"

顾红星没有搭话，而是从勘查包里拿出放大镜，几乎把上身贴附在地面，去看裤子上的印记。冯凯也凑近了一点，却被臭气又熏了回去。刚才不还恶心得不要不要的嘛，怎么看到了疑似的指纹，顾红星就好像闻不见味道了？

事实情况也是这样，顾红星确实因为精力的高度集中，忘记了尸臭的恶心，他趴在地上不断转换着角度，用照相机、放大镜、马蹄镜，看来去看了一个多小时。冯凯的腿都站酸了，也不知道顾红星为何不惧臭气的同时还能不知疲倦。

老马那边，通过一个多小时的解剖，解剖工作已经接近了尾声。最后一步，是检查死者的胃内容物，而两个老头儿却在这时吵了起来。

"这明明是红色！你见过红色的鸡吗？要是黑色，我还能觉得是乌鸡。"老牛说道。

"可是这就是鸡皮啊！鸡皮疙瘩、鸡皮疙瘩，你还见过什么吃的东西，是这样的？"老马吵架的时候，都感觉语重心长。

冯凯见两个老头儿吵架吵得面红耳赤，很是可爱，于是走上前去，看了看老马伸开的手掌上放着的东西。老马吵完，还不甘心，用一个勺子从死者的胃内又舀了一下，把那些半液体状的食糜倒在手上。液体从指缝里流走，剩下固体的胃内食糜。老马翻找了一会儿，又用止血钳夹出了一块，说："你看，你看，这还有一模一样的。"

冯凯眯了眯眼睛，说："两个老家伙吵什么呢，这不是红皮烤鸭的皮吗？"

两个老法医顿时愣住了，愣了好一会儿，老牛才说道："嘿，还真是，这个我怎么就没想到？"

"红皮烤鸭，我见都没见过。"年轻公安说道。

"我倒是见过，去北京的时候。但我一把年纪了，也没吃过。"老马陷入了沉思，说道，"我们龙番还真有一家饭店做这种红皮烤鸭，我听说过，但太贵了，没去吃过。就在，就在郭头镇，对！郭头镇不就是离你们云上县很近吗？我们来的时候还经过的！"

龙番市是南方城市，而且这个年代经济条件有限，人们勉强能吃饱肚子，哪儿来的红皮烤鸭吃？既然是个稀罕物件，当然就不能在老法医的"经验之谈"里了。冯凯更是没有想到，自己这么一瞥，居然把侦查范围给缩小了。

"一个男人，在发电厂工作，到郭头镇吃烤鸭，吃完四五个小时就死了。"老马沉吟道，"发电厂宿舍距离这里有二十多公里，不太可能是从那里被运来的吧？

背个尸体，还不得累死？那是不是第一现场，应该就在郭头镇呢？"

"只要知道尸源，案子应该就好办了。"老牛说道。

话音刚落，一阵发动机的轰鸣从远处传来，一辆两轮摩托，后轮带起飞扬的尘土向他们驶来。

"我们去发电厂调查的同志回来了。"老牛说道。

两名穿着警服的公安一路疾驰到了他们身边，灰头土脸地跳下车来，说："没有，他们龙番发电厂说，肯定没有失踪人员。"

"啊？"老牛吓了一跳。

"发电厂是管理很严格的单位。这尸体在这里估计有四五天了，如果是发电厂的员工，四五天不考勤，肯定要给处分的，厂里不可能不掌握情况。"老马已经脱了手套，摸着下巴上的胡须说道。

"厂里人说，他们的制服管理有问题，经常有员工丢失晾晒在屋外的制服，所以，怀疑这衣服是被人偷的。"

"那就麻烦了，这尸源到哪里查去？"还没脱手套的老牛又掰开死者的下颌，用手电筒把光打进死者的嘴里，说，"这牙齿，只能看出是三十到四十岁之间，没办法再精确了。"

冯凯心想，现代已经有了耻骨联合推断年龄的办法，可惜他是个侦查员，不会这办法，要不然可以帮他们再把年龄精确一些。

"只能从郭头镇的那个做烤鸭的饭店开始查了。"老马说。

"尸体都在这儿倒立好几天了，饭店老板能记得住吃烤鸭的人？"年轻公安问道。

"这年头，能吃得起烤鸭的人，不多吧？"老马说，"只能试试看了。"

"你们解剖完了，就这一个结果？"冯凯问道。

"四天到五天前，一个三四十岁的男人，吃了烤鸭，应该还喝了酒，四个小时后，被人用奶头锤反复击打头部导致颅脑损伤死亡。随后，尸体被凶手运到了这个鸟不生蛋的地方，扔进了井里。"老马掰着手指，慢慢地罗列着，说，"这么多线索，还不够啊？"

冯凯揉了揉太阳穴，心想线索是不少，但是从何查起呢？即便从饭店老板那里问出点什么，查清死者的身份也不会是那么容易的事情吧？

"我发现了血指纹。"顾红星拿着死者裤子的一块布料走了过来，说，"死者的裤子上，有一枚清晰的血指纹。喏，我把有血指纹的裤腿给剪下来一块，你们看看。"

大家都愣住了，因为大家都知道在一起命案现场中，发现血指纹意味着什么。

"不错！死者头部多处创口，会留下不少血，凶手手上也会沾着血，这时候拖动死者的裤脚，就会在死者的裤脚上留下血指纹。"老马拍了拍手。

"不，不是拖裤脚，凶手是架着死者的上半身拖动尸体的。"顾红星自信地说道，"死者的双鞋后侧都有新鲜的磨损痕迹，我们走路是不可能磨到鞋的后侧，所以肯定是拖动形成的。"

"哦，这个不和你抬杠，反正对破案也没什么用。"老马笑了笑说道。

"不，有用。"顾红星说，"凶手是架着尸体的上半身，向后退，尸体的双足后侧和地面摩擦，一直到井口。我刚才看了井口边，因为天气干旱，土地比较硬，但尸体的双足还是在土地上划出了两道摩擦痕迹。我沿着这两道摩擦痕迹寻找，发现在靠近井口的地方，这个痕迹发生了中断。"

"中断了是什么意思？"老马问道。

"中断了，就说明拖拽的过程中，在这里发生了停留。"顾红星说，"我判断，凶手应该是把尸体拖到这里，看位置比较隐蔽，就把尸体放下了，来到了井口边，掀开石头井盖。"

"井盖上没有指纹？"

"没有，井盖是粗糙的水泥块，不可能找到指纹。"顾红星说道，"因为掀开井盖需要很大的力气，而且井口边缘的土壤相对松软，所以凶手在井边留下了一枚残缺的立体足迹，初步看鞋底花纹，是解放鞋。再仔细看地面上的摩擦划痕，一直延伸到这枚立体足迹旁边。"

冯凯看了看井口，发现井口确实有一堆顾红星刚才倒上去的石膏，用来提取立体足迹。真没想到，自己这么一走神，这家伙居然干了这么多活儿。他难道不累吗？

"这口井是废弃井，如果足迹不是报案人的，那很有可能是凶手的。"冯凯点了点头，说道。

"肯定不是报案人的。"派出所民警插话道，"报案人穿的是布鞋，这个我很确定。"

"只能说，等我们有了嫌疑人，能和嫌疑人的足迹比对上最好，比对不上，也

不能说嫌疑人就没有嫌疑。"老马说道。

"如果我们可以确定那两条摩擦痕迹就是死者的鞋后跟摩擦出来的，这个痕迹的末端足迹和摩擦痕迹同样新鲜，加之井盖又能确定平时是闭合的，那么这枚足迹的证明效力就应该增强。"顾红星坚持己见，"我虽然无法单单通过地面的摩擦痕迹和足迹来判断它们形成的具体时间，但是可以结合死者鞋子来判断。死者鞋后跟的摩擦痕迹是非常新鲜的，说明很有可能就是死亡前磨损的。恰好，地面上又有条形拖擦的痕迹，和死者鞋后跟的摩擦痕迹吻合，这就说明地面上的拖擦痕迹是新鲜形成的。而那一枚足迹的新鲜程度和地面拖擦痕迹的新鲜程度吻合，说明足迹也是新鲜的。那么就可以证明足迹很有可能是凶手留下来的。对了，我看了死者布鞋的鞋后跟摩擦痕迹，一定是新鲜的，一定是和这里的地面摩擦形成的，只可惜，光线有问题，我没法拍摄得更清楚。"

这个复杂的逻辑题，让冯凯都仔细思考了一会儿，才想明白顾红星要表达的意思。

"用翻拍架啊。"年轻公安似乎没有想那么多，说道。

"我们没有。"

"我们有啊。"年轻公安一边说着，一边跑到一辆挎子旁边，从车斗里搬出一个灯箱和几个金属件。他只花了五分钟，就麻利地用扳手把几个零件组装了起来，和顾红星向往的翻拍架一模一样。

"可是，这荒山野岭，没电啊。"冯凯很是好奇。

"有这个。"年轻公安拿出两根连着电线的钳子，把钳子夹在摩托车的电瓶两极，然后发动了摩托车，灯箱一下子就亮了起来。他说："怎么样？随时取电！"

"你们居然有这么贵的东西。"顾红星有点羡慕，连忙把鞋子放到灯箱上，用支架固定好相机，进行拍摄。

"这一定能拍得很清楚。"顾红星一边拍摄一边说，"鞋后跟的磨损痕迹，甚至鞋底皱褶里夹杂的泥土沙砾都能拍得下来。"

"我说你有必要多此一举吗？"冯凯看着顾红星兴奋的样子，又好气又好笑，"你都拿到血指纹了，还搞这些没用的东西干什么？"

"证据当然越多越好。"顾红星像是想起了什么，壮着胆子拿起尸体的手，抹上黑墨水，在指纹卡上捺印着指纹，说道。

冯凯知道，这个年代可能还没有"证据链"这个新鲜的名词，但是顾红星已经意识到了证据种类多的优越性，算是超前思维了。

顾红星仔细地把死者的鞋子前后左右都拍了个清楚后，看年轻公安要收起翻拍架，赶紧又把刚刚凝固起来的石膏足迹拿了过来，进行了全方位的拍照。一番拍照后，顾红星这才恋恋不舍地看着年轻公安把翻拍架拆卸成多个组件，和取电的电线一起重新装回摩托车的车斗里。

"这个，看起来没那么复杂啊，不就是灯箱加支架吗？"冯凯走到顾红星的背后，说道。

顾红星回头看了看冯凯，没有说话，眼神里尽是羡慕。

"你有没有想过，领导不给我们买，我们可以自己做啊。"冯凯拍了拍顾红星的肩膀，在他的耳朵边说道。

顾红星再次回过头来，眼睛里闪着光芒。

"你以前不是当过玛钢厂的工人吗？手那么巧，还有我帮你，肯定能做出来这个东西的。"冯凯自信地一笑。

3

现场勘查和尸体检验已经结束，两地公安人员在一起商量了侦查破案的分工。因为尸体距离云上县火葬场比较近，所以由云上县公安局的同志们负责想办法把尸体送到火葬场去保存。

唯一能够做红皮烤鸭的饭店在龙番市境内，死者又穿着龙番发电厂的制服，所以对尸源的寻找，则落在了冯凯他们的肩上。一旦查明了尸源，则根据死者户籍所在地，来决定由哪一边公安负责主导此案侦查。

冯凯一行三人，凭借记忆沿着来时的道路返回，开了大约十公里的时候，来到了郭头镇。

老马不疾不徐地挪着步子，说："如果我没记错的话，红皮烤鸭就在这个镇子上。"

直到这个时候，冯凯还在因为能根据一个吃食寻找尸源而叹为观止，看来物资匮乏的年代，也有物资匮乏的好处啊。

随便问了几个镇子上的群众，一说到红皮烤鸭，大家都指了指镇子东边的"第五生产队食堂"，说里面的大厨郭有富的拿手好菜就是红皮烤鸭，只不过这种"独门绝技"不轻易展示，大家都没吃过，也不知道好吃不好吃。

吉普车开到了生产队食堂门口，冯凯大失所望。这个具有"独门绝技"的食堂，门楼子破破烂烂的，和其他生产队食堂没有任何区别。走进了食堂，他看到了正在忙碌地收拾着午餐残羹的老两口，应该就是会做红皮烤鸭的郭家老两口了。老两口衣着朴素，戴着蓝色的套袖，用抹布擦拭着破旧的木质餐桌。郭有富的裤子上还打了两个补丁，围裙上也有补丁。冯凯知道，这个年代，即便有人会做别人不会做的东西，也不能售卖，如果是私自售卖，那可就得担个投机倒把①的罪名。

"你们这是？"郭有富看见三名警察走进食堂，说道。

"我们就是想试试你家的红皮烤鸭。"冯凯嬉皮笑脸地说道。

"吃不起。"顾红星拽了拽冯凯的衣襟，小声说道。

"你们有介绍信吗？"郭有富说道，"来办公的，可以在我们这里吃饭，但红皮烤鸭没有，有两年没做了。"

"真的两年没做了？"冯凯盯着郭有富说。

郭有富的眼神有点闪烁，说："我们这是食堂，又不是饭馆，以前收成好的时候，生产队来领导了才会做。"

"可是你四五天前，明明做了嘛。"冯凯说道。

"你这是听谁说的。"郭有富笑得不太自然。

"你儿子，是在发电厂工作？"一直在一旁背着手溜达的老马问道。

"是，是啊。"郭有富有些慌张。

冯凯和顾红星则十分兴奋，他俩走了过去，发现老马已经走到了厨房内侧的隔间里。隔间是老两口平时居住的卧室，卧室斑驳的墙壁上，挂着一个大相框，相框里陈列着十几张照片。相框的右下角的照片，是一个年轻人在几根大烟囱前照的照片。他的穿着和现场尸体上的穿着一模一样，是一套制服，这制服，就是龙番发电厂的制服，而后面的大烟囱，正是龙番发电厂的烟囱。

"你儿子有几天没回来了？"顾红星急着问郭有富。

郭有富被这么一问，有点慌张，想了想，说："没有啊，他昨天晚上还回来的。"

"昨晚？"顾红星有些迷惑了。

---

① 投机倒把罪：即是犯了以买空卖空、囤积居奇、套购转卖等手段获取利润行为的罪名。1997年，此罪名已被取消。

无名尸

"来，我们还是说回烤鸭吧。"冯凯此时似乎心中有数了，把话题拉了回来，说，"提示一下，我们现在办的是杀人案，不是贪污案。"

"杀，杀人？"郭有富顿时慌了，说，"你是说唢呐吗？唢呐胆小，他不会杀人的，绝对不会。"

看来这个"唢呐"就是郭有富的儿子了。

"啊，唢呐他，他没事吧？他今天早上八点钟才去上班啊。"郭有富似乎又想到了另外一种可能，自己的儿子不会是被害人吧。

"他没事，他好得很。"冯凯想起了去发电厂调查的民警带回来的结论，于是说道。

"那就好，那就好。"郭有富和老伴吓得发白的脸，突然有了些血色。

"我们还是说说烤鸭的事情吧。"冯凯拉着郭有富坐了下来，说，"大概四五天前，你做给谁吃了？"

郭有富想了很久，声音有些颤抖地说道："我真该死，这种社会主义蛀虫干的事情我真的不该干。上个礼拜几我忘记了，也就是四五天前吧，食堂买了只鸭子，准备做给大家吃。结果被我那不孝顺的儿子看到了，他说自己的大哥非要吃红皮烤鸭，让我克扣下来半只做给他和他大哥吃，不然他大哥会找他麻烦。唉，我这个儿子啊，交友不慎啊，和这个混混勾搭上了，还不知道会出现什么事情呢。"

"你说的他大哥是谁？"

"就是我们镇子上的郭金刚，天天不务正业，游手好闲，没人敢得罪。"郭有富说完，又有些后怕，说，"你不会和他说，是我说的吧？"

"放心，绝对保密，他永远也不可能知道这些。"冯凯说道，"那天，只有你儿子和郭金刚吃了红皮烤鸭吗？"

"那肯定，我只留下半只鸭子的后腿做了烤鸭，其他的部分，还是剁碎了烧大白菜给乡亲们吃。晚上他俩边吃边喝到晚上七点多，天都黑了。"郭有富说，"之所以只弄那么一点，是因为我也不能苦了队里的乡亲们啊。当时郭金刚还说我小气，只做了这点儿。"

"那，郭金刚这个人，还有他的家庭是个什么情况？"冯凯趁热打铁。

郭有富见公安们居然不追究他贪污的事情，似乎放松了点，说："是个坏人，彻头彻尾的坏人。三十来岁了，天天就是偷鸡摸狗、打架斗殴，镇上的人都怕他，绕着他走。我那不孝子唢呐一个月不到四十块钱的工资，估计有一半都'孝敬'给那家伙了。哦，对了，他看到唢呐的制服不错，就要去穿，唢呐买了条的确良的裤子，还没穿热乎呢，也被他'借'去了。你说，衣服裤子都给他扒了去，再这样下去，不就是给他当狗的份儿了？"

冯凯和顾红星不约而同地对视了一眼，两人的眼神里都充满了兴奋。

"郭金刚的家里人，我不是很了解。"郭有富说，"就知道有个老婆，在市里当护士，比他小十岁，年轻漂亮。听说每个月工资也都给他挥霍得差不多了。刚结婚没一年吧，还没孩子。真不知道这姑娘是咋被他骗到手的。"

"做完烤鸭后的最近几天，你看到他了吗？"冯凯说，"你儿子有提过他吗？"

"没看到过了，我儿子这几天连续上班，到下礼拜才能连休。"郭有富连忙说，"不信你去发电厂问问，我家儿子绝对不会干杀人放火的坏事的。"

"郭金刚家，住在哪里？"冯凯问道。

"镇子东边，具体的位置我不清楚，得等我儿子回来问问才知道。"郭有富说，"不过他上连续班的话，晚上是不回来的，太远了嘛，坐完了公交车，还得走十几里路。所以他平时都住厂里宿舍。昨晚回来是拿换洗衣服的。"

"行了，你的秘密我会帮你保守，我们来问你话这事儿，你最好也别和别人说。"冯凯嘱咐郭有富。

郭有富连忙顺从地点着头，说："谢谢公安同志给我改过自新的机会，我一定痛改前非、好好做人。我也会让我家唢呐好好做人，远离坏人！"

冯凯觉得好笑，四分之一只鸭子而已，就搞得像是罪大恶极的罪犯，他算是明白了"纯朴"两个字究竟怎么写了。

冯凯不想让更多的人知道他们的调查进度，所以没去镇子上的派出所，而是驾车直接朝镇东去了，遇见一个路人，他停下车来问道："老乡，郭金刚家怎么走？"

路人皱了皱眉头，又打量了一下穿着警服的冯凯和吉普车，摇摇头，说："不知道。"说完，就急急忙忙地绕着走开了。

冯凯很是无奈，跳下车来，拉住另一个路人，问道："请问郭金刚家怎么走？"

这个路人挣脱了冯凯，低着头快速离开。

"这，这都是什么意思？"顾红星一脸不解。

"避瘟神哪，你懂不懂？"冯凯说，"这个郭金刚，别人都把他当成瘟神呢，没人敢招惹。"

无名尸

"那可怎么办？"

"你们觉得，这具尸体就是郭金刚对不对？"

"那肯定是。"老马摸着下巴上的胡须说，"衣服裤子都对得上，肯定和他有关。要么是他被杀了，要么是他杀了人，和人换了衣服。后者可能性很小啊。"

"好。"冯凯点了点头，跑到路边的一架板车上，站了上去，喊道，"乡亲们，郭金刚完蛋了，以后永远也回不到这里了，为了你们的安全，你们得告诉我们郭金刚住在哪里。"

冯凯用了个一语双关，无论是哪种情况，郭金刚确实都回不到镇子上了。

几名群众眼神疑惑地看着板车上的冯凯，也有几名群众半信半疑地犹豫着。冯凯敏锐地捕捉到那些半信半疑的眼神，跳下板车，拦住了他们的去路。

"你们看到了，我是公安，政府会欺骗你们吗？"冯凯说道。

一名群众迟疑地举起了手臂，指了指远处，说："那边，邮局的后面有个小院，就是他家的。"

"谢谢啦！"冯凯蹦跳着回到车上，一脚油门就开到了镇邮局的后街小巷。

目标院落静悄悄的，可是大门却是虚掩着的。顾红星推开院门，向里面看去。院子里是三间小房子，除了中央的卧室以外，左右两侧是厨房和茅厕。院子不大，一眼就能尽收眼底，肯定是没人。院子里堆放着不少玻璃酒瓶，有啤酒和白酒的，看来郭金刚还真是个酒虫子。

顾红星戴上手套，迈进了院子里。冯凯下意识地想拦住他，在现代，没有搜查证就随便进入别人家里可不行，就算搜到了东西，也不能当证据用。可是他转念一想，在这个时候，可没那么多规矩，要是也像现代一样要开车回去办证再回来，就得天黑了。

郭金刚的家里陈设很简单，墙上贴着一张毛主席画像的日历，破桌子、破床，除了卧室的电灯以外，就找不到其他家用电器了。家里的桌上有一层浮灰，看来主人是有好几天没有回家了。家里的角落里都散落着酒瓶，显得很凌乱，而大衣柜里的换洗衣服却折叠得很整齐，说明家里是有女人张罗的。

老马还在卧室中徘徊着，良久，他在五斗橱上找到了一个小相框，里面是一张三十岁左右的男子和二十来岁的女子的半身合照。冯凯知道，这就是那个年代的结婚照了。那时候的结婚照都只是拍个半身合影，然后放大到六七寸，还是黑白的，不像现在的结婚照那么麻烦。他想起自己和顾雯雯拍结婚照的时候，用了照相馆三套衣服加上他们俩自己的警服，拍摄了整整一天的时间，从早上六点到晚上十点半，给他累得够呛。不过现在想起来，真是幸福而甜蜜。

"嗯，死者就是郭金刚。"老马摸着自己的下巴，说道。

"这都看得出来？"顾红星走过来看了看，说，"有点玄乎了吧？"

"你懂啥？"老马慢吞吞地说，"这就是法医的慧眼。"

"人死了，就不好认了，这是你之前说过的话。"

"普通人是不好认，但法医还是能认出来的。"老马说，"从五官的位置，还有颅骨的形状就能认出来，不过这需要几十年的经验积累。"

顾红星笑着摇了摇头，继续在地面和桌椅上寻找着什么，每次看到鞋子，还要拿起来看看鞋底花纹。

冯凯知道顾红星不信老马，但是他是信的。再过二十年，颅相重合技术就要问世了，说白了也就是用计算机来比对颅骨和照片，看五官位置和颅骨形状吻合不吻合。老法医的经验有的时候并不比计算机差。

冯凯和老马搜了一圈，除了那张结婚照之外，就没有再找到什么其他的东西值得带走了。而顾红星则是收获不小，他从现场的酒瓶、茶杯、碗碟上黏附了不少指纹。冯凯这才从自己的固定思维里跳了出来：在二十一世纪，只需要一个DNA就能明确死者的身份，而在现在的年代，指纹确定身份的作用是唯一性的。

"哎，你看这床腿上，是不是有几滴红色的东西？"老马戴着老花镜，指着床腿说道。

冯凯也凑前看了看，床腿上有几滴尾端带有毛刺的红色印记，很像是血迹。可是现场的茶几金属件都是红色的油漆，也不能排除那是油漆。冯凯说道："你有没有那种一滴试剂就能判断是不是人血的东西？"

老马看了看冯凯，说："你小子懂得还挺多啊。联苯胺是吧？这个我还真没有。"

"那怎么办？用棉签蹭一下，看能不能蹭下来？"

老马点了点头，从勘查包里掏出一包棉签，拿出一根用水浸湿，然后擦蹭了几下。床腿上红色的印记果真被蹭到了棉签上。

"看来是血迹，回去我看看血型，和死者的能不能对得上。"老马说。

"应该能。"顾红星说，"现场的这个水泥地面，有明显的被打扫的痕迹。犯罪分子杀完人之后，打扫了现场。所以，我找不到足迹，你们也找不到其他血迹。还有，你们看，床单枕套是洗干净的，我感觉是杀完人后，刻意换上的。"

无名尸

"在床上杀人的可能性大。"老马说，"死者是额部受伤，枕部却没有衬垫伤①，用锤子打了那么多下，没有衬垫伤，只有可能是在枕头上。而且，十几次打击位置密集，说明死者没有躲避和抵抗，很有可能就是睡觉的姿态。"

"你说，究竟是什么人会杀他？"顾红星自言自语道。

"这人凶神恶煞一样，一般人不敢得罪。"冯凯说，"但是他天天欺负人，总有人会仇恨他吧？"

"我刚才看了，大门没有撬压痕迹，院墙上也没有攀爬的痕迹。"顾红星说，"凶手只有可能是从大门进入的。既然死者是在睡眠状态下被打击，那就不是敲门入室了。看来，凶手要么就是家里人，要么就是大门没关好，让凶手溜门入室了。"

"你说，一个溜门入室的人，杀了人，直接跑就是。为什么还要费尽心思打扫现场？换床单枕套？把尸体移出去十几公里？"老马说道。

三个人一起陷入了沉思。

"不管怎么说，先得确认一下死者的身份。"顾红星扬了扬手上的十几张指纹卡，说道。

"还有，得把他老婆尽快找到。"冯凯又看了看结婚照，说，"姑娘长得挺漂亮，怎么会嫁给一个人渣呢？"

"人渣？嗯，这个词好，这个词很有概括性啊。"老马哑然失笑。

"咱们龙番市有多少医院？"冯凯问道，"既然是护士，应该很好找吧？"

"除了几家医院以外，还有乡镇卫生院呢。"老马说，"我看，不是很好找。"

"我去问。"冯凯风一般地冲出了院落。不到十分钟的时间，又风一般地跑了回来，他说："问到了，龙番市人民医院，急诊科。"

"急诊科？"顾红星涨红了脸，说，"那，那是林医生她们科的。"

"不知道叫什么名字，大家都喊他丫丫。"冯凯说，"和唢呐一样，连续上班的时候，她住在宿舍，连续休班，就回家来。但是邻居已经有一个多礼拜都没看到过她了。"

---

① 衬垫伤：身体某个部位受到外力打击，该部位对侧的身体部位和地面或物体接触，因为力的作用形成损伤，称之为衬垫伤。比如，打击一名仰卧的人的额部，其枕部和地面接触，也会有相应的损伤，这个损伤就是衬垫伤。

"怪不得家里浮灰这么多，看来她也是好几天没回家了。"顾红星说完，看了看冯凯的眼神，说，"你不会怀疑就是她干的吧？"

4

从郭头镇开回龙番市，有二三十公里路，他们开了半个多小时。一路上，顾红星都有些心不在焉的样子，一回到公安局，他就迫不及待地钻到办公室里，用马蹄镜开始看指纹。

老马也没有闲着，拿出了棉签，在生理盐水中浸泡，开始做血型。

半个小时后，最先得出结论的是老马。老马说："现场床腿上的，是血。B型血，和死者的一样。"

"耶！"冯凯挥舞了一下拳头。

"我都说了，看头型，就是郭金刚。"老马说道，"当然，还是得红星那边最后确定。"

冯凯转头看向顾红星，没想到这家伙并没有像平常那样趴在马蹄镜上，头也不抬，反而是面色惨白地靠在椅背上发呆。

"干什么呢你？"连冯凯走过去都没有打断顾红星的思绪，只能用手在他的眼前挥了挥。

顾红星像是从睡梦中惊醒了，说道："现场找到的几枚右手拇指，都是属于两个人的。其中一个是死者郭金刚。"

冯凯又"耶"了一声，从住处找到的大量指纹，都能印证是死者的，那就说明这个死者属于这个住处。看来身份认定是没有错的，这个全镇子人视作瘟神的郭金刚是真的被杀死了。

"你把案件往前推进了一大步啊。"冯凯说，"应该高兴才对。"

"可是，另一枚指纹我也见过。"顾红星茫然的眼神转了过来，盯着冯凯，说，"就是那一枚在死者涤纶裤子上留下来的血指纹。"

这样说起来有点绕，冯凯皱眉想了一会儿，这才反应了过来，说："好啊！一个家里最常见的两个人的指纹，当然是夫妻两个人的指纹。说明，那枚血指纹就是死者妻子的啊。你说过，血指纹是最有证明效力的指纹类型，那就说明他妻子丫丫就是作案凶手啊！你看，我怀疑的，没错吧？"

无名尸

"可是，可是林医生现在就和杀人凶手在一起啊！"顾红星说完，腾地从座位上跳了起来，向办公室门口跑去，却被冯凯一把拉住了。

"如果丫丫真的是杀人凶手，那她现在已经和林医生在一起工作至少四五天了。"冯凯说，"如果会对林医生不利，早就动手了。"

"不，案件没发案的时候，她不会。现在有可能她知道案件发案了，说不定就会！"顾红星挣脱了冯凯，向宿舍跑去。

冯凯摇了摇头，心想，也可以理解，即便是一个乐观主义者，在涉及他最关心的人的时候，也会变成一个悲观主义者。就像他一样，如果顾雯雯下班回家晚了，他就会各种胡思乱想，是不是遇见歹徒了？是不是交通事故？

冯凯跟随着顾红星的脚步，追了出去。两个人一刻不停地奔跑到了他们的宿舍楼，向二楼奔去。虽然他们和林淑真住在隔壁，但是因为医生和警察这两种职业加班夜班都多，他们见面的次数还真是不多。

顾红星跑到林淑真宿舍的门口，喘了几口气，像鼓足了勇气一样，敲了几下门。

屋内有拖鞋的声音，过了一会儿，林淑真拉开了门，从门后面露出了半张脸。一见门外的是顾红星，林淑真的表情变得非常复杂。她先是有些惊讶，紧接着双眼的神色就黯淡下去，低垂着眼帘说了一句"我在睡觉"，然后大门就关上了。

莫名其妙地吃了一个闭门羹，让顾红星很是纳闷，他愣在门口半天，不知所措。

冯凯苦笑了一下，对顾红星说："都说了，让你别张嘴，肉会掉的。"

说完，他拉开顾红星，重新敲响了大门，说道："林医生，我们是有公务找你。"

房间里静悄悄的，没有声音。

"是真的有公务，涉及了你的安全。"冯凯喊道。

"我安全得很。"林淑真的声音从房间里传了出来。

"你把门打开，我就说一句话，如果你还不想听，我们就走。"冯凯不确定宿舍里有没有其他人，因此没有在楼道里说出案情。他侧脸看了看身边还在发呆的顾红星，又对门里喊道，"现在就我一个人了。"

过了一会儿，大门再次被打开，林淑真站在门口，用手梳了梳头发，说："你说吧。"

"丫丫是个杀人犯。"冯凯看了看宿舍里，没有其他人，于是低声说道。

林淑真瞬间被惊着了，她瞪大了眼睛，下意识地向屋内的另一张床看了看，说："你们胡扯什么？"

"你想知道原委吗？让我们进去说。"冯凯左右看了看，说道。

林淑真也知道这种事情在公共宿舍的走道里说，肯定不合适，所以犹豫了一下，把大门拉开，侧身让两人进屋，还小声嘀咕了一声："你不是说就你一个人吗？"

顾红星此时也回过神来，他似乎通过察言观色知道了一些信息，于是指了指那一张空床，说："丫丫就住在这里？"

林淑真似乎不太想搭理顾红星，但是冯凯刚才的那句话实在是太出乎意料了，所以她有些不情愿地点了点头，说："她连班的时候，住在这里。"

顾红星走到床前，看床铺下面整齐地摆放着两双白球鞋，拿起来看了看鞋底，摇了摇头。

"丫丫大名是什么？"冯凯问道。

"袁婉心。"林淑真说。

"她结婚了你知道吗？"冯凯接着问。

"大概知道，好像听她说过，她的父亲给她相的一个婆家，住在哪个镇子上。"林淑真说，"但是她几乎不提她的丈夫，大家有的时候会说，她一个市里的姑娘，怎么嫁到乡里去了。"

"这几天，她一直住在这里吗？"

"四五天前吧，啊，应该是上礼拜三，晚上大概九点多钟，她明明应该连休回家的，但还是跑来宿舍了。"林淑真想了想，说，"当时她好像不舒服，回来就躺在床上睡了，我也就没多问。后来她的两个休息日，正好是我的上班日，所以我也不知道她在宿舍干什么，但肯定没回家。这几天轮到她上班了，今天也是在班上呢。"

"不舒服，嗯。"冯凯点了点头，说，"她的丈夫在那天晚上被人锤杀了，尸体抛进了井里，尸体上有她的血指纹。"

林淑真再次瞪大了眼睛，瞪了冯凯半天，才结结巴巴地说道："这，这，这怎么可能，不，不可能！她怎么会杀人！"

"即便不是她干的，她也一定是帮凶，不然血指纹哪里来的呢？"冯凯斩钉截铁地说道，"她不可能把'杀人犯'三个字写在脸上，一旦她知道公安开始调查此案了，很有可能对你不利。你不知道，因为担心你，小顾刚才差点把鞋子都跑掉了。"

后面这句话有些唐突，让顾红星和林淑真两人不约而同地脸红了。

"不，我还是不相信，我不相信丫丫会杀人。"林淑真摇了摇头，说，"她现在就在科里，我带你们去问她。"

"也行。"冯凯点点头，等待林淑真把拖鞋换成了白球鞋，和她一起向人民医院走去。

路上，顾红星问道："你的那双解放鞋，换了？"

林淑真头也不回，爱搭不理地说："医院发的，一人三双。"

很快，三个人来到了市人民医院的急诊大厅。大厅里很忙碌，不时地会有人被两个人架着、一个人背着跑进大厅，几名医护人员推着移动担架迎过来，把伤者或患者放在担架上，然后推进两扇活动木门里。

"你们医院这么忙啊？"顾红星咋舌道。

"反正不像你，有那么多闲工夫。"林淑真回道。

顾红星莫名其妙地想，他也很忙啊，什么时候有闲工夫了？冯凯倒是心里明白是怎么回事，但是破案要紧，他只是哑然一笑。

还没有走进急诊科的医生办公室，又有两名医生和三个护士推着移动担架跑了出来。林淑真走上前去，一把拽住了一个穿着护士服、白球鞋的姑娘，说："丫丫，他们说你用锤子杀了你丈夫，还抛尸到井里。"

和林淑真刚听到那句话的反应一样，这个姑娘先是诧异地瞪大了眼睛，好一会儿，眼神黯淡了下去。

这突如其来的变故，让冯凯猝不及防。他怎么也想不到，这个马大哈的林淑真，居然就用直接质问的方式来和犯罪嫌疑人交流。之前他已经在脑海里想好的好几种审讯策略，在这一瞬间就全部失效了。

"莽撞啊！莽撞！"冯凯一边低声自语着，一边做好了准备，防止袁婉心乘其不备逃离或者自残，甚至是拿林淑真当人质。一方面，他又不敢贸然上前制服袁婉心，毕竟她和林淑真离太近了，他怕他刺激到了这个隐藏的凶犯。毕竟他曾和很多杀人犯打过交道的，知道这些人都是亡命之徒。这些杀人犯会觉得杀一个人和杀两个人的结果都是死，所以绝大多数都会在走投无路的时候，负隅顽抗。

双方僵持了好一会儿，袁婉心抬起头来看着冯凯，说："是的，是我杀的，你抓我吧。"

这个回答让所有人都大吃一惊。顾红星和冯凯完全没有想到这么容易，就能让杀人犯就范；而林淑真已经惊得说不出话来，眼泪不自觉地流了下来，无法抑制。

冯凯没有被林淑真的情感所感染，他走上前去，给袁婉心铐上手铐，说："走吧，去公安局里说。林医生，你也一起，我们需要记录你的口供。"

袁婉心没有抵抗，也不扭捏，她举着被铐在腹前的双手，昂首向医院大门走去，一脸的落寞。细心的顾红星此时发现，急诊大厅里各式各样的人都向这边投来了好奇的目光，于是摘下了自己的大盖帽，放在袁婉心的手上，算是遮挡一下那副闪着寒光的扎眼的手铐。

回到公安局，冯凯叫上穆科长一起，把袁婉心带到了审讯室里，铐在了审讯椅上，准备开始审讯。而对林淑真做询问笔录的任务，就落在了顾红星的肩上。在这个年代，公安局还没有设置专门的办案中心和规范的询问室，所以顾红星把林淑真带到了自己的办公室里进行询问。

此时的林淑真，还是抑制不住自己的泪水，她语无伦次地说道："她不可能杀人，她人那么好，所有同事都喜欢她。"

看到林淑真拿着她那块绣着绿色文竹的白色手帕，擦着不断奔涌而出的眼泪，顾红星更是手足无措，他也不知道该如何安慰林淑真，只能从抽屉里拿出指纹卡，耐心地告诉林淑真，他们是如何判断袁婉心是杀人凶手的。正在说着，老马从审讯室里采集的袁婉心的指纹也送来了，顾红星用马蹄镜只是看了一分钟，就说："完全不错，那枚血指纹就是丫丫的。指纹是一种很特殊的东西，全世界每个人都不一样，所以这个绝对不会错的。"

顾红星的"安慰"让林淑真更加失控，她喊道："不！不可能！她不可能杀人！"

相对于笔录受阻的顾红星，冯凯那边的审讯则进展得非常顺利。

"你为什么要杀他？"既然袁婉心已经招了，冯凯就开门见山地问了。

"因为他喝完酒就打我，我受不了了。"

"你是怎么杀的他？"冯凯问。

袁婉心不知道是过度激动还是交代后的骤然放松，似乎有些虚脱，坐在椅子上都有些摇摇晃晃地说："用锤子，锤子我扔了。"

"打了多少下？打在哪里？"

袁婉心沉默了一会儿，说："我不记得打了多少下，但打的是头。"

冯凯点了点头，看来口供都能对得上，他说："然后呢？"

"然后我把他扔井里了。"

"哪口井？"

"不记得了，随便找的。"

"你是怎么把他弄到井边的？"

袁婉心又沉默了一会儿，说："我平时骑自行车，我用我的自行车运的。"

冯凯还想再问些什么，被袁婉心抢先一步打断了，她说："你不要再问了，人是我杀的，你们快点枪毙我就行了。"

说完，她趴在了审讯椅的台子上，不再说话。任凭冯凯再怎么询问，她都缄口不言。

"行了，送去看守所吧，等她情绪稳定了再说。"穆科长站起身来，拍了拍冯凯的肩膀，说，"你不错，你是福将啊。"

穆科长和冯凯回到办公室，林淑真还在那儿哭着，而顾红星眼前摆着的笔录纸上，还是空白一片。

"别问了，我们送她回宿舍吧。"冯凯招了招手，和顾红星一起扶起哭成泪人似的林淑真。

林淑真拽着冯凯的衣袖说道："真的不是她，不是她！"

冯凯说道："你放心，我们会调查清楚丫丫被家暴的，啊，就是被她丈夫殴打的事实，说不定她不会被判死刑。"

说完，冯凯又后悔了。这个年代，并没有"少杀、慎杀"的理念，对于严重暴力犯罪，都是快判重判，没有人会等到他调查齐了袁婉心其实是受害者的证据。即便能调查齐证据，也不一定会因为死者过错在先，而对袁婉心减轻判罚。

以目前的口供来看，袁婉心大概率是会被枪毙的。即便不看口供，证据也显示，袁婉心有最大的作案嫌疑。

将林淑真送回了宿舍，冯凯和顾红星也回到了隔壁。因为不到一天的时间就顺利破获杀人案，穆科长非常高兴，让他二人早点回去休息，还给了他俩一天的假期。可是，这两个人压根没有休假的心思，当天晚上也一直难以入眠。

顾红星直到后半夜，才迷迷糊糊地睡着。梦中，他看见袁婉心被拖到刑场之上，被冲锋枪顶住了后脑勺，随着一声枪响，顾红星被惊醒了。他坐在床上喘着粗气，看见对面的冯凯也并没有睡着。两个人在黑暗中对视了一会儿，不约而同地起床穿衣。

"你去哪儿？"

"现场。你呢？"

"我也想再去郭金刚家里看看。"

"走！"

5

此时已经凌晨四点，夜空中还有星星闪烁着。宿舍的楼道里，林淑真趴在栏杆上，仰望着星空。即便是冯凯和顾红星莽撞地打开宿舍门，也没有吸引她的注意力。

"林医生，你这是？"冯凯倒是给楼道里的人影吓了一跳。

林淑真缓缓地转过头来，疑惑地看着两人。

"啊，我，我们想再去现场看看，确认一下。"顾红星不知道为什么，感觉自己有点害怕林淑真了。

"能带上我吗？"林淑真盯着冯凯，说道。

冯凯有些不知所措，转头看看顾红星，迎上了顾红星期许的目光，于是说："可以是可以，但我们得骑车去，而且，很颠。"

"我不怕颠。"林淑真似乎恢复了以前的模样。

为了让林淑真坐在顾红星的车架上，冯凯找了一大堆理由，说什么自己太困了骑车不稳，说什么顾红星车技好一些等等，可是都没有用。因为林淑真还是毅然决然地坐在了冯凯的载物架上。这就导致了他们两个小时的路程中，顾红星都闷闷不乐，一言不发。

在天蒙蒙亮的时候，他们骑车来到了郭头镇派出所，因为郭金刚家作为命案现场，已经被派出所上了锁。看到冯凯他们三人这种奇怪的组合，值班民警只是笑了笑，就拿着钥匙带他们去现场了。

"郭金刚本来不是我们镇子的人，是因为他的父亲调动来我们镇政府当了几年的文书，政府就给他分了那个小院子。"民警说道，"后来他父亲退休，回老家照顾老人，而郭金刚则来政府撒泼要赖，不愿意把小院子还给政府，于是就等于把这房子霸占了。其实这个房子还是政府的。"

"家属通知了吗？"冯凯揉着酸麻的臀部，问道。

"没有，昨天下午才接到你们的电话，就了解了这些情况，我们准备天亮后安排人去郭金刚的老家，不远，十几公里。"民警说，"郭金刚的母亲脑中风瘫痪在家里，平时是他父亲照顾，他从来也不回去探望一下。"

说话间，就来到了郭金刚家的小院，民警上前用钥匙打开了院门。

冯凯走进了院内，打开了卧室的灯。卧室里的陈列和昨天白天来的时候并无二致，除了地面上是被打扫过以外，并没有什么其他可疑的地方。

两个人在房间的各个橱子里搜查了一番，顾红星找到一个铝制的小铁盒，里面装着手术刀柄、刀片、缝针、缝线还有注射器。

"这是我们每个人都有的。"林淑真解释道，"有的时候，需要在家里练习注射和切开缝合，这是我们急诊科每位医护人员必须熟练掌握的技术。"

"我的意思是，如果她有更顺手的杀人凶器，为什么要选择锤子呢？"顾红星低声说道，"如果我没记错，注射器和手术刀都能杀人吧？"

"对，空气针就行。"林淑真给顾红星抛去了一个感激的眼神。

顾红星没再继续这个话题，而是独自一人出了卧室，走到了东头的厨房，打开电灯。昨天白天，他们主要是搜查了卧室，而对厨房，并没有仔细观察。此时，顾红星才发现，厨房灶台上的锅里，有被烧焦的油麦菜，而旁边的小煤炉上放着一个铝锅，里面的米饭也都结了厚厚的锅巴。

顾红星找来一根树枝，捅了捅炉灶，发现灶台下面的柴火和小煤炉里的蜂窝煤都已完全烧成了灰烬，是自然熄灭的，而不是人为熄灭的。他皱着眉头低头沉思的时候，突然发现厨房的土地面上，有一处暗褐色的滴状痕迹。

顾红星趴在地上，用嘴吹掉地面上的浮灰，仔细地找着，很快就在痕迹的附近找到了其他几滴类似的痕迹。他从包里拿出棉签浸湿，将痕迹擦拭了下来。

"你趴在地上干吗？"在一旁观看的林淑真终于忍不住了，上前问道。

"你看这是什么？"顾红星指着痕迹说道。

"酱油？醋？"林淑真问道。

顾红星微微摇摇头，却因为激烈的思考而没有搭理林淑真。

林淑真噘起小嘴，走了出去。

"我们去抛尸现场吧？"顾红星提取好暗褐色的痕迹，走出了厨房，对冯凯说道。

冯凯点点头，也从卧室走了出来，拍了拍派出所民警的肩膀，说："麻烦你了，你回去吧，我们要去抛尸现场看看。"

坐在自行车载物架上两个多小时，可不是一件快活的事情，听说又要骑车，林淑真有些面露难色。

顾红星注意到了这一点，体贴地说："时间还早，我们走一段路再骑车吧。"

三个人在清晨的薄雾中，走了半个小时，尽情呼吸着新鲜空气，压抑了很久的

心情也得到了一些缓解。直到林淑真主动提出"我们骑车走吧"，三人这才跨上自行车，靠着记忆，向抛尸现场进发。

又骑了快一个小时，他们才到了现场的水井。这个地方很偏僻，现场也没有采取什么保护措施，通过被三轮摩托和吉普车轧伏的杂草，他们很快找到了现场的水井。

顾红星走到水井边，看着昨天留下的石膏的白色痕迹，又趴在地上，观察那些被死者鞋跟拖擦而形成的痕迹。

"我觉得不对劲啊。"冯凯看着天空，说道，"我们从现场骑车过来至少要一个多小时，从现场这里，回到咱们公安局，恐怕得要三个小时。厨师郭有富说，那天晚上，郭金刚吃饭到七点多才走，而丫丫九点多就到了宿舍，这时间来不及啊。"

顾红星抬起头，看着林淑真，像是在征询她的意见。

"就是九点多！我不会记错的。"林淑真发誓赌咒一般地说道。

"还有一个问题。"顾红星说，"我记得老马说过，死者是在吃红皮烤鸭后四个小时才死亡的，对吧？"

"就算他六点钟就把烤鸭吃了下去，十点钟才死啊。"冯凯似乎也想起了法医们的推断，"不过不知道法医推断得准不准。"

"而且，女式自行车的后架上，能驮一具尸体，还不被路人发现吗？"顾红星说道。

冯凯看了看自己的自行车后架，然后点了点头。

"还有，痕迹这边也有问题。"顾红星指着地面说道，"我在现场的时候就说了，尸体是被架着上半身在地面拖行的。一般拖着尸体走的，都是一个人作案。因为两个人，就可以抬了，那样更省力。可是，一个人作案的话，要架起一个大男人的上半身，那么瘦弱的丫丫能做到吗？"

"难道当时丫丫正在掀开井盖？"冯凯问道。

"井盖是石头做的，凶手掀开井盖的时候，甚至都在干涸的泥土上留下了足迹。"顾红星说，"同样，我认为一个弱女子是无法独自掀开井盖的。而且，我说过，尸体在拖行的时候，发生了中断，也就是说，最大的可能是凶手拖着尸体走到井边，把尸体放下来，然后去掀开井盖，再把尸体扔进去。如果有人帮忙掀开井盖，就没有必要停顿了。"

林淑真左看看冯凯，右看看顾红星，虽然她不知道这两个人说这么多是什么意思，但她能感觉到事情正在向有利于袁婉心的方向发展。

无名尸

"还有，"顾红星竖起一根手指，说，"林医生说了，医院是发鞋子的。我注意过，他们医生护士几乎穿的都是白球鞋，是为了和白大褂、白裤子搭配。你见过哪个医生护士工作时穿着解放鞋的？她都有了三双鞋了，还有必要再买双解放鞋吗？"

冯凯笑了笑，他心想在二十一世纪，有十几双鞋并不是什么奇怪的事情啊。不过这个年代，确实只要有鞋穿就行了，并不会像几十年后的人们那样"囤鞋"。

"对，丫丫从来都是穿着白球鞋的，从来没见过她穿解放鞋。"林淑真说。

"而井口的足迹，是一双解放鞋啊！"顾红星说道。

"那，会不会是她参与了杀人，但是没有参与抛尸？"冯凯说，"毕竟死者的身上，有她的血指纹啊。"

"痕迹只能说明她没有参与抛尸，但是死者的死亡时间却可以说明她没有杀人啊。毕竟从丫丫她家里骑车去单位，女同志也得骑两个小时，她来不及杀人。"顾红星说，"至于血指纹，我还得回去确认一下。"

"你还没有确认？"冯凯跳了起来，"你昨天明明就说不会错的，那一定是丫丫的指纹。"

"确实不会错。"顾红星感受到了林淑真迫切的眼神，一时间不知道该如何解释，"我，我现在说不清楚，等回去后，我再给你解释。"

"说的也是，要是真的是丫丫卡着点杀人、制造不在场证据，那是什么人会帮她移尸、打扫现场呢？"冯凯说完，转念一想，接着说，"可是，如果不是她干的，她又为什么要承认呢？她是在帮谁顶罪呢？"

现场再次陷入了沉默。

"你说，会不会是丫丫在外面还有别的男人，和这个男人合伙杀了郭金刚？"冯凯猜测着。

"不可能！"顾红星立即接话道，"从你的调查和林医生的反映来看，这个丫丫的人缘很好，为人正直。为人正直的人，怎么会脚踏两条船呢？"

林淑真意味深长地看了一眼顾红星，低下头去。

冯凯想了想也是，这个时代的婚外不正当男女关系是非常严重的错误，是会受到严厉的道德批判的。在这个年代，很多人即便是豁出性命，也要保全自己的名誉。冯凯这样瞎猜，确实有些唐突，有些和当下的观念格格不入了。

"那我就想不明白了，需要听你对血指纹的解释。"冯凯摊了摊手，说道。

"林医生，这个点有公交了。我骑车带你到镇子上，你坐公交车回去。"顾红

星体贴地说道，"我们俩骑车回去。"

林淑真温顺地点了点头。

把林淑真送上公交车后，两个小伙子一路猛踩自行车，再次经过长途跋涉，回到了公安局。

走到办公室门口，已经是上班时间了。顾红星一把拉住老马，问道："老马，衣服上的血，能做血型吗？"

"你们不是休假了吗？"老马很是诧异，说，"都可以做的。"

"那行。"顾红星从抽屉里拿出装着印有血指纹的布片和自己包里的棉签，说，"这两个东西上的血型，我要马上知道。"

两个人焦急地等待了半个小时，老马才缓慢地把头从显微镜的目镜上移开，又慢慢地摘下自己的老花镜，说："意外啊，意外，这两处血迹，都是O型血。"

"袁婉心是不是O型血？"顾红星急着问。

老马缓缓地点了点头。

冯凯很聪明，听顾红星这么一说，这才意识到了他们的错误。顾红星从现场厨房地面上提取的暗褐色印记，是人血，是O型血，而死者的裤腿上也是O型血。但死者是B型血，这说明厨房里的血迹和死者裤腿上的血都不是死者的，而有可能是袁婉心的。那么，这一枚血指纹就不能说明什么了，因为这并不是死者被杀后流出的血被转移到了他的裤腿上。

"郭金刚经常打袁婉心。"顾红星推论道，"案发当天，袁婉心正在做饭，却被回家来的郭金刚殴打流血了。厨房里留下了她的血迹，这些血迹也可能沾到了袁婉心的右手拇指上。在殴打的过程中，袁婉心拽住了郭金刚的裤腿，因此留下了血指纹。"

老马恍然大悟。

"所以，除了口供，其他证据不仅不能证明袁婉心杀人，反而证明她没有杀人。"冯凯说，"她在保护着谁？"

"可是，你们不是说她交代的和现场情况差不多吗？"老马疑惑道，"她没参与，怎么知道那么多？"

"因为林医生透露的。"冯凯说，"我们去医院找袁婉心的时候，林医生一见面就说'他们说你用锤子杀了你丈夫，还抛尸到井里'，案件信息全在里面了。"

"看来，指纹不是证据之王，盲目相信指纹，是会犯错误的。"顾红星反省道。

"那这案子，又没破获了？"老马问道。

"我有办法。"冯凯说，"既然她想保护谁，那么那个人很有可能也会想保护她。只是，那个人可能还不知道她被抓了，并且顶了罪。"

"有什么办法？"顾红星问道。

冯凯神秘一笑，从柜子里找出一大张白纸，用毛笔在上面写着：

布告

袁婉心，女，25岁，市人民医院急诊科护士。因犯故意杀人罪，拟于本星期五执行枪决，特此公告。

冯凯又找出一瓶红墨水，用布条蘸了蘸，在白纸上画上了大大的一个钩号。

"你这是在引蛇出洞啊。"老马笑着说道。

冯凯知道，自己的这一招一定会有用，只不过这一招也只能在这个时代使用罢了。

把布告贴到了公安局门口，显得不伦不类。因为这种布告平时都是贴在法院门口的。不过，老百姓们弄不清楚公安和法院并不是一个部门，纷纷过来围观、议论，却没人提出质疑。

布告贴出去整整一个下午后，在傍晚时分，一个老人家骑着三轮车来到了公安局。

"您是？"一直等在公安局门口布告下面的冯凯迎了上去，问道。

"我是郭金刚的父亲。"老人家说道。

心里刚刚燃起希望的冯凯，此时心情顿时又低落了下去，他转身说道："啊，您家的案子，我们还在……"

话还没说完，老人家说："郭金刚是我杀死的。"

冯凯大吃一惊，他迟疑地回过头，看着那其貌不扬的老人家。老人家此时已经老泪纵横，他跳下了车，跪在地上，说："我儿媳妇丫丫是个好人，我和丫丫的父亲是好友！我一把老骨头了，怎么能让一个好人、还是我好友的女儿替我去死？"

冯凯半信半疑地把老人家带到了审讯室，而闻讯赶来的顾红星第一时间脱去了老人家脚上的解放鞋，带回办公室和石膏模型进行比对。

肉眼比对不同于拍摄照片，即便没有翻拍架，也可以看得十分清楚。仅仅用了

十几分钟，顾红星就认定同一：在井口留下的立体足迹，确实是这一双解放鞋。

原来，郭金刚的父亲郭若一辈子都是个老实人。他原来在小学里教书，后来去了郭头镇政府当文书，风评一直很好。可是偏偏这样的老好人，却生了一个不孝子。

郭金刚从小就争强斗狠，成年后更是不务正业。在和镇政府吵闹后，郭金刚夺下了小院的居住权，频繁地骚扰着镇上的居民。开始的时候，居民们还会报警，但是毕竟就是小偷小摸、打架斗殴，郭金刚每次被派出所拘留几天就会被放出来。而被放出来的郭金刚睚眦必报，总会找上报案人的麻烦。长此以往，村民们都不敢再告官了，只能默默地忍受着欺压，尽可能地远离他。

在这种情况下，郭若的好友，也就是丫丫的父亲，说把丫丫嫁给郭金刚，结了婚，郭金刚一定会收敛一些。可未曾想，婚是结了，不仅没让郭金刚收敛，反而把丫丫推进了火坑。

这一切，都看在郭若的眼里，可是郭金刚根本就不把郭若放在眼里。甚至有一次郭金刚在殴打袁婉心的时候，被来探望的郭若撞个正着。郭若上前阻拦郭金刚，却被郭金刚一起殴打了一顿。

事后，郭金刚还警告郭若和袁婉心，如果他们俩把今天的事情说出去，他就要诬陷他们二人之间有不可告人的秘密。为了不被诬陷，郭若和袁婉心两人只能忍气吞声。

事发当天，郭金刚喝完酒回到家，正好看见袁婉心下班回家正在做饭。袁婉心还好心问郭金刚要不要在家吃饭。郭金刚因为吃烤鸭没有吃过瘾，本来就心里不爽，他借着酒劲，以烧的菜太差为由，开始殴打袁婉心，甚至把她的鼻子都打出了血。

受了委屈的袁婉心哭着离开了家，骑车返回了单位。而撒了气的郭金刚像一头死猪一样，躺在床上睡着了。

从家里骑车离开的袁婉心，在返回单位的路上，遇见了骑着三轮车准备去郭金刚家探望的郭若。郭若见袁婉心脸上有血迹，就打破砂锅问到底，问明白了事情的原委，然后一言不发地骑车离开了。

郭若已经下了决心，为了给自己壮胆，还买了瓶二锅头喝了，然后从家里找了把锤子，骑着三轮车来到郭金刚家，趁着郭金刚熟睡之际，将郭金刚锤杀。

杀死了自己的亲生儿子，郭若甚至没有一丝后悔。不过，他有些害怕了。为了不让警方发现，他仔细地打扫了现场，更换了被血染的床单和枕套，然后趁着夜色，把尸体放在自行车的车斗里，用棉被覆盖，运到了十几公里外的云上县辖区的

无名尸

一口废弃机井边，抛尸入井。

作完案后，郭若认为，因为那是一口废弃的机井，多少年都没人碰过。所以，郭金刚的尸体不会被人发现。而这么个地痞流氓在镇子上突然消失，大家只会皆大欢喜，并不会去追究他究竟去了哪里。这件事情，一定会永远地被隐瞒下去。可没有想到，只过了几天，就有民警来告知他，郭金刚被人杀死了。他原本还准备装模作样隐瞒一番，可是在派出所接受询问的时候，又有民警告诉他，案件破了，凶手是他的儿媳妇，而且过两天就会被枪决。

善良的郭若知道，这是自己的儿媳妇在为自己顶罪，他当然不会缄口不言，于是在离开派出所后，就直接骑车去了公安局自首。

在那天晚上之后，袁婉心一直都惴惴不安，因为那天晚上她看见自己公公的眼神中，透露出了杀气。公公是个老好人，以前从来不会这样一声不吭就转头离开的，所以她预感很有可能会发生点什么。而她纯朴地认为，如果真的发生了什么，一切都是因她而起。直到林淑真带着两个警察来找她，并且说是她锤杀了自己的丈夫后抛尸到井里。那一刻，袁婉心下定决心，要由自己来承担这个因她而起的横祸。所以，她交代说是自己锤杀了丈夫。在冯凯问到打击了什么部位的时候，学医的她知道，锤杀一般都是颅脑损伤才容易死亡的。而冯凯的问题越来越多，不是凶手的她，怕自己圆不了谎言，于是故意装作虚脱的模样，不再搭话，只求速死。

而那一枚血指纹，险些真的让她成了替罪羊。

燃烧的蜂鸟

隐 情

第八章

1

顾红星又开始闷闷不乐了。

冯凯知道，顾红星又开始怀疑自己，甚至否定自己了。于是只能继续嘻嘻哈哈地安慰顾红星，告诉他任何证据都是不可能独立存在的。只要他们能够用系统分析的眼光来看待案件中发现的证据，那么证据就会更加客观而真实，指纹就还会成为证据之王。

不管是闷闷不乐还是嘻嘻哈哈，两个人还是踏踏实实地完成了一项任务。在顾红星的强烈要求之下，冯凯和他一起骑车重新回到了郭头镇。

要知道，这二十公里路的骑行，足以把屁股都坐麻木。放在以前，以冯凯"差不多先生"的态度，他是不愿意再回去的。但为了对郭若的审判更加合法、合情、合理，顾红星坚决提出要重新返回现场。冯凯也不知道自己是受了顾红星的影响，还是自己有了精神层面的升华，顾红星一开口，他二话没说就决定陪同前往。

回到了郭头镇，郭金刚已经被自己亲生父亲杀死的消息不胫而走。和上次大家一听见"郭金刚"三个字就避之唯恐不及的情况截然相反，得知顾红星他们两人是从公安局来的之后，居然有上百名群众自发赶到了镇政府。

一打开镇政府的大门，冯凯吓了一跳，原来门外居然齐刷刷地跪着一片男女老少。

"哎，哎，乡亲们，你们这是干啥？"冯凯跳了起来，冲过去扶起了最前面的一位老者，说，"现在都是社会主义社会了，你们还以为是封建社会呢？共产党是为人民服务的，党员是人民的公仆。你们哪里见过主人给仆人下跪的？"

话刚说完，身后传来了"咔嚓"一声。

冯凯扭过头去，说："你还有心思拍照，来扶人。"

"我，我，我就是要把这张照片给法官看看。"顾红星把相机转到身后，也跑了过来，他的办法倒是简单粗暴。

"老郭是为民除害，大义灭亲，政府应该赦免他。"为首的老人家站起身来，握着顾红星的手说道。

顾红星一时不知所措。

"老人家，你们配合我把郭金刚的恶行都说清楚，我们会和法院说明白的。"冯凯说，"你们要相信，共产党是人民的党，咱们的政府是人民的政府。"

冯凯说完，自己都吓了一跳，在二十一世纪，他曾经觉得这些大道理就只是口号，但是此情此景之下，他居然由衷地说了出来。

听说真的可以挽救老郭头的生命，村民们自觉排起了长队，挨个讲述郭金刚生前的种种恶行。为了节约时间，镇长甚至还找了镇子里的三名文书，按照冯凯教给他们的格式，记录询问笔录。在现代，两个侦查员询问一名证人，都是要记录时间的，时间点还不能重复，否则就会被认为是伪证。可是现在没有那么多规矩，他们仅仅在一天的时间里就记录了近百份询问笔录。看着手中沉甸甸的笔录，顾红星有种前所未有的成就感，这就是所谓的"万民书"吧。

冯凯二人赶着天黑之前回到了局里，把正准备下班的预审科廉风科长拦在了办公室。因为案件调查进展很快，证据齐全，所以此案已经完成了侦查工作，明天就会被报卷①到法院。由于此时检察院的职权还没有恢复，案件审办的速度都很快，缺少了审查起诉这一个重要关卡，所以幸亏冯凯他们二人的动作快，这才给案件审判带来了转机。

花了三个小时，在看完那厚厚一沓询问笔录和顾红星临时冲洗出来的照片后，廉科长明白了冯凯他们的意思。

"可是，他不是在侵害发生的时候作案的，不能算是正当防卫。"廉科长没有计较被耽误下班，说，"不管死者有多坏，以暴制暴那也是犯罪啊。"

"民意啊，我们法律虽严格，但是必须尊重民意啊。"冯凯说，"法律是为了什么，就是为了人民啊，不尊重民意的法律算什么法律？"

廉科长盯着冯凯看了半天，没想到这个初出茅庐的年轻人，对法治居然有这么深的思考。他想了想，笑着说："我能理解，你们今天被乡亲们的举动感染了。但是，究竟该怎么判，不是我们公安机关能说了算的。这样吧，我明天专门去一趟政法委，和上级领导详细汇报一下此事。特事特办，上级会协调法院的。"

---

① 报卷：指把卷宗报送（到法院）。

"那，能不判死刑吗？"顾红星问道。

"死刑？"廉科长笑了笑，说，"你们要求这么低？你们不都说了吗？我们党，是人民的党。我相信法院会酌情减轻刑罚的，我原本还想着，能争取个缓刑呢。"

冯凯知道，1979年，我国才颁布了第一部《刑法》和《刑诉法》，1980年才正式实施。而此时，除了反革命、贪污等特殊犯罪，对于其他刑事犯罪，法院都是参考之前的《刑法草案》，酌情判决，有着很大的自由裁量权。虽然这个时候一般对刑事犯判决都很重，但毕竟社会危害性不大，还有了"万民书"，廉风并不是在夸夸其谈。如果真的判了缓刑，就不用进监狱服刑了，在老百姓看来，和赦免无异。冯凯这才喜笑颜开地从预审科办公室大门前移开，算是放廉风回家了。

像是做了一件好事，顾红星的心情大好，之前的闷闷不乐一扫而空。他和冯凯二人回到了宿舍，径直去敲响了林淑真的大门。

果不其然，袁婉心也在宿舍里，面颊上还挂着泪珠，不知道是因为对老郭头的感激还是因为自己的内疚。林淑真看到顾红星也是显得有些尴尬，但和上次给他们吃闭门羹的态度相比，现在已经算是一百八十度大转弯了。

这种尴尬倒是让冯凯放心不少，既然是误会，那一定是会解开的，虽然顾红星这个愣头青还弄不清楚自己做错了什么。放松下来的心情让冯凯格外兴奋，他绘声绘色地把他们去郭头镇的经历以及和预审科科长的交谈都给描述了一遍。袁婉心的表情由忧到喜，林淑真也是充满了感激。

冯凯注意到，林淑真趁人不注意，偷瞄了顾红星一眼。那种眼神，是他俩在楼顶上看星星的时候才有的。

而最近几天，那个费青青没有再来找过顾红星，看来是他冯凯的"狗叼肉"的故事起了作用，顾红星已经做出了他的选择。

于是冯凯趁热打铁，约了林、袁二人休息日去开荤。可惜两人一算值班日期，礼拜日都有班，也只有在礼拜二的时候两个人都轮休，开荤的日期也只能定在礼拜二。

回到了自己宿舍，两个人都沉默着。冯凯思忖了一会儿，开口说道："其实，你和林医生……"

话还没说完，就被顾红星打断了："冯哥，你之前说，那个翻拍架我们可以自己做，可是灯箱能自己做，相机支架是金属件，没有车床是不行的啊。"

原来顾红星的心思根本就不是在林淑真这事情上。

但是顾红星的话还是刺激了冯凯的灵感，他灵机一动，说道："车床，阿姨原来在的玛钢厂不是有车床吗？"

"可是那厂子是给军工企业提供材料的，管理很严格，一般人进不去啊。"顾红星说道。

"你不是一直很想进去吗？"冯凯的眼睛里闪着光，说，"这不就是天赐良机？"

"啊，我懂了，我懂了！真有你的！"顾红星用食指指着冯凯，不停地摇晃着手指，兴奋地说道。

这一夜，因为兴奋，顾红星整晚没有睡着。天一亮，他就拉着冯凯等候在了尚局长的办公室。

快到上班时间的时候，尚局长拎着公文包走到了办公室门口，一看见门口这俩人，立即皱眉揉起了太阳穴，说："你们俩这又是要提什么要求？"

"没有，没有，这次是小事儿，小事儿。"冯凯接过尚局长手中的办公室钥匙，打开了办公室大门。

"我得告诉你们，不管你们破案有多厉害，那也是在为人民服务，不是在为我破案。"尚局长说，"你们别一破了案就来提要求。要知道，艰苦朴素是我党的优良传统，别看到什么都想要。"

尚局长看穿了他俩的心思，这让顾红星顿时不知道该如何开口了。

"嘿，老尚，您真不愧是局长。"冯凯说，"我们来，是想和你说，云泰的刑警都已经开上挎子了。"

"你们还真是狮子大开口啊？刚有了自行车，就想摩托车，你们这是得寸进尺。"尚局长的眼珠子都快瞪出来了。

"我就知道你肯定不同意，所以，我们就退而求其次，给我们买个翻拍架得了。"冯凯一脸谄媚地说道，"我这训练了这么久，怎么拍也比不上翻拍架啊。"

"四千块的那个？"尚局长的眼睛还是没有恢复过来，说，"我上次都说了，哪儿来的那么多钱给你们买这个？别想。动不动就要大件儿，还说是小事儿？你说你们这哪一件是小事儿？"

被尚局长这么一说，顾红星更是不知所措了。

"那我们再退一步，翻拍架我们都不要买了，我们自己做，怎么样？"冯凯笑着说道。

尚局长警惕地看着冯凯，半晌，才说："原材料要多少钱？"

"你看你这老头儿，就知道钱啊钱的。"冯凯说，"钱呢，我们自己出，但有个问题，我们解决不了。"

"自己出？那也不合适，如果不超过五十块钱，你们可以去报销。"尚局长嘟囔着。他也很纳闷，为什么全局民警都怕他，只有这个小子从来不怕他？

"行，五十块够了。"冯凯说，"可是，金属支架呢，我们没办法做，但如果去玛钢厂，有车床的话，我们就可以自己做了。"

尚局长盯着冯凯愣了愣，然后转脸看向顾红星，似笑非笑。

这下顾红星更是窘迫了，他满脸通红，双手都不知道该放在哪里，就像一个做错了事情的孩子一样。

"所以，你们想找我要个介绍信，让你们可以去玛钢厂'公干'，是吧？"尚局长笑着说道。他还特别把"公干"两个字加了重音。

"像我们俩这样执着的民警，不多吧？"冯凯觍着脸，一语双关，说，"我们想干成的事儿，如果干不成，晚上都睡不好觉。"

冯凯知道，这时候，他们和尚局长都已经开始心照不宣了。

尚局长想了想，说："嗯，自制设备，给公家省钱，给百姓服务，这种行为是值得鼓励的嘛。"

"那您同意了？"冯凯从身后拿出已经填写好的介绍信，铺在了办公桌上。

尚局长无奈地摇了摇头，但还是毫不犹豫地在介绍信上签了字。

公安局开出的介绍信就像是一把尚方宝剑，带着介绍信，两人来到了玛钢厂。上次在玛钢厂目睹惨剧，已经是一年前的事情了，顾红星来到这里甚至还有一些恐惧感。

门卫惠大爷时隔一年没有什么变化，见到顾红星还是十分热情。

"小红星都长这么大了，警服一穿，还真是精神啊。"惠大爷慈祥地笑着说，"不过，咱们厂子你是知道的。别说你妈离休了，就是她还在厂子里，我也不能让你随便进啊。"

"这次，我们是来公干的。"顾红星和惠大爷亲热地拥抱了一下，把介绍信递给了他。

惠大爷推了推鼻梁上破旧的老花镜，念道："兹介绍我局冯凯、顾红星两名同志赴贵厂借用车床，制作公安设备相关零件。"

"是啊，惠大爷，我们要做个翻拍架。"顾红星说道。

"嗯，为啥不去别的厂子啊？我们炼钢为主，制造为辅啊。"

"咱们这不是熟悉嘛。"顾红星仍是一脸天真无邪的样子。

"那我打个电话啊。"惠大爷回到门卫室，拨了一个分机号码，"厂长啊，我是惠建国，顾红星你还记得不？他现在当公安了……"

经过一番汇报，厂长同意顾红星和冯凯进厂了。

因为还不到中午时间，工人们都在各自的车间里工作着。如果冯凯二人就这样大摇大摆地去事发车间里勘查事故机器，那也太惹人耳目了。毕竟，他们的介绍信上，并没有写着要重新调查此案。尚局长曾经也说了，涉及敏感工厂，不能随便旧事重提。所以，两个人带着翻拍架的图纸，直接去了制造车间。车间主任曹玉兰是顾红星母亲以前的好友，这个五十岁出头的妇女很是热情。她看了介绍信以后，就安排车间里动作最利索的一个工人，帮助他们制造零件。而她则拉着顾红星问长问短。

"你妈现在怎么样啊？身体好点了吗？你经常去看她吗？你找对象了吗？你要赶紧给你妈抱上孙子啊。"一连串的问题，让顾红星十分窘迫。倒是冯凯捕捉到了战机，也凑过去聊天。很显然，她这个岁数的妇女，很喜欢冯凯这样能说会道爱拍马屁的年轻人，没过半个小时，就能交心了。

"一年前，那个事故死亡的女工，大姐您可认识？"冯凯用现代人喜欢的称呼，把车间主任的年龄瞬间拉低了。

曹主任很是开心，侃侃而谈："那必须认识啊，这小吴啊，就是爱打扮，不过三十多岁的年龄，也可以理解。可就是这么讲究的人，居然工作的时候那么不小心，可惜了。"

"按您说，她平时为人不错了？和大家的关系都很好？"

"那倒不是。"主任做出一副意味深长的表情，"我们都是不允许背后议论同事的嘛，但现在人都走了一年了，说说也无妨。她啊，清高，不喜欢和同事们多聊。女人啊，到这个岁数，这么勺道，一般都是有问题的。"

"勺道"是龙番的俚语，意思就是过分注重自己的仪表，比较臭美的意思。于是冯凯装出一副好奇的模样，问道："说说呗，什么问题？我最喜欢听这些八卦了。"

曹主任纳闷了："八卦？什么八卦？道士那个？"

"不是，就是道听途说的意思。"

"那我告诉你，你可别说出去哈。"曹主任说道，"之前我们都不知道，直到她去世了，才有人发现厂办的王秘书每天情绪都很低落，听说还得了一场大病，就

是到现在，每个礼拜三上午都要去人民医院一趟，这都一年了，还是这样。后来才有人说出来，曾经看到这两个人饭点的时候在食堂后面小树林里亲嘴。啧啧啧，两人都已经结婚了，这就是乱搞男女关系啊，你说，是不是勺道的人都有问题？"

"您说的王秘书，是？"

"王飞凡。"曹主任说，"斯斯文文、一脸正气的，暗地里却搞破鞋。"

冯凯听完，陷入了沉思。

"我忙去了，过一会儿就到饭点了。"曹主任看了看手表，说，"你们可别说出去啊，都是他们瞎议论的。对了，需要我帮你们要两张饭票吗？"

"不，不用了。"顾红星见冯凯正在沉思，于是抢着说道。

翻拍架上唯一的金属件——相机支架的构造也非常简单，所以没用一个小时，工人就把支架给做好了。可是时间还是没有到饭点，冯凯只能继续磨磨蹭蹭，一会儿说这个螺丝孔小了，一会儿说那个旋钮不灵光，逼着工人不断地改进，直到工厂的午饭铃响起。

冯凯道了谢，收起了零件，拉着顾红星一起，混在前往食堂的人流之中，躲到了事发车间的门口。等工人们都汇聚到食堂排队打饭的工夫，两人从门缝之间溜入了车间。

车间的布局还和一年前一模一样，摆放在车间东北角的技术革新机器，因为出了人命已经封存。所谓的封存，就是用一大块帆布覆盖上机器罢了。

因为常年没有人打扫，这块帆布上积累了厚厚的灰尘。顾红星看见了很是高兴，毕竟有了这块帆布的保护，机器大概率没有被人直接触碰，提取到物证的概率也就大大提升了。

悄悄掀开帆布，尘土飞扬。不知道是不是心理作用，帆布一打开，顾红星似乎闻见了一股淡淡的血腥味。而机器抓钩上暗红色的印记，依旧是那么触目惊心。机器紧贴车间厂房的东北角，和北面的墙壁距离很近，几乎站不下一个人。而北面的墙壁有一扇小门，因为机器的阻碍，看起来是废弃很久了，但是还能开合。顾红星趴在机器的皮带上看了许久，说："足迹已经看不出来了。"

"你要看足迹干啥，照片里不都有嘛。"冯凯左顾右盼，怕有人进来把他俩当小偷。

"你看啊。"顾红星指着机器说，"这机器距离墙壁那么近，几乎无法站人，所以正常情况下，包括女工在内，没有人会去机器的北边。那么，就不应该有人在北边留下脚尖向南的足迹。"

"可事实上就是留下了。"

"对啊，所以足迹出现在北侧框架上，就说明事情不简单。"顾红星挤到了机器北侧，说，"正常情况是不会站到我这边的，但如果是故意杀人，就可以躲在机器后面，趁女工靠近机器的时候，钻出来拉女工一把。"

说完，顾红星从机器的主体后面闪身出来，拉了一把机器南边的冯凯，说："只要有足够的力量，女工肯定重心不稳，摔在皮带上，就会被卷入机器。而我这个位置，因为空间狭小，使劲拉人的话，也容易重心不稳，这时候就需要用脚踩到框架上，防止同时跌落。"

"你早就判断过，警方得出的女工用脚拨弄焦炭意外卷入的结论，是错误的。"冯凯说，"你要不要抓紧时间搜证了？"

"不，这个现场复原也很重要。"顾红星说，"我原来以为是有人从背后推女工，但是来了现场就可以看出，肯定不是推完人后因为惯性才踩上了边框。这里的空间狭小，只有可能是在机器对面拉人。既然凶手的行动模式是突然出现，然后伸手拉人，那么这件事要成功，就必须具备两个条件：一、凶手是女工的熟人，不然女工对面突然出现了一个陌生人，正常来说，第一反应是喊叫，但是死者并没有这么做；二、凶手是伸手拉人，那就必须要有足够的支撑点，才能保证自己的安全，脚踏在边框是一个支撑点，但同时他的右手也应该放在机器这个位置作为支撑。"（如下图所示）

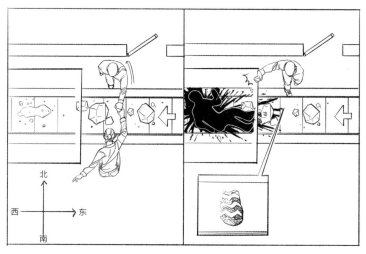

女工被害过程示意图

说完，顾红星在自己划定的一个范围内，用放大镜看了起来。冯凯很是惊叹，这种利用现场重建，来缩小寻找指纹的范围的方式，是很先进的一种办法。即便是在二十一世纪，也不是所有人都有这样的脑子。

不一会儿，顾红星就掏出了相机，说："果然有！不过这是一枚变形的指纹，说明凶手的手按在机器上，发生了位移。"

"一年了，还有指纹？"冯凯难以置信。

"是啊，正常的指纹早就没了。但是这机器上都是油啊，油是可以把指纹保存下来的。"顾红星说，"机器的这一面，是靠墙的，既然平时没人会到机器的这一面来，那这枚指纹就非常可疑了。还有，你看，这枚油脂指纹里，是有暗红色的印记的。这说明，很有可能是女工被绞死的时候，喷溅出来的血迹黏附到了凶手的手上，同时他站立不稳，用手扶住了机器。"

"那会不会是机器安装的时候，安装工人留下的？"

"不会，这个机器安装之前是不抹油的，只有使用一段时间后，为了润滑，才会加机油，机油会从机器里渗透到对面的面板上。"顾红星说，"我妈是这个车间的主任，这点常识我是知道的。而且，如果是其他人留下的，就不会有暗红色被保存下来。"

"也就是说，有人从北侧小门进来，躲在机器主体结构的后面。等女工靠近后，他突然出现，拉了女工一把，把她拉进了机器。血溅到了他手上，他因为重心不稳，一只脚踏在机器边框，一只沾血的手扶住了机器。"冯凯点点头，说，"而且这个人还是女工的熟人。"

"拍完了，油脂指纹只能拍照，没办法取下来。"顾红星说，"我们把帆布复原吧。"

2

穆科长正坐在办公室里，把铝饭盒里最后一团饭囫囵扒拉到嘴巴里，见到冯凯二人，连忙问："听局长说，你们去自制设备了？"

"设备不重要。"冯凯拉了一张凳子坐到穆科长身边，说，"当年他妈妈厂子里的女工被轧死的案件，我们发现了疑点。"

"这都定了性的案件，还真没完没了啊？"穆科长有些不耐烦。

　　冯凯也能理解，毕竟当年这就是穆科长亲自办的案件。这种时候，让他轻易承认自己办错了案子肯定不容易。所以冯凯这次也是表现出了极大的耐心，用一张纸，画上车间的图，把顾红星的推断和从车间主任那里了解来的线索，一一地向穆科长说了个明白。

　　"倒也不是我不愿意认错。"穆科长脸上的褶子更深了，说，"但是这厂子毕竟是和军队有关系的，领导都不愿意旧事重提，怕引起不良的社会影响。"

　　"可是，发现了疑点，总要重新立案侦查吧？"冯凯说，"要不然，对得起冤死的人吗？"

　　穆科长盯着冯凯，说："我可以去和尚局长聊聊，但是你们没有确切的证据，这案子肯定不会重新立案的。"

　　"证据是吧？"冯凯指了指顾红星，说，"他肯定能找得到证据的。"

　　顾红星一直在马蹄镜下看着指纹，此时被点了名，连忙说："啊，我，我正在看。"

　　"我去和局长说吧。"穆科长拿起饭盒，说，"等你们找到确凿证据再来找我。还有，我去刷碗了，你们也赶紧吃一点，吃完就去城西，那边有个案子，死了个人，老马已经去了，还搞不清情况。"

　　见穆科长松口，冯凯放下了心，但是他要的确凿证据也不是那么容易就能拿到的。两人去食堂随便吃了点青椒炒茶干就饭后，骑上车，向穆科长交代的位置出发了。

　　路上，冯凯问顾红星："那个指纹，能看出来啥不？"

　　问完，连冯凯自己都吃了一惊，毕竟曾经的自己，对刑事技术是不太看重的，认为侦查就可以解决一切。而现在，不知道怎的，他几乎把破案的希望全部寄托在顾红星身上了。

　　"纹线还是很清楚的，但是是明显的变形指纹。"顾红星有些担忧地说，"到底能不能比对成功，还得等找到嫌疑指纹才知道。"

　　"只要能看出来就行。"冯凯说，"之前你不是教过我什么差异点嘛，我相信你能分辨出来变形指纹。"

　　顾红星没有接话，有些忧心忡忡的样子。

　　骑行了大约半个小时，他们俩来到了城郊的村落。村口一名公安正在等候着他

们，见他们来了，便带他们来到了村子中央的一户人家。

小院的中央有一副担架，担架上盖着一块白布，下面显然是死者的尸体了。老马正坐在离尸体不远处的石凳上，抱着一个碗吃中午饭，细嚼慢咽、津津有味的样子。冯凯心想，真是不论什么时代，法医都一个德行。在尸体旁边是怎么下咽的？

"来啦？喏，尸检我做完了，你们自己看吧。"老马一边咀嚼，一边用筷子指了指担架，说，"老乡家的大锅饭就是香。"

"什么叫我们自己看？"冯凯白了老马一眼，"要能看得懂，要你法医做什么？"

顾红星没说什么，拿出一副手套戴上，然后拉开了白布。在顾红星看来，他已经"身经百战"了，连高度腐败的尸体都看过，这个刚刚发的人命案，肯定也没啥。可万万没想到，随着白布的拉开，顾红星还是给吓了一跳。

眼前的尸体是一具完整的、没有腐败的尸体，可是，他的胸前和腹前已经完全裂开了，暗青色的肠子和黄色的网膜膨隆在尸体的外面，血迹斑斑。裂开的大缺口周围，都是黑色的皮肤。

顾红星下意识地后退了几步，差点没一屁股坐到地上。

冯凯皱起眉头，咂了咂嘴，说："你这老家伙，越来越懒了，解剖完了不知道缝合啊？对死者还有没有尊重？"

老马依旧在往嘴里扒拉着饭，说："你看仔细了，死者的前胸和腹部皮肤都缺失了，我就是裁缝也缝不上啊。不过，倒是省得我动刀了，直接就这样看完了，肝脏破裂、心脏挫伤。"

在这个年代，并不要求法医对所有尸体都要三腔①打开，只要能明确死者的死因就可以了。所以在很多尸检中，法医只是做一个局部解剖就了事。比如在烧死的尸体命案中，法医打开死者的气管，看见里面有烟灰炭末，甚至就不再动刀了。这一具尸体，老马甚至都没有动刀，检查了死者的内脏，头部都没打开就结束了工作。冯凯知道，这样的解剖漏洞很大，很有可能丢失关键的线索或者证据。但是，时代不同，工作要求也不同，他也不好多说。

"这，这是谁这么残忍？开膛破肚的？"顾红星问道。

"你看，创口巨大，一次形成，且周围还有烧焦的痕迹，很显然，这不是人为形成的嘛。"老马说道。

———————————————

① 三腔：指胸腔、腹盆腔、颅腔。

"不是人干的，难道是鬼干的？"一位老太太走进了院子，带着哭腔说道。

"死者的妻子，你们问问吧。"老马朝老太太的方向伸了伸下巴。

据死者的妻子说，死者叫作徐茂，今年70岁了，两人有一个儿子，在外地工作，不常回来。平时就是老两口相依为命，和其他人交往也少，没有什么矛盾关系。今天一早，老太太去地里干活儿，摘了菜回来，然后就去赶集了，等赶集完回来，就看到老头子躺在院子里，被开膛破肚了。家里没有被翻动，没有外人侵入的迹象。

"你自己说，什么人光天化日到人家里来杀人，杀完人还开膛破肚的？"老马对老太太说道，"你自己都说了，没和什么人有深仇大恨。"

"关键是死因啊。"冯凯说。

"这么大的胸腹部开放创口，不是刀割的，就只能是炸的了。"老马慢悠悠地说，"以前在战场上，经常会有这种。"

"可是现在不打仗了啊。"顾红星说。

"反正我觉得是爆炸伤。"老马吃完了饭，收拾碗筷，说，"派出所的，问了几户邻居，只有一户事发的时候在家，确实听到了爆炸声，说是很闷的那种声音。"

"爆炸？"冯凯疑惑地看着老太太，说，"你们家有手榴弹啊？"

老太太倒是陷入了思考，过了一会儿，说："是这样的，我早上去田地里摘菜的时候，看见地上有个啤酒瓶，瓶子口用软木塞塞住的，里面还有不少一分钱、两分钱的硬币。我看有钱嘛，就拿回来了。但是，那就是一个瓶子啊，不可能是手榴弹啊。"

顾红星手疾眼快，在老太太描述完之后，就走到墙角，捡起了一个软木塞。只不过，此时的木塞已经被熏成了黑炭，一头还有灼烧的痕迹。

"对，就是这个塞子，塞进了瓶口，拔不出来的。"老太太说。

"瓶子里，除了硬币，是不是还有许多沙子？"老马问道。

老太太点点头，说："对，大概半瓶沙土一样的东西，上面有钱。"

"这是'滚天雷'啊。"老马说，"有一些村民为了捕捉野兽，会在瓶子里面放上沙子和火药，当野兽叼住了瓶子一咬，或者反复晃动，沙子和火药摩擦，就会炸。所以，是你把村民们打猎用的'滚天雷'给捡回家了。"

"什么？是我害死了我家老头子？"老太太一屁股坐在了地上，开始号哭起来，"我看里面有钱啊，我不该贪小便宜啊。"

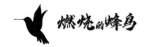

"可是，老马，炸野兽的话，里面放硬币做什么？"冯凯突然问道。

老马愣了一下，说："这，呃，是增加杀伤力？"

"那放铁片、石块就行了啊。"顾红星说。

"这，这我没考虑到。"老马说。

"大妈，您是在哪里捡到的，带我们去看看。"冯凯说道。

老太太一边抽泣着，一边带着冯凯等人从田间小路，一直走到了她自家的田地里。这里一片旷野，田地连着田地。老太太指着自己家的黄瓜架说："就在这架子下面。"

"最近您地里的菜，有被野兽拱过吗？"冯凯问。

老太太摇了摇头。

冯凯说："这里没有山，菜地也没有野兽入侵的痕迹。而且，徐家的菜地在一整片菜地中间，并不在边缘。那为什么会有人把'滚天雷'扔到这里来？"

"你是说？"老马皱起了眉头。

"'滚天雷'既然能炸野兽，也能炸人啊。"冯凯说。

"可是，用这种手段杀人，不太保险吧？"老马说，"他怎么就知道被害人一定会把瓶子捡回家？"

"所以他放了钱。"冯凯意味深长地看了一眼远处的老太太，又看向老马身边的民警。

民警立即会意，说："这村子我还是了解的，老太太没什么特殊的，但是贪小便宜这种事情，很正常吧。"

"可惜她在路边捡到一分钱，却没有交给警察叔叔。"冯凯说。

儿歌《一分钱》是1963年创作的，此时已经流行了十几年，孩子们都会唱。

"交给我们，我们也未必知道那是'滚天雷'啊。"民警擦了擦额头上的冷汗。

"所以，是老太太捡了'滚天雷'回家，但是并没有晃动它。"顾红星说，"徐茂在家里看到了瓶子，也看到了里面的硬币，可是他打不开软木塞，只能左晃右晃，导致了爆炸。看来，我有事情做了。"

冯凯知道，这个年代，没有监控、没有DNA检验技术、没有理化检验，即便是对爆炸物品的管控也是不健全的。这种普通的炸药，如果有心，弄一点易如反掌，而且无据可查。想要破案，只有两条路可以走，一是调查矛盾关系，二是在爆炸残留物上找到指纹。

可是，人都被炸得开膛破肚了，想要找到玻璃瓶的残片已经希望渺茫，而软木塞又不是获得指纹的最好载体。经过派出所的初查，也并没有找到任何可以用这种方式报复杀人的对象。这个案子，看起来挺难的。

"火药烧没了，沙子也找不到，软木塞已经烧毁了，但是玻璃片和硬币总不会凭空消失。"顾红星像是在给自己鼓劲，说，"我现在就去院子里找，等我好消息吧。"

看着一溜烟小跑离开的顾红星，冯凯低头想了想，对老太太说："大妈，去派出所吧，反正现场要封，咱们去聊一聊吧。"

毕竟是七十多岁的老人，对生死看得似乎比较淡然一些。到了派出所，老太太就已经情绪稳定了下来，可以正常谈话了。

"您确定，你们家一直没跟谁有什么深仇大恨吗？二十年前的都可以。"冯凯知道，这枚炸弹是针对徐茂夫妇的，而不是特定针对徐茂或者老太太本人的。

老太太坚定地摇了摇头。

"那，不是什么深仇大恨呢？就是邻里的纠纷矛盾？"

老太太还是摇了摇头，说："我们大门不出，二门不迈，天天都是下地、回家，最多赶个集。就是在集市上讨价还价，也没和人红过脸啊。"

"那，你家老徐，就没有什么经常交往的人？"

老太太思忖了一下，说："还真是不多，除了他侄子二黑，个把月就带他去蹭个澡。"

"二黑？蹭澡？"

"是啊，老徐的侄子，徐二黑，当兵回来就在镇粮食局看大门。"老太太说，"他能搞得到镇子上浴室的澡票，偶尔来喊他一起去泡澡。"

冯凯顿时来了精神，说："上一次泡澡，是什么时候？"

"有大半个月了吧？"老太太说。

"泡完澡回来有什么不同的地方吗？比如老徐很生气，或者有心事？"

"没有。我家老徐这个人吧，嘴是漏的，有什么事情肯定会和我说。"

"我知道这个人，找他问问看。"派出所的民警说道。

把老太太在派出所里安顿好，冯凯和民警一起骑上了自行车，赶往镇子上。在镇粮食局的宿舍里，他们找到了徐二黑的室友。根据他的室友反映，徐二黑昨天晚上就向局里请了假，说是自己的叔叔病了，要去帮忙照顾，一直到现在都还没有出

现。显然，徐二黑说了谎，他的嫌疑瞬间上升了。

冯凯在这一间简陋的宿舍里转来转去，看见一个挂在墙头钉子上的搪瓷茶缸，于是戴上手套把它拿了下来，装进一个纸袋子里。这一套，都是二十一世纪现场勘查的基本操作了。

出了门，冯凯就向民警布置着："让你们所里的弟兄都辛苦点，带上联防队员晚上在镇子上和村子里搜索一下。看户籍状况，这个徐二黑双亲亡故，除了徐茂就没有别的亲人了。"

"是啊，刚才我问了一下他室友，这人虎了吧唧、神神道道的，和单位的人也不打交道。"民警说，"没有什么朋友。"

"所以，他肯定没地方去。"冯凯说，"通报他的单位，只要一发现他的踪迹，就地按倒，扭送公安机关。"

"知道了。"

见民警已经返回派出所，冯凯骑着车子回到了现场。现场已经封存，门口站着一名派出所的联防队员。根据联防队员所说，老马坐着顾红星的自行车，回局里了。徐茂的尸体，也被生产队派人拉走，送到一个废弃民宅里暂时停放。临走的时候，顾红星还嘱咐联防队员，要连夜封存现场，没有市局的指示，不能让任何人进入屋内。所以，联防队员不知道从哪里拖来了一张凉床，横在现场的院子里躺着。好在这个联防队员胆子大，不然可不是谁都能在这个刚刚有人被开膛破肚的凶宅里睡上一夜的。

冯凯于是又骑着车赶回了局里。办公室的正中央，顾红星一手拿着镊子夹着一枚硬币，另一手拿着一根烧着的木柴，正在忙些什么。

3

"你在干什么呢？"冯凯问道。

"做实验。"

"做实验？你还搞发明创造啊？"冯凯惊讶道。

"你看看那个。"顾红星扭头朝办公桌上努了努嘴。

他的办公桌上铺着一张报纸，报纸上面摆满了各种零碎的物件，看来都是从现场搜索出来的。有十几片乌黑的玻璃片，还有一些熏黑的小石块和几枚硬币。

"所以，你究竟在搞什么名堂？"冯凯好奇道。

"那些都是我在现场找到的东西。"顾红星说，"本来我想着，凶手制作'滚天雷'，肯定会在玻璃瓶上留下指纹的，可惜，因为瞬间爆炸作用，玻璃片都被熏得很黑了，即便是有指纹，也都被覆盖了。后来我一想，不对啊，只要有人碰到玻璃瓶，就会在瓶外留下指纹，反倒是瓶子里面的东西，基本上只有凶手才能碰到，更有证明力，所以我就把心思放在这些硬币上了。"

"我是问你在做什么？"冯凯纳闷这个顾红星，现在怎么越来越"唐僧"了？

"你别急啊。瓶子里面的东西，只有小石块、沙子和硬币，唯一有可能留下指纹的，就是硬币了。"顾红星说，"可是，硬币表面凹凸不平，又是铝制的，不太容易留下完整的指纹，如果用传统方法去刷，估计效果会很差。"

冯凯扶着额头，强迫自己不厌其烦地听下去。

"我和你说过，刷出指纹的原理是，指纹就是手指上的汗液和油脂把皮肤纹路印在载体上。因为汗液和油脂有一定的黏附力，所以可以把细微的金粉或者银粉黏附住，从而显现出指纹。"顾红星说，"可是，硬币本身就小，表面又凹凸不平，能留下的汗液和油脂就很少，且不完整。加之经过爆炸的高温作用，其残留的有黏附力的成分就更少了。如果我用传统方法，很有可能显现不出来指纹，反而会破坏硬币上留下的指纹。"

"所以，你开辟了新办法？"冯凯勉强跟上了思路。

"我也是受到这些被熏黑的玻璃片的启发。你看，中间的那块玻璃片，仔细看就能看见上面的纹线，可惜爆炸产生的烟灰太多，大多数部位都被遮盖住了，没有什么鉴别价值了。但是，这种现象能说明一个问题。"顾红星说，"燃烧产生的烟灰炭末，比我平时用的金粉、银粉碎末更加细碎，也就是颗粒物更小，那么就会更容易被所剩无几的有黏附力的油脂汗液黏附住，那也就有更大的概率把硬币上的指纹显现出来。"

"所以，你自己燃烧木柴，让燃烧产生的细碎颗粒去显现硬币上的指纹？"

顾红星没有立刻回答，他把手中的木柴放下，用镊子把硬币举到眼前，皱起眉头看了看，一脸兴奋地对冯凯说："好像真的显现出来了。"

冯凯知道，此时他内心里对顾红星佩服得五体投地。作为一个痕迹检验技术员的丈夫，他也算是耳濡目染。他知道，到了2021年，用502熏显指纹的技术已经十分成熟了，而原理就和顾红星说的差不多。能够在工作中思考，以问题为导向，进

行创新，这实在是二十世纪七十年代最宝贵的东西。不管这枚指纹有用没用，顾红星都是把自己的工作方法往前推进了一大步。

"喏，嫌疑人家里的一个茶杯，上面肯定有他的联指指纹。"冯凯把从徐二黑宿舍拿出来的茶缸递给顾红星，说，"你要真找出了硬币上的指纹，那就可以直接比对看看了。"

见顾红星还在饶有兴趣地用木柴熏硬币，甚至可以坐在那里保持一个姿势十分钟都不动弹，冯凯算是彻底服了。他是不可能在办公室里待着陪顾红星"做实验"的，于是用科里的电话给几个派出所打了电话，希望他们能协查徐二黑的下落，然后又去找了穆科长汇报了这一起案件的进展。不知不觉，天也就黑了。

冯凯很疲劳，但这也很正常，毕竟他连续工作了很久。如果是陶亮那个年纪的身体，早就累趴下了，现在这副20岁小伙子的身躯还真是经累。

躺在床上，冯凯不知不觉中就睡着了，迷迷糊糊之中，他似乎听见顾红星回到宿舍洗漱后，也睡下了。

第二天一大早，晚归的顾红星倒是起得比冯凯还早。

"你的实验做完了？"

"做完了，真的是可以熏显出来的，效果还行。"

"效果还行？那你比对了吗？"冯凯一下从床上跳了起来，问道。

"嗯，呃，这个……"顾红星吞吞吐吐地说道。

"嗯啊个啥？"冯凯很是不解。

"怎么说呢？你看啊。"顾红星从口袋里掏出一枚五分钱的硬币，说，"你看，硬币就这么点大，现场发现的一分的和两分的硬币比这个还要小。关键这么点大的地方上，有很多凸起，所以印在硬币上的指纹就不是平面的了，就是立体的了。你知道的，比对指纹，是指比对两个平面上的指纹。而一个指纹变成立体的了，我就得发挥出我的空间想象力，来寻找两者之间有没有共同点和差异点了。"

"你现在废话咋那么多？你直接告诉我，共同点多吗？"冯凯抓耳挠腮。

"这个，我其实空间想象力不行。"顾红星抬头看了看冯凯。

"你别看我，我被迫营业帮你看过指纹，但是那是我最可怕的经历。"冯凯说，"我反正是不会帮你看了，也看不好。"

"好吧，这样说吧，我个人觉得，共同点还是有一些的。"顾红星说。

"那不就得了？"冯凯跳了起来，说，"这个人从调查看有重大嫌疑，现在你又看到了不少共同点。你说，哪儿来那么巧的事情？"

"可是……"顾红星有些顾虑，但又不知道从何说起。

"不要可是了，你要相信你自己。"冯凯说，"世界上没有那么多巧合，只要'差不多'，就能立大功！你相信我说的话！"

"差不多，那是可以算的。"顾红星说。

"那不就行了？我去安排抓人。"冯凯扣好警服的扣子，拉开宿舍的大门，又回头，说，"对了，今晚约她俩开豁，你别忘记了。"

"哦，好。"顾红星也拿起大盖帽，扣在头上。

突然，一阵熟悉的声音从楼下传了上来："冯凯你们俩起来没？直接到审讯室。"

是穆科长的声音。直接去审讯室？难道，徐二黑这么快就被抓获了？

一时兴奋，冯凯一溜烟地跑到了局一楼的审讯室。一进门，就看见昨天在现场院子里看守的那个联防队员，正把一个面色黝黑的粗壮汉子按在审讯椅上，两人还在不断地争吵。

"你那么用劲干吗？我又不跑，我就是来自首的。"

"你放屁！你什么时候要来自首，明明是我把你按住的。"

"你不按住我，我也来自首。"黑汉子眼睛红红的，大而突出，嘴唇也突出，他不停地甩着脑袋，说话大舌头，看上去傻乎乎的感觉。

"徐二黑！你来自首还那么用劲挣扎做什么？"

冯凯心中一喜，知道这个黑汉子就是徐二黑了，又二又黑，还真是名副其实。于是喝道："别吵了，吵什么，怎么回事？"

"昨晚我在现场看守，半夜的时候，这小子翻墙进来了。"联防队员滔滔不绝地说，"当时我听见瓦片响，就在墙根底下等着，果然不一会儿他就跳进来了，和我撞了个满怀。那时候，他前面是我，后面是墙，跑都跑不了了，就给我掐住带派出所了。"

"我，我，我就是想去我大伯家看看什么情况，然后去自首的，你不掐我，我就去自首了。"徐二黑梗着脖子，不服气地说道。

"行行行，只要你现在老实交代，算你自首。"冯凯笑了，一边说一边走到对面桌子，从抽屉里，拿出了笔录纸。

"那我？"联防队员急了。

"你也算立功。"冯凯说。

"那就行了。"联防队员放开徐二黑，说，"没我事儿，我就走了。"

"自首不判死刑的，对吧？"徐二黑看着冯凯说。因为他的眼睛太大了，又突出又没神，看得冯凯有些想笑。

冯凯心想，你这种犯罪不判死刑，还能有什么判死刑的？他指了指背后"坦白从宽、抗拒从严"几个大字，说："判什么刑，那是法院说了算，但你的态度很重要。"

徐二黑眯了眯眼睛，看了看背后的几个大字，嘿嘿一笑，说："那行，我坦白就是了。我大伯是我炸死的，其实我是想把大伯大妈一起炸死的，老太婆命大。"

虽然徐二黑看上去就是一副虎样子，但这样轻描淡写地说杀人的事，还是让顾红星背后渗出了冷汗。顾红星见冯凯转头朝他眨了眨眼，知道他的意思是让顾红星对自己的指纹鉴别更加自信一些。不用冯凯说，此时顾红星已经很自信了，没想到难度这么大的指纹显现和比对，他都准确无误地做出来了。

"说吧，为什么要杀他们？"

"老头子、老太婆太爱占便宜，还护食，不厚道。"徐二黑又甩了甩脑袋，说，"老头子喜欢泡澡，我只要蹭到澡票就带他去，结果他还想黑我的钱。"

"黑你的什么钱？"

"过年前后吧，有一次我带他去泡澡，结果老头子泡完了出来，在躺床箱体里掏衣服的时候，意外发现箱体的侧面有个破洞。躺床都是三合板打的嘛，就是两层三合板之间的空隙里，有个东西。"徐二黑说，"老头儿当时把它掏出来一看，是一个像笔记本一样的东西，里面夹着两百块钱。"

冯凯算了一下，两百块钱大约是他半年的工资，对于农民来说，确实是一笔大钱了。

"过年前后？"顾红星问道，"那到现在半年多了。"

"是啊，本来没事，我们一人一百把钱分了。"徐二黑说，"那本笔记本看起来比较漂亮，就被老头子带回家了。"

"什么样子的笔记本？"

"线装的，白色羊皮封面的，我约莫着是哪个村子的家谱吧。"徐二黑说，"半个月前，我又带老头子去洗澡，浴室管理的同志就和我们说，有一个顾客来他这里找本子，让我们帮忙问问，如果谁拿了本子，他愿意再掏两百块来买。说是那个本子是这个人祖上留下来的，很重要。"

"所以你们分赃不均了？"

"不是。"徐二黑眨巴眨巴眼睛，说，"都是社会主义新青年，我怎么会那么做呢？我就让老头子回家把本子拿出来，结果他说本子丢了，找不到了。"

这番话说得太虚伪，冯凯冷笑着摇了摇头。

"他是不可能丢的。他家破烂成什么样的东西都留着，那么漂亮的本子他怎么也不舍得扔的。"徐二黑说，"说白了，他就是想独吞那些钱，啊，不，他就是想占人家便宜。所以啊，我怎么能让他的这种拾金就昧的不良行为得逞？我就准备炸伤了他俩，等他俩去了医院，我就把本子拿出来还给人家。没想到，药下猛了。"

"还给人家？你那么好心？"冯凯想笑。

"那必须的，我昨晚翻墙进去，不就是去拿本子嘛。"徐二黑说。

"炸药，哪里来的？"顾红星问道，他似乎有点心事重重。

"我战友在矿上，我就找他要了一点。"徐二黑说，"真的，就只有一点点。我想着，他俩那么爱占便宜，我在瓶子里放点钱，他们肯定得拿回家去开瓶子。那个瓶子，晃几下就会炸的，我在部队里学过。"

"行了，炸药的来源，我们会去调查。"冯凯说，"你在里面好好想想吧，为了两百块钱就把你唯一的亲人给炸死，是不是人能干出来的事情？"

"你可别瞎说啊，公安同志。"徐二黑的嘴唇更突出了，"我怎么是为了钱？我是为了道义！道义！而且我也没想炸死他。"

冯凯摇摇头，拿起笔录纸离开了审讯室。穆科长正站在审讯室外面听，见他们出来，问道："证据行不行？别到时候法院要判他死刑，他翻供。"

"我这边在瓶子里的硬币上，找到了他的指纹。"顾红星明显比早晨起床的时候自信多了，措辞也都没有用"可能"之类的不确定性用词。

"炸药的来源，也可以通过调查固定下来，放心吧，没问题的。"冯凯挥了挥手。

"我发现，你们俩还真是我们科的福将啊。"穆科长满意地笑着，语速也没那么快了，说，"那行，炸药的来源，你们给我调查明白了，明天我放你们俩假。"

"可是我们晚上……"冯凯正想推托，顾红星倒是欣然允诺，说："行，晚上之前应该能调查完。"

冯凯摇摇头，心想这家伙真是不把和女朋友的约会当回事，活该单身。

顾红星并没有忘记晚上的约会，他只是希望能够亲自去把炸药来源问题调查清楚，从而来印证他的指纹鉴定没有犯错罢了。

矿山很远，他们也不可能因为调查一份笔录而使用局里的吉普车，于是只能蹬着自行车长途跋涉。冯凯很是郁闷，一路上不停地揉着酸麻的大腿和屁股，心想要是自行车也能记录公里数的话，估计日均公里数得超过陶亮的那辆蔚来车。

到了矿山，徐二黑的战友当然是对偷窃炸药的事情矢口否认。好在矿山的负责人是个细心的主儿，炸药的去向都记得一清二楚。没用三个小时的时间，就把丢失的炸药算清楚了，即便只有十几克，也找到了线索。有了线索的佐证，这个战友也就不得不承认了自己利用职权，克扣下部分炸药的事实了。

有了这份证词，顾红星更是信心满满了，整个人似乎都散发着阳光的气息。指纹技术真是好东西，是破案的撒手锏。从公安部民警干校学习归来，他们遇见了这么多案子，每次在山穷水尽的时候，都是指纹技术使得案件柳暗花明。虽然在郭金刚的案子中，指纹运用出现了一些问题，但是这都是可以积累的经验。即便是在这个案子中，指纹技术也都是准确无误的。而眼前这个爆炸案子，难度这么大的立体指纹分辨，他顾红星也通过自己的努力做到了准确无误。这也难怪穆科长说他们是"福将"了。"福"的前提，是专业的"富"。

固定好了证词，把犯罪嫌疑人移交给了矿山保卫部门后，冯凯二人就急匆匆地骑车往回赶，毕竟此时已经日落西山了。

好在，他俩在林淑真就快要放弃等待之前，满身大汗地赶回了宿舍，四个人一起，心情极佳地去了国营餐馆开豁。

4

这次机会，是冯凯等了好久的。他们点了四菜一汤和几瓶啤酒，一边聊着，一边吃着。冯凯则用半开玩笑的口气，有意无意地把办案过程中遇到费青青，费青青又怎么暗送秋波，而顾红星则无动于衷，最后费青青望而却步的经过全部都说了一遍。

顾红星有些气恼，他不能理解冯凯为什么在这种场合要拿这种事情来说，这实在是不符合冯凯的性格。他很是尴尬，低着头抿着杯子里的啤酒，都不敢抬起头来看看林淑真是什么反应，心里七上八下的。

好在林淑真不以为意，准确地说，是在冯凯说完此事之后，林淑真似乎情绪更加高涨了一些。虽然她刻意绕开此事不去评价，但还是叽叽喳喳不停地询问他们最近办案的故事，像突然对冯凯他们的工作开始感兴趣了似的。

袁婉心是个文静的姑娘。她其实只比冯凯大一岁，23岁。一束马尾高高地束在脑后。和审讯的时候，天壤之别，她就是一个话不多、很温和的姑娘，这也就能理解为什么在社会主义的今天，她还会不抵抗父母包办婚姻。她在听冯凯他们说话时也很认真，虽然不插嘴，但表情会随着冯凯讲的故事的情节而变化，对于冯凯偶尔抛出的冷笑话，也会腼腆一笑。

林淑真像读懂了什么一样，看了一眼袁婉心，然后似笑非笑地问冯凯："你有对象了吗？"

以冯凯的情商，当然立即明白了是怎么回事，于是斩钉截铁地说道："有了。"

"哦。"林淑真有些失望。

"啊？你什么时候有对象了？"顾红星放下筷子，一脸迷惑地看着冯凯。

冯凯在桌子下面踢了踢顾红星，说："我真的有对象，她叫雯雯。哎，想起来已经很久没有见到她了，都快忘记她长什么样子了。不过，我们的感情很好，我相信她会等到我的。"

"雯雯？"顾红星说，"怎么都没听你说过？"

冯凯瞪了一眼顾红星，说："我为什么要和你说？我现在也不能和你说。不过，你早晚会知道的。"

"她长什么样子啊？我见过吗？"顾红星不依不饶。

"长得和你差不多，你早晚会见到的。"冯凯皱起眉头，说。他又开始万分思念顾雯雯了。这么久以来，每到夜晚，他都孤枕难眠，顾雯雯的笑容充斥着他的脑海，随着时间的推移而日趋严重。只有在工作的时候，他才能暂时分神，遮盖住那如海的思念。

顾红星似乎还想继续问点什么，却被冯凯用一大块肉塞住了嘴巴。冯凯说："你吃肉吧，话那么多。对了，林医生，我想问问你，一个人得了什么病，会每礼拜都要定时去医院诊治，一诊治就是一年的时间？"

顾红星立即明白冯凯在问什么了。他对冯凯一直记着"女工案"而心存感激，也同时对冯凯心存鄙视：原来这次开斋，冯凯是预谋了有事相求啊。

林淑真喝了一口啤酒，用刚才听故事学来的刑侦术语说："这可就多了，你给的线索太少，没有抓手①，没有证据，我也不好定案。"

---

① 抓手：指破案的依据和方法，或者是指可以直接甄别犯罪嫌疑人的重要物证。

"那我再给一点线索。"冯凯说，"每个礼拜三上午去你们医院，一般都是看什么科啊？"

"礼拜三，那什么科都上班啊，这算什么线索。"林淑真说，"咋啦？你是在调查什么吗？"

冯凯咬着嘴唇想了想，说："告诉你们也无妨，我们正在调查一起一年前的疑似命案，这里面有个嫌疑人，在死者死后就大病了一场，然后一直到现在，每个礼拜三都去你们医院就诊。"

"一年前你们不是在上学吗？"林淑真的关注点果然出乎冯凯的意料。

"就是刚刚当警察那会儿，是他发现的问题。"冯凯指了指顾红星说。

"哦，我知道了，是你们半夜去火葬场偷看尸体那事儿。"林淑真说。

袁婉心吓了一跳，用诧异的眼神看着冯凯。

冯凯很是尴尬，说："什么叫偷看尸体？你放心，我们不是变态，我们是半夜去查案。"

袁婉心竖了竖大拇指，低头笑了。

"那案子，你们后来查出什么了没有？"林淑真歪着头想了想，说，"我记得，你们是不是找到一双鞋子？"

"具体案情，你作为普通群众，就不要打听了。"冯凯按住了刚准备和盘托出的顾红星，说，"就是说，我有什么办法去调查到嫌疑人去你们医院看啥病？"

"嘿，你那么有本事，别来问我们普通群众啊。"林淑真白了冯凯一眼。

"你这话说得不对。"冯凯说，"我们公安从群众中来，到群众中去。一切为了群众，一切依靠群众，这是毛主席说的。"

林淑真扑哧一笑，问："那你知道他的名字吗？"

"知道，王飞凡，玛钢厂的秘书。"

"那还不简单，你们拿着介绍信，去病案室一查，不就知道了？"林淑真说。

"不就是介绍信开不出来嘛，案件是保密的。"冯凯挠挠头，说，"要是能开出介绍信，哪有那么多麻烦。"

"那就没辙了，病案室不让随便查病历。"林淑真说完，又补充了一句，"我们医院的内部员工也不行。"

"我有个办法。"袁婉心举了举手，柔声说，"如果能翻看药房的取药记录，也可以大致知道他得的是什么病。"

"对呀！聪明！"林淑真拍了拍手，说，"丫丫你以前就是药房的，和他们很熟悉吧？"

"查个取药记录应该没问题。"袁婉心的声音还是很温婉，"药房的取药记录是保存三年的，比较多，但是你们有准确时间，有确切的患者姓名，那就很好查了。"

"那太好了，明天你帮我们查查呗？"冯凯心想，也就是这个年代能这样干。要是到了现代，不按程序调查到的证据，都是非法证据，不能算数。

"行。"袁婉心点头应允。

"明天就是礼拜三，他如果去医院看病，你们直接去问他不也行吗？"林淑真说。

"简单粗暴。"冯凯摇了摇头，说，"破案是要讲究策略的。"

"对了，明天是礼拜三。"顾红星说，"如果我们能查到他看哪个科，你能不能帮忙把他的指纹搞出来？"

"你脑子里就只有指纹。"冯凯说。

"就像上次那样，让他按手印？"林淑真问。

"能不能不要那么简单粗暴？"冯凯说，"为了不打草惊蛇，你可以以你医生的身份，让他拿一下什么东西，比如茶杯啊、药瓶啊什么的。对了，你现场机器上找到的，是哪根指头来着？"

"这个不知道啊。"顾红星说，"我提取到的是一枚变形的指纹，没办法判断是哪根手指。"

"那就得十根手指都取。"冯凯看着林淑真，说。

"那我总不能强求他两只手都去拿杯子。"林淑真感到压力巨大，说，"而且我还是个急诊科的医生。"

"根据现场的情况，右手的某根手指的可能性大。"顾红星说，"但也不能完全排除左手的可能性。"

"都得取。"冯凯说。

"我在医院工作的时间长，认识的医生多，明天看看他在哪个科，再具体想办法吧。"袁婉心说道。

"那真的谢谢你了。"冯凯说道。

"是我应该做的，你帮了我那么多。"袁婉心羞涩地说道。

第二天一早，冯凯信心百倍。毕竟有过那么多年的刑警经验，他培养出了一种超凡的直觉，就像他开始怀疑徐二黑一样，他认定这个王飞凡一定有着不寻常的地方，和女工的死亡一定有千丝万缕的联系。

赶在医院正式开诊之前，冯凯和顾红星就来到了医院。为了掩人耳目，两人躲进了急诊科的医生办公室，也就是林淑真的办公室。

药房还没有开门，但袁婉心已经进去了，通过之前的老同事，她拿出了近一个月的取药记录，开始查找。

不一会儿，袁婉心就推门进来，低声说道："我查到了，这几个礼拜三上午十点左右，这个王飞凡都是定时来取药的。还不错，现在的药房越来越规范，记录了患者姓名、诊断和药品名。他患的是癔症，每次取的药都是盐酸曲舍林，也确实是治疗抑郁的药品。这种药是不能多吃的，所以每次他只能取一礼拜的药量。"

"癔症？"冯凯觉得这个词儿似曾相识。

"就是一种精神类疾病。"林淑真说，"比较常见的是，受过什么刺激，然后出现精神障碍，从而出现一系列的躯体反应。"

那就说得过去了。冯凯心想，不就是PTSD（创伤后应激障碍）嘛。

"你们医院有精神科？"顾红星问道。

林淑真点了点头。

"就一个坐诊医生，赵主任，我认识的。"袁婉心低下头，咬着嘴唇说道，"我找他，找他看过。"

冯凯点点头，心照不宣，说道："那你能不能和赵主任说说，弄到他的十指指纹？"

"我去试试吧。"袁婉心好像想起了过往，心情有些低落，转头离开了。

在焦急的等待中，时间总是过得很慢。两个小时的时间，似乎是过了一整天。终于，在上午十点钟不到的时候，袁婉心拿着一张白纸回来了。

"我不知道，在白纸上能不能找到指纹。"袁婉心说，"但用其他东西，实在是太假了。"

"白纸可以，当然可以！"顾红星跳了起来，拿过白纸。

"赵主任说王飞凡总是有全身发抖的症状，所以让他双手合十，夹着白纸，看白纸抖不抖，从而判断他的手抖不抖。"袁婉心拨弄了一下刘海，说，"这本来就是每礼拜都要做的检测，所以也就顺水推舟了。"

顾红星此时把白纸铺在桌面上，从勘查包里拿出了一瓶粉末，刷子蘸上粉末，只是在白纸上轻轻一刷，就出现了一个清晰的手掌印。

"我的天，这么明显。"林淑真惊讶道。

"你看，就是他。"袁婉心拉开门缝，指了指外面的一个男人说道。

医院大厅里，一个女人挽着一个男人走过。男人看上去四十岁左右，高高瘦瘦的，戴着一副金丝眼镜，白白净净的书生模样。

"快点比对，王飞凡在药房排队拿药了。"冯凯从门缝里向外看去。急诊科在一楼，和药房正对面。

"快点，快点，轮到他拿药了。"冯凯见顾红星半天没有说话，着急地催促道。

"现场的变形指纹有点像是他的左手环指指纹。"顾红星的眼睛放在马蹄镜上，说，"可是，毕竟是变形指纹，所以我不确定啊。"

"你怎么总是瞻前顾后的？"冯凯有些不耐烦了，说，"上次也是这样，立体指纹不确定，但事实证明只要你找到共同点，不就是可以确定的嘛。"

"如果说共同点，那是有好几个的。"顾红星说，"但我感觉差异点也是有的。"

"你都说了，是变形指纹。既然是变形的，那么差异点就可以忽略啊。"冯凯说。

"说的也是，不会那么凑巧，正好有几个共同点一模一样的。"顾红星在冯凯的鼓励下，来了自信，说，"我觉得是他。"

"行了。"冯凯见王飞凡已经拿了药，正向医院大门走去。他整理好身上的警服，扣上大盖帽，大跨步向王飞凡走了过去。

"王飞凡，等一下。"冯凯喊道。

王飞凡愣住了，回头看到两个公安正向他走来，立即嘴唇开始发白，身上开始微微地颤抖。他的这些表现，都被冯凯收入眼底，冯凯更是对自己的直觉深信不疑了。

"我们想要和你了解一下吴秋月的事情。"冯凯昨天晚上已经翻过了之前的笔记本，确认自己没有叫错女工案里死者的名字。

"我就说吧，你这事儿早晚得给公安知道。"王飞凡身边的中年女人嘀咕了一句，眼神里不知道是醋意还是愤恨。冯凯猜测，王飞凡身边的中年女人，很有可能是他老婆，估计她是知道丈夫和吴秋月的不正当男女关系的。

王飞凡并没有回答冯凯和身边女人的话，而是轰然倒地，在地上抽搐了起来。

突如其来的变故，让冯凯有些意外，他连忙指着王飞凡说道："你，你别装

啊，你这样的我见多了。"

"装个屁！你们这些人，我丈夫要是有个三长两短，我和你们没完！"女人尖锐的声音响了起来，伴随而来的，就是她刺耳的哭号声。

"快去二楼喊赵主任！"女人尖声哭喊着。

正在围观的林淑真见状，转头向二楼跑去。

因为是在医院大楼门口，进出的人很多，大家都被这忽然倒地的男人和尖声哭号的女人吸引住了目光，瞬间就有几十名围观群众，议论纷纷、指指点点。

"这是公安在抓坏蛋？"

"不是吧？这人是玛钢厂的，我认识啊。他爹好像是武装部的。"

"哦，那就是公安打人了。"

看着王飞凡越来越紫的嘴唇和充满血丝的眼睛，冯凯也有些紧张了。毕竟，这情况和陶亮曾经遇见过的诈病的嫌疑人不一样，很多体征是很难伪装出来的。

不一会儿，穿着白大褂的赵主任在林淑真的带领下跑了下来，喊道："快点，林医生，给氧气，给氧气。欸，这究竟是怎么了？"

"我们就问了一句话，就这样了。"顾红星也是手足无措。

"他是癔症的急性发作。"赵主任一边配合急诊科采取一些医疗措施，一边说道，"他的发作状态有点像癫痫，会抽搐，如果导致窒息就危险了。哎，我都治疗他两年了，中间就发作过一次。"

"等等，两年？"冯凯拉住了赵主任，问道，"你说他两年前就这样了？"

"是啊，1975年的夏天，第一次发作。"赵主任说，"当时以为是癫痫，后来做了检查，确定是癔症。"

"难道他不是1976年夏天受了刺激，才得应激性精神障碍的吗？"冯凯诧异道。

"不是。"赵主任说，"他这个癔症是有家族史的，是遗传性疾病。和你说的应激性障碍是两码事。你看你们，太冒失了。这两年来，他每个礼拜三都来，积极配合治疗，要不是去年又受了一次刺激，就已经康复了。眼看着这又过了一年，要康复了，又被你们吓唬了一下。"

"我们没有吓唬他。"顾红星连忙解释说，"林医生可以做证。"

"你说他每个礼拜都来？"冯凯可不管那么多，"一次都没有耽误过？还有，上次发作是什么情况？"

赵主任见急诊科已经对王飞凡进行处理，于是停下脚步，说："基本上没有缺诊过，上一次具体是哪一天我忘记了。但我记得他上午刚来看过病，下午就又被他老婆送来了，说是受到了刺激，又发作了。"

冯凯心中一沉，转头问顾红星："那次事情是哪一天，你记得吗？"

顾红星也想到了冯凯的担忧，说："记得，1976年6月23号，是礼拜三，上午十点半不到。那天下午，我们出发去沈阳的。"

"也就是说，事发当天，他有不在场证据？"冯凯出了一身冷汗，问赵主任，"你确定他发作那天，上午是自己来的？"

"自己来的，八点到十点都在我那里。"赵主任说，"十点钟让他去开药的。"

冯凯顿时有些头晕目眩，他拉上袁婉心，又去了药房，翻出了一年前的存根。他用有些微微颤抖着的双手翻阅着存根，果然找到了1976年6月23日王飞凡的取药记录，记录是上午十点十一分，王飞凡的取药签名和以前的一模一样。

无论怎么算，王飞凡都是有不在场证据的。

冯凯颓丧了，他没有想到，自己的直觉这一次真的是失灵了。而更颓废的，是顾红星。他万万没有想到，自己的指纹鉴定出现了问题。虽然他也想过，会不会是王飞凡在案发之前或者之后去过机器那边，留下了指纹。但是转念一想也不对，毕竟留下指纹的位置很奇怪，即便是王飞凡事后去机器那边祭奠，也不会钻到机器和废弃小门之间。指纹里有血迹就更无法解释了，毕竟和郭金刚被杀案不一样，女工事件不可能正好有人在这个特殊位置出血。

既然这枚带血的油脂指纹和女工之死强相关，而王飞凡又不可能和此事件强相关，就只能用他顾红星比对指纹失误来解释了。

燃烧的蜂鸟

第九章

刀片

1

接下来的一天，两个人都不知道是怎么度过的。

一直都是典型的乐观主义者的冯凯，有些失落。长到这么大，冯凯还是第一次对自己的直觉产生了深深的质疑。而顾红星则更像着了魔一样，一手拿着现场指纹照片，一手拿着那张印有王飞凡手印的白纸，皱着眉头、目不转睛。

"今天这事儿，怪我。"冯凯见到顾红星的表情，有些不忍，说，"如果不是我催你，恐怕不会是这样。"

"不，不怪你。"顾红星由衷地说，"即便是我看了一下午，我还是觉得这里面有不少共同点。"

"难道你怀疑他的不在场证据？"

顾红星摇摇头，说："不，其实差异点也是有的。但是我总觉得，既然是变形指纹，那么肯定会产生差异点。就比如硬币上的那枚指纹，也可以和徐二黑的指纹找到很多差异点，但事实证明那就是徐二黑的指纹。"

"原来看指纹这么复杂。"冯凯说，"我一直以为看指纹就像比对DNA一样，对得上就是，对不上就不是。"

"DNA？"

"啊，我的意思是说，就像两幅图画找不同一样。"冯凯连忙解释道。

"是啊，如果是两枚完整、清晰、平面且没有移动变形的指纹，比对起来是很简单的，和你说的比对两幅图画一样。"顾红星说，"但是现场提取到的指纹，有很多都是缺损、模糊或者变形的。这时候，很多共同点就会变成差异点，就要看痕检员怎么去取舍了。"

"所以，我总是觉得痕检员的工作很简单，其实是我自己肤浅了。"冯凯想到了顾雯雯每次工作完回家后疲惫的表情。

刀片

"不简单，到现在我也还是想不明白。"顾红星的声音很轻，很失落，"我这脑子，也不知道适合不适合做这一行。"

"你要是不适合，就没人适合了。"冯凯安慰道，"我来做吗？让我坐下来看指纹超过半个小时，我的眼球感觉就要爆掉了。"

顾红星没说话，冯凯对他的安慰似乎没有起到什么作用，他还是唉声叹气，情绪低落。

因为爆炸案的顺利破获，穆科长给了他们俩难得的假日，可没想到，这个假日过得却如此窝囊。直到傍晚下班时间，一直有些放心不下的林淑真和袁婉心敲响了他们宿舍的门。而此时，他们俩还在各自的床上躺着，郁闷地想着心事。

"你们没事吧？"林淑真见到顾红星的脸色不好，关心地问道。

"没事。"顾红星放下手中的指纹照片。

"你脸色不好。"林淑真说。

"办错了案子，总是没有什么可开心的嘛。"冯凯笑着打圆场，说，"谢谢你们的关心，可是案子是保密的，所以也不能告诉你们前因后果。"

"工作犯点小错，这很正常，谁不犯错呢？我刚参加工作的时候，主任让我拿肾上腺素，我却拿错了药，要不是主任发现，不知道什么后果呢。"林淑真安慰道，"而且今天那个王飞凡突然犯病，也不是你们的错，是他自己本来就有病。"

"这我们知道，只是我们办的这个案子，现在又回到了死胡同，所以有点失落罢了。"冯凯把自己的失落，归结成了这个原因。

"咱们这两个职业，是一点点小错也不能犯的。因为只要一犯，就是人命关天的大事。"顾红星低着头，徐徐说道。

顾红星说得很有道理，在场的四个人都陷入了沉思。尤其是冯凯，他在二十一世纪时，总觉得自己的工作就是自己的兴趣，从来没有像今天这样意识到，在兴趣之上，责任才是他肩膀上最重的东西。

"对了，今天你们走了之后，下午有两个公安来找丫丫。"林淑真指了指袁婉心，说道。

"对，他们问了我你们调查王飞凡的全过程，然后就又去找药房的人了。"袁婉心轻声说道，"他们还找了赵主任，好像也是问这个事情。"

冯凯和顾红星对视了一眼，心里预感到了会有不好的事情发生。

"但你们放心，我说得很明白，你们什么都没有做，只是喊了王飞凡一句，他就直接倒地抽搐了。"袁婉心见两人面色骤变，连忙安慰道。

"那谢谢你了。"冯凯勉强一笑，对袁婉心有些歉疚，说，"你们忙了一天了，回去休息吧，我们没事的。"

林淑真这才恋恋不舍地和袁婉心一起，离开了他们宿舍。

"我感觉明天我们要倒霉。"顾红星见林淑真离开，和冯凯说道。

冯凯点点头，说："王飞凡的老婆不是个省油的灯，估计会来公安局告我们的黑状。不过不要紧，我们是正常查案子，又不是办私事。"

"是啊，我们的出发点是好的。"顾红星还是有所顾虑地说道。

两人在宿舍里烧水煮了方便面当作晚餐。他们吃的方便面，叫"伊府面"，是一种传统的面食，其实就是油炸的便于储存的面条，算是现代版方便面的鼻祖吧。这个冯凯十分熟悉的东西，在顾红星看来倒是个稀罕货。两人在国营商店里买日用品的时候，冯凯无意中看见了这里有卖方便面的，于是掏钱买了几包。那时候顾红星还以为是几袋很贵的饼干。

伊府面味道不错，两人都吃了不少，但是有了心事，睡觉也不踏实。

第二天一早，两人早早就醒了，却不约而同地磨蹭到了上班时间，这才慢吞吞地去办公室。

推开办公室的大门，冯凯就知道有事来临了。尚局长正坐在冯凯的位置上，抱着胳膊，气鼓鼓的模样。穆科长站在尚局长的身边，弯腰和尚局长快速地说着什么。其他几个科里的同事，各自在座位上整理着材料，一见两人推门进来，陈秋灵还眯起三角眼露出了幸灾乐祸的笑容。

"尚局长好，一大早什么风把您吹来了？"冯凯一边套着近乎，一边嬉皮笑脸地说道，"小顾，快去给尚局长倒杯茶。"

"倒个屁！"尚局长眉毛都快竖起来了，"被你们气死了，喝茶能回魂不？"

"嘿，您这么大个领导，没那么容易被气死。"冯凯赔着笑，说，"人家不都说，宰相肚里能撑船嘛，您一个大局长，肚子里说什么也能停辆挎子。"

顾红星一头冷汗，心想都什么时候了，你冯凯还在插科打诨。

"严肃点！"穆科长在身边喝道。

冯凯心想，你这老家伙要落井下石吗？说什么我也是你的兵啊！我犯了什么错误，你还能脱了干系是怎么的？他不自觉地朝穆科长吐了吐舌头。

"昨天的事情，我已经了解清楚了。"尚局长说，"你们私自去查案，违反纪律了，知道吗？"

冯凯很是纳闷，在二十一世纪，没有齐备的法律手续，自己去调查案件，那肯定是不行的，督察纪委很快就会找上门来。可是现在只是二十世纪七十年代啊，什么时候对办案程序要求也这么严格了？这尚局长，是不是有点矫枉过正啊？

"此事可大可小，我随时可以下了你们的枪。"尚局长说完，狠狠地摸了摸自己的白色平头。

"哟，不好意思，我今天没带枪。"冯凯嘟囔了一句。

"你老实点吧！局长的意思，是你们犯的错误，是可以被开除的。"穆科长瞪了一眼冯凯。

冯凯回头看了一眼顾红星，他低着头，完全一副"认罪服法"的样子，显然没有申辩的意图，于是只能独自辩解道："是，昨天我们是放假，但是我们利用假期工作，是学雷锋做好事，又不是为了一己私利，不至于上纲上线吧？"

"要是为了一己私利，我早就把你们抓起来了！"尚局长说，"我们手中的权力，是人民赋予的，权力是要关在笼子里的，如果都像你们这样，想调查谁就调查谁，那岂不是乱了套？"

冯凯抚了抚额头，心想怎么这就开始唱起高调了？

顾红星则没觉得局长在唱高调，他小声说道："是的，我们意识到错误了。这次主要是我对于指纹比对太有信心，导致了这样的后果。"

"嗯，我看小顾这个说得对。"陈秋灵捧着茶杯，眯着三角眼，说，"不能因为在几起案件中碰了巧，就以为技术可以解决一切问题了。"

作为侦查员的冯凯，以前可能是会非常赞同陈秋灵的看法的，但经历了这么多事后，他只觉得这个阴阳怪气的老刑警实在有些令人讨厌，思想保守、墨守成规，成不了大事。

"今天不说指纹的事情，就说你们违规办事的事情。"尚局长说，"已经是1977年了，你们还以为自己想做什么就做什么吗？我听说已经有人在提议立法，一系列的法律法规都要出台了，到时候难道你们还打算让我亲自给抓起来？"

"局长消消气，他们俩有心结，从他们刚上班的时候就想着解开了。"穆科长用很少见的温和语气说道，"毕竟是一条人命，他们的出发点是好的。"

冯凯这时候才知道，老穆看来是一直在为他们俩说话的。

"这事儿也不是只有你知道。"尚局长白了穆科长一眼，说，"该给你们的方

便，已经都给你们了，但是你们就不能帮我省点心？有什么行动，先汇报，这也做不到？"

冯凯知道，尚局长说的是开出介绍信，让他们以做零件为由，去玛钢厂秘密现场勘查的事情。对这件事情，冯凯还是心存感激的，所以嘴上就不再贫了。

"即便是审讯犯罪嫌疑人，也要先了解他的身体情况，研判适不适合审讯，更何况是一个无辜的老百姓？"尚局长严厉地说，"王飞凡的老婆闹到了他们厂子，他们的厂领导专门去找了市领导，市领导大发雷霆，说我们公安局无法无天，把我骂了一顿。对了，这个王飞凡的爹，还是军方的人。"

"我说呢，原来是有背景的人啊。"冯凯又有点不服气了，"不都说了，王子犯法与庶民同罪吗？"

尚局长被冯凯气得青筋迸出，说："首先，这个王飞凡的父亲已经退役了，之前也不是领导，并没有什么背景。其次，你们做错了事情，处理不处理你们，和对方有没有背景没任何关系。"

"其实，我们什么也没干，就和他说了两句话。"冯凯觉得尚局长说得有道理，泄了气，老老实实地说道。

"这个我们都已经调查清楚了。"尚局长说，"不管你们是只和他说了两句话，还是把他错抓回了公安局，你们没有按程序办案，没有组织上的授权就私自行动，就是犯了错误。人家王飞凡的老婆可不这样说，她说，两个凶神恶煞般的彪形大汉往她老公面前一站，就是正常人也受不了，何况一个有精神病的人？"

"凶神恶煞？"

冯凯看了看身边斯文瘦弱的顾红星，突然觉得很是好笑，忍不住笑了出来。

"真有你的，还能笑得出来！"尚局长也被气笑了，说，"在市领导那里，我把责任扛了下来，我说你们找到了女工案的一些证据，为了一条可能是冤死的人命，是我授意你们秘密调查的。"

他们在机器上找到了可疑的指纹，这件事情尚局长并不知道。他们在发现疑点时，只跟穆科长汇报过，说明穆科长真的把这件事当成一件重要的事情向尚局长做了汇报。一名老刑警，自己办的案子被两个年轻人质疑，还能这么坚定地支持他们，穆科长才真的是"宰相肚里能撑船"啊。

"不过，王飞凡的老婆一直在闹，这时间可能还坐在副市长办公室里呢。"尚局长口气稍稍缓和，说，"市领导的压力很大，我的压力也很大，所以我得来问

刀片

问，你们打算怎么办？"

"指纹虽然带血，但是是变形的，很难比对。"顾红星说。

"也就是说，虽然你们找到了证据，但还是走进了死胡同？"

"玛钢厂上班时间不允许其他人进入，除非登记。"顾红星说，"如果我们能拿到玛钢厂所有人的指纹，和当天进入厂子的外人的指纹，我可以再试着比对一下。"

"肯定不行。"尚局长挥挥手，说，"一来这件事情已经闹得很大了，如果再大范围采集指纹，会闹得更大。二来如果真的是一起命案，大范围采集指纹无异于告诉犯罪分子，让他快跑。打草惊蛇，对于你们后期办案也是个麻烦事。除了这种方法，就没有其他侦查方面的办法了吗？"

"就是啊，我都说过，指纹技术只能作为一个辅助。"陈秋灵又插话了，"如果让技术牵着鼻子走，早晚要犯大错。毕竟技术这个东西，有很多不确定性。"

冯凯烦躁地揉揉耳朵，反驳道："侦查方面也不好做，我们进去挨个调查，和挨个取指纹的效果是一样的。"

"这件事情，既然你们已经捅了娄子，那就继续捅下去吧。我也破罐破摔了。"尚局长站起身来，说，"不过，行动前必须报告！"

"是！"冯凯立正说道。

"还有，"尚局长说，"既然这么多领导关注此事，不给你们处理，我没法交代，也没法掩人耳目。从今天起，你们两个人停职。"

转折来得太快，让冯凯有些不可思议。他瞪大了眼睛，问道："不都说好了吗？彻查案件，怎么又停职了？"

"反正你们现在也进了死胡同。"尚局长说，"这几天，你们就给我好好想想，捋一捋案件过程，总能找到突破口的。"

"那行，我们睡几天大觉好了。"冯凯无可奈何地叹了口气。

"睡大觉？你想得美！"尚局长拍了一下冯凯的后脑勺，说，"公安局不养闲人，你们俩这几天给我去档案室整理档案去。这十年来，案件卷宗都乱七八糟的，该整理整理了。"

说完，尚局长背着手走开了。穆科长送走了尚局长，走了回来，看了一眼烦躁的冯凯和颓丧的顾红星，摇了摇头。冯凯知道，如果不是穆科长担下责任、给他们求了情，这种惊动了市领导的违规办案肯定不会处理这么轻。他感激地看了一眼穆科长苍老的背影，心里却轻松不下来。因为冯凯想到了档案室里，那一堆堆完全没

有任何归类的案件卷宗，这要全部整理起来，不知道要把他们累成啥样。

而顾红星感到颓丧，绝对不是因为他们要干枯燥的活儿，而是通过这半年时间实战办案建立起来的技术信心，此时突然垮了。回想从警一年的时间，他顾红星一直在怀疑着自己的这个小身板和这份职业不搭，好不容易找到一个不靠身板就能体现价值的事业，刚刚建立起充足的自信，就出了这样的事情。他不知道自己能和谁说，谁又能理解他内心里的沮丧。

顾红星没有想到的是，自己的心理活动，其实早就被冯凯读懂了。冯凯对顾红星声称自己有事儿，让他先去档案室报到，自己稍后就到。

2

有人说，年纪大的人喜欢小孩和年轻人的原因，是因为风烛残年的老人更加渴望旺盛的生命力。虽然档案室的大姐五十多岁，还不至于风烛残年，但是对蓬勃的年轻人还是十分欢迎的。在得知冯凯二人要来档案室帮忙后，她还特地画了个眉毛。这让刚刚赶回来的冯凯觉得十分违和。

违和归违和，冯凯还是一如既往地嘴甜。冯凯来的时候，大姐正在整理卷宗目录，而顾红星默默地在档案室里排档案，两人没有说话。可是冯凯一到，档案室立即就有了欢声笑语。冯凯"大姐"长、"大姐"短地叫着，话不停地聊着家常，让档案室大姐喜笑颜开。

毕竟大姐在档案室工作了一辈子，虽然档案没有分类、也不是按时间排序的，非常凌乱，但是大姐凭着职业经验，还是对大部分卷宗有一个大概的印象。在大姐的帮助下，档案的整理工作就顺利多了，效率也提升了不少，也没有冯凯想象中那么累人了。

让冯凯没有想到的是，经过了一天的工作，他们就把1970年之前的案件档案都整理好了，按时间顺序和案件类别分门别类，还做了登记和检索查询。只不过这一整天，顾红星除了询问档案整理的事情之外，一句话也没有多说。

下了班，冯凯和顾红星回到了宿舍，走上了二楼，就闻见了一股肉香。原来隔壁的袁婉心正在一个煤炉子面前炒着菜，旁边的林淑真也在忙忙碌碌的。

袁婉心见二人上楼，歪头甜甜一笑，没有说话。

"我做菜没有丫丫做菜好吃。"林淑真则是连珠炮似的说道，"所以我就让丫丫调了班，回来帮忙。快快快，你们俩先到我们宿舍坐。"

顾红星这就明白了冯凯上午的时候为什么要离开了，原来是找林淑真给他们开荤。

"等会儿哈，我们回去拿碗筷。"冯凯走到锅边嗅了嗅，高兴地说道。

"对，对，对，有能盛菜的缸子多拿几个，我们这煤炉子都是找楼上借的。"林淑真被油烟熏得眯起了眼睛。

"你们这是干吗啊？"顾红星回到宿舍，问冯凯。

"我出钱买菜，她们出力做饭，多联络联络感情。"冯凯在柜子里找着饭盒和茶缸，说道。

"这又是你的主意吧？"顾红星说，"咱们自己的事情，总是麻烦别人干吗？"

"嘿，你要去她们那儿吃饭，林医生别提多高兴呢。"冯凯意味深长地说道。

顾红星没再多说，两个人去了隔壁宿舍。袁婉心做了六菜一汤，冯凯又去门口国营餐馆买了一捆啤酒，四个人又开始边聊天边吃了起来。

顾红星和上次开荤一样，话没有多说。但是和上次不一样的是，还没怎么吃菜，他就喝下去了两瓶啤酒。不怎么喝酒的他，此时脸上红彤彤的，上半身也开始摇摇晃晃起来。

家常聊了好一会儿，冯凯引入了正题，说："你们听说过一个英国的将军威灵顿没？他原来打了败仗，逃难到了一个村庄。当时他心灰意懒，准备一死了之了。可是就在他准备自裁的时候，看见墙角有一只蜘蛛在结网，刚刚拉起一根丝就被风吹断了，蜘蛛并不气馁，又重新拉，结果又被吹断了。威灵顿看到这些，立即受到了鼓舞，最后打败了拿破仑。人生就是这样，面对困难和挫折，态度不一样，结果就不一样。"

"说那么远的。"林淑真扑哧一笑，说，"要我说，勾践的卧薪尝胆比外国人的故事精彩多了。"

袁婉心也跟着笑了。

"你们别说了，我知道是什么意思。"顾红星舌头有些打转，"这些道理我都懂，我能调整好自己。"

"你可别逞强了吧。"冯凯有些担心地说，"你从来不酗酒，就是喝也只喝那么一点点。你长了二十年，什么时候喝醉过？"

"就一次，就这一次，行吗？"顾红星伸出了一根手指，说道。

古人说，借酒消愁愁更愁。但在顾红星身上好像并不是这样。不知道是酒精的作用，还是林淑真鼓励的作用，第二天顾红星的情绪就好了很多。虽然他还是绝口不提女工案的事情，但在整理档案的空闲，也会和大姐聊一些家常了。

可能是觉得自己做菜自己吃很温馨，冯凯这天下午提前下班，居然去买了个煤炉子回来，然后自己琢磨着生火做饭。做饭这件事对于冯凯来说轻车熟路，但是生火实在不是他的技能范畴之内的。弄了一鼻子一脸的灰，总算是把炉子弄着了。

晚上，四个人又在一起吃了一顿，聊的还是那些励志的话题。而次日一早，顾红星的情绪又好了一些，这让冯凯觉得自己做的一切都没有白费。

随着一天天情绪的变化，顾红星在即将把档案室整理完毕的时候，又有了重新拿起女工案的卷宗的信心。这本卷宗他们之前是看过的，但是重点是看现场拍摄的照片。而对于穆科长他们进行的调查访问笔录，他们则没有多看。除了勘查笔录和调查笔录之外，其实卷宗里还有很多其他的附件，比如女工吴秋月的指纹卡。可能是因为尸体已经残缺不全了，所以老马当时只采集了她八根指头的指纹，有的还不完整。

顾红星用相机拍下了指纹卡，然后开始翻看调查笔录。没想到这么一看，就看出了问题。

在一份陈秋灵署名的调查笔录中，被调查人——三车间的某工人说，在出事前半个小时，他还看见吴秋月正在机器旁边的凳子上坐着，翻看着一本笔记本。当时机器正在正常运作，因为噪声比较大，还有很多灰尘，所以大家都离机器比较远。吴秋月是机器管理员，所以必须在机器旁边监督机器的正常运转。不过基本上也就是坐在旁边看着，没有什么具体的活儿要做。因此，她便拿着一份报纸、一本小说在机器旁边看，这也是吴秋月的日常状态。当时陈秋灵还问了一句："为什么你知道是一本笔记本，而不是一本小说？"那人说，小说的封面都比较好认，笔记本是白色皮革封面的，所以与众不同。

陈秋灵寥寥几笔，记录下了这段供述，却并没有把它当回事。然而，陈秋灵忽略了一个重要的问题：现场勘查记录中，并没有提到什么白色皮革封面的笔记本。不过也可以理解，这个时代的技术部门和侦查部门之间还没有完善的沟通机制。

顾红星在几十份笔录中，敏锐地捕捉到了这个细节。他把笔录拿给冯凯，说："笔记本，你不觉得有些耳熟吗？"

"你说徐二黑和徐茂偷的那本笔记本？"冯凯想了想，说，"可是徐二黑说的

刀片

是过年前后找到的笔记本啊，这样算起来，和女工案距离有半年多的时间。"

"如果是女工案发后，就一直藏在那里，半年后被徐家人发现了呢？"顾红星说。

"那倒也说得过去。"冯凯眨巴眨巴眼睛，说，"不会有那么巧合的事情吧？"

"我们应该把徐二黑说的笔记本找出来看看的。"顾红星说，"即便和女工案没有关系，也算是证明徐二黑证词的一个依据。"

"这还用你说吗？我早就安排了。"冯凯说完，想了想，接着说，"我让派出所找到之后，送预审科入卷的。可是，好像这些天来，没人提这个事情了。"

"案件证据扎实了，这个小细节他们有可能忽略掉啊。"顾红星说。

"我去问问。"冯凯说着，用档案室的电话接通了派出所的电话。

派出所很恪尽职守，在接到冯凯的要求之后，就派出了那个抓获徐二黑的联防队员返回了徐茂家里寻找。这本夹了两百块钱的笔记本果真被徐茂当成了宝贝，藏在了床头柜的隔层里。好在联防队员细心，还是把它给找了回来。找到本子后，派出所联系了刑侦科，想让冯凯来取。但此时的冯凯已经被"发配"到档案科去了，其他人则觉得路程太远，没有去代取，所以这事儿就耽搁了下来。

顾红星看着冯凯，冯凯会意，摸了摸屁股，说："行吧，你把档案科剩下的活儿干完，我去派出所取笔记本。"

"记得别直接用手摸。"顾红星说。

"这时候还惦记着指纹呢？"冯凯笑着说道，"女工案过去一年多了，就是本子上有指纹，还能刷出来吗？"

顾红星摇摇头，说："也许有意外呢？"

满怀着希望，顾红星在上午就整理好了档案，一直等到过了午饭的饭点，才看见冯凯骑着自行车，车把手上还挂着两个馒头和一袋榨菜，回来了。

"你看吧。"冯凯递给顾红星一个牛皮纸袋，咬了一口馒头，说，"受到咱们的影响，现在派出所出现场都用绳子围成警戒带，戴手套取物证了，真好。"

顾红星掏出手套戴好，小心翼翼地从牛皮纸袋里拿出了那本白色羊皮封面的笔记本，说："为什么我感觉这本笔记本和那个工人供述的那么像呢？"

"你说的不是不可能，谁在笔记本里夹那么多钱啊？而且还要悬赏那么多钱去找这本笔记本。"冯凯使劲嚼着馒头，说道。

顾红星小心翼翼地翻开了笔记本第一页，立即从包里翻出了放大镜，照着说

道："冯哥，你看，你快看！这不都是喷溅状的血迹吗？"

冯凯停下咀嚼，把头凑过来看了看。笔记本的封面内侧，有一些点状的暗黑色印记，都非常小，如果不是用放大镜看，根本就发现不了。

"你咋知道这是血？"冯凯说。

"要不要去老马那里做个实验？"顾红星说，"不知道他能不能做出来。"

"先别急，你看看笔记本里写的是什么。"冯凯说。

顾红星往后翻了翻，笔记本里密密麻麻地写了很多公式、画了很多图形，但是他们完全看不懂。

"这是物理还是化学？"顾红星问道。

"不知道，我咋觉得是高等数学呢？"

"高等数学是什么？"

"大学里学的数学，我的天，噩梦一般的存在。"

"你还知道大学学什么？"

"没吃过猪肉，还没见过猪跑啊？走吧，我们去穆科长那里汇报一下。"

两人三步并成两步，跑到了刑侦科办公室，此时的穆科长正靠在椅子上闭目养神。

"干什么啊你们？一惊一乍的。"穆科长被冯凯的推门声吵醒了。

"汇报一下案件的问题。"冯凯把笔记本放在穆科长的面前，把徐二黑的供词和顾红星在女工案卷宗里发现的细节，都拿出来讲了一遍，还用放大镜给穆科长展示了一下笔记本内侧的疑似血迹。

"有啥用？你咋知道这是血？你咋知道这是人血？你咋知道这是谁的血？我翻笔记本的时候，鼻子出血了行不行？"穆科长说道。

"让老马做个血型？"

"天底下同血型的人多了去了。"穆科长说，"这两个事情，风马牛不相及，我觉得不会那么巧合吧？"

"如果了解一下笔记本里记录的，都是什么东西，是不是会有点头绪？"顾红星说。

"行啊，回头我找大学教授问问。"穆科长说，"我听说你们今天档案就能整理完，是吧？现在有个任务要交给你们。"

听到"大学教授"几个字，冯凯愣了一下。

刀片

陶亮的父母就是龙番大学的教授，这个年代，他们应该还在龙番大学上学吧？可是到了这里这么久，冯凯怀着复杂的心情，一直都鼓不起勇气去见他们。现在也是一样。

"老头儿你真的一天都不让我们闲着是吧？"冯凯挠了挠头。

"这不都让你们休了快一个礼拜了？"

"整理档案一个礼拜！这也算休息？比办案还累好不好？"冯凯不服气地说道。

"行了行了，年轻人多干点事情怎么了？"穆科长滔滔不绝地说，"任务很简单，局里给我们科配了两辆东海750，以后我们就是机械化部队了。"

"东海什么？"

"是边三轮啊！我们国家最好的边三轮。"顾红星的眼神里闪着喜悦的光芒，扯了扯冯凯的衣袖。

冯凯心想原来这个年代的年轻人也喜欢车啊，只是喜欢车的类型不一样罢了。看来上次和尚局长说云泰公安都有挎子骑，刺激到了局长，这么快也就给他们买了挎子。

"这挎子，没法运过来，所以得我们派两个人去上海的厂里，给骑回来。"穆科长说道。

"去上海骑回来？"冯凯的眼珠子都快瞪出来了，说，"上海欸！直线距离就有五六百公里！连高速都没有！大热天的，把摩托骑回来？"

"高速是什么？"

"不是，我是说，速度也骑不快。"冯凯连忙解释道。

"边三轮最起码能骑到60迈。"穆科长说，"不耽搁的话，你们两天也就骑回来了。这个任务完成后，你们才可以复职。"

冯凯恨得牙痒痒，这老家伙居然用复职来要挟他们。他还想说什么，却被顾红星一把拉住。顾红星说："保证完成任务。"

"你们坐明早六点的火车去上海。穿警服去，回来沿途可以住在兄弟市局的招待所里。"说完，穆科长背着手站了起来。

"这笔记本？"顾红星问道。

"先放你那儿，等你们回来，我去找大学教授问问。"穆科长一转身就走出了办公室。

"这活儿你也接？"冯凯摇摇头，疲惫地坐在办公桌后。

"你还记得我们在学校认识的老乡吗？潘教员。"顾红星说，"他说过，如果有困难，可以找他。他就在上海市局啊！其实王飞凡的指纹鉴别出问题后，我就想给他打电话。可是看指纹这种事情，电话、电报都实现不了。现在正好有了去上海当面请教的机会，我怎么会放过？"

冯凯恍然大悟，原来顾红星是打着这个算盘。现在冯凯算是意识到信息化的时代，是有多优越了。顾雯雯经常说的"网上会诊"原来就是这个意思。

既然有了自己的目的，两人的行程就有了更多的希望色彩。但希望的色彩很快就被疲劳掩盖。坐惯了高铁的冯凯，坐着这行驶缓慢、摇晃不停、还经常停下来等车的绿皮火车，心都快急炸了。不过他知道，相比于他们的返程，这已经算是够幸福、舒适的了。

因为出发前顾红星先给潘教员打了电话，所以在他们疲惫地下了火车出站的时候，潘冬教员的警车已经等候在出站口了。

久别重逢，三个忘年交都很兴奋。他们一路聊着家常，坐着上海市局的吉普车，向上海市公安局开去。一路上的高楼大厦让顾红星目不暇接，赞叹不已。而冯凯则暗自好笑，心想让你到了四十多年后的上海，你还不得被吓死？

冯凯对上海的地形不熟悉，他不知道这个时候上海刑警的大本营是不是在中山北一路803号。这个门牌号，后来被用作上海刑警的代号，甚至还有档非常著名的刑侦有声故事节目，就是以《刑警803》来命名的。收听这个节目，就是陶亮儿时最快乐的时光。而"上海803"即便是到了2021年，也是神一般的存在。

刚进潘教员的办公室，顾红星就迫不及待把现场的指纹照片和有王飞凡指纹的白纸从包里拿了出来，一边让潘教员看着，一边和他讲述一年前女工案的来龙去脉。

故事讲完了，潘教员也看完了。他用手帕擦了擦汗，笑着说："结合现场情况来分析指纹，这一点你做得很好。任何物证，都不能脱离现场。根据现场来找物证并且分析物证的可靠性，根据物证来还原现场，这两者是相辅相成的。这一点，必须表扬！在今后的工作中，一定要牢记。"

说完，潘教员站起身来，把吊扇调大了一挡，接着说："这案子中，你之所以指纹认定失误，就是因为你的经验不足啊。你说了，因为之前有枚立体指纹，你忽略了差异点，也成功比对了，这让你觉得所有变形指纹都可以忽略差异点。其实不然。我们的指纹比对，就是要尽可能寻找共同点，尽可能解释差异点。这枚现场指纹，是枚典型的平移指纹。你想想，既然是平移指纹，A点动了，同为一根手指、看似是共同点的B点不也要动吗？那共同点还能算是共同点吗？而立体指纹不一样，因为有凸起，所以在凸起的位置A点动了，而在平面的B点却不一定动，这样的共同点就还是共同点。"

冯凯听得头疼，只能低头抿茶水。

"那这样的指纹，就没法比对了？"顾红星问道。

"谁说的。"潘教员胖胖的身躯重新挤回办公桌后，说，"我在学校的时候，和你说过，空间想象力。这种时候就更需要空间想象力了。你需要想着，如果指纹不平移的话，每个特征点都会回归到什么位置，又会是种什么样的状态。"

说完，潘教员在一张白纸上开始画图。指纹的形态，被潘教员的画笔描绘得栩栩如生。顾红星顿时茅塞顿开，说："这样说的话，这两枚指纹是可以排除的。"

潘教员微笑着点头，说："如果一定要把现场的这枚变形指纹给变成正常指纹，我觉得应该是这样的。"

说完，他又开始画了起来。

"明白了，这是一枚右手拇指指纹。而不是我之前比对错误的左手环指。"顾红星说，"您这么一画，我是真懂了。看起来，还有十几个特征点，是完全具备比对条件的。"

潘教员咧嘴笑着，把警服的领扣给解开了。

"只可惜，领导不让我们大面积采集指纹，不知道该怎么缩小范围。"顾红星刚刚闪亮起来的眼神里，突然又出现了一丝落寞，"哦，对了，还有我刚才说的笔记本的事情。只可惜，笔记本应该被人藏起来至少大半年了，刷指纹肯定是刷不出来的。我想请您看看笔记本里写的都是些什么。"

潘教员戴上手套翻开笔记本，看了看，说："这里写着的，不是我们痕检的领域，我就不懂了。我以前就是个当兵的，现在也就是个公安，可不是大学教授。不过，你刚才说指纹刷不出来，那倒不一定。"

顾红星一听，立即振奋了起来。

"我们刷指纹的原理，是物理学的原理。就是因为人的汗液油脂有黏附力，能黏附粉末。"潘教员接着说，"是，过了大半年，汗液油脂干涸了，就沾不住粉末了，因此也就刷不出来指纹。可是，我们可以用化学办法啊！比如说茚三酮。"

这个名词顾红星在学校的时候并没有听说过，所以还是一脸不解和期待。

"这方法二十年前就在欧洲被提出来了，我们用的时间却不长。"潘教员从抽屉里拿出一个试剂瓶，用棉球蘸了一些里面的液体，然后涂在笔记本的扉页上，等液体干了，又拿手中的茶杯熨了熨扉页，不一会儿，扉页上出现了一些蓝紫色的印记。

"啊！这是指纹啊！"顾红星惊喜地叫了出来。

潘教员笑嘻嘻地说："只要保存得好，指纹上的汗液虽然干了，但是人体的代谢物不会消失殆尽。茚三酮和汗液里的氨基酸发生化学反应，就可以显现出指纹了。当然，需要非常完美的载体，比如笔记本里的纸张。"

"这，这太好了！"顾红星激动得汗都出来了。

"这个不着急，你也没有比对的指纹卡。"潘教员说，"这瓶试剂我送给你，你带回去，慢慢显，总能在笔记本上找到好些枚指纹的。"

"谢谢！谢谢您！"顾红星像藏宝贝一样，把茚三酮试剂瓶藏在了自己的衣服口袋里。

办完了公，释完了疑，顾红星彻底放下了思想压力。意外惊喜般的收获，更让他欣喜若狂。所以晚上的开豁，顾红星陪潘冬多喝了几杯，再一次喝醉了。

第二天一早，潘冬就让自己的助手陪着冯凯和顾红星来到了东海的厂家。有了上海刑警的陪同，交车手续办得出奇地顺利。这让冯凯不得不感慨这个年代公安的荣耀和地位。

拿到了两辆崭新的边三轮摩托，摩挲着闪亮的车漆，冯凯和顾红星都格外地兴奋。尤其是冯凯，在二十一世纪，他什么车都开过，但是边三轮确实从来没有骑过。虽然在学校的时候骑过，但也没有过瘾。不过，很快他就过足了瘾。因为天气实在是太热了，他们刚刚开出上海市市区，就感觉自己要被太阳晒化了。

想到之后还有漫漫长路，冯凯像是泄了气的皮球，和顾红星商量着，躲避正午的阳光，找个招待所睡到傍晚再走。

可是顾红星哪里还能等？他的心思全都在自己包里的笔记本和口袋里的茚三酮上，所以他根本不同意冯凯的"偷懒计划"，坚决要用最短的时间赶回龙番。

在发动机的轰鸣声中，在尘土飞扬中，两人一直开到深夜，才来到了兄弟城市，加了油，吃了饭，然后去公安局招待所住下。

"对了，你上次说你有对象了？为什么从来没听你说过？"顾红星一边擦着脚，一边问。

"这事儿你还记得呢？"冯凯岔开话题，说，"对了，你有没有想过，以后你要过什么样的生活呢？"

"过什么样的生活？"顾红星想了想，坚定地说，"当公安。"

"我是说生活！不是说工作！"

"生活？"顾红星躺到床上，看着天花板，说，"我希望以后局里能给我分个小房子，筒子楼也行，算是自己的小窝。家里最好能买一台电视，有一辆自行车。想一想，多美好啊。"

冯凯心想，你也就这么点出息了，说："筒子楼，住得下老婆孩子吗？"

"怎么住不下？我小时候就住筒子楼的。"顾红星好像是累了，声音低了许多，"我以后有个儿子的话，也让他干公安。嗯，如果是女儿，也干公安……"

天亮了，冯凯和顾红星又在边三轮的轰鸣声中吃了一整天的土。

距离下班时间还有半个小时的时候，龙番市公安局的招牌就在不远处了。

3

"穆科长，我们回来了！"冯凯把摩托车停在公安局大院的正中央，高声喊道。

这是刑侦科的第一辆和第二辆边三轮，在冯凯的想象中，同志们应该很快就会从办公室里涌出来，围在他们身边，一边抚摩着摩托车，一边问他们这问他们那的。

可是，他们等了好一会儿，并没有一个人出来。

"怪事儿了？"冯凯停好车，向楼上走去，说道，"今天不是礼拜六吗？不是节假日啊，怎么没人呢？都提前下班了？难不成这年代也开始双休日了？"

办公室里也没人。冯凯和顾红星不知道发生了什么，掸了掸身上的灰尘，准备回宿舍去换一套衣服。

可能是听见了他们两人上宿舍楼时说话的声音，冯凯和顾红星还没走到二楼楼道口，袁婉心就从宿舍里蹿了出来。

"出事了！"袁婉心的声音就像要哭出来似的。一个文静的女孩这样冒失，显然有不寻常的事情发生。

"怎么了？"冯凯和顾红星停下脚步，异口同声。

"小林被人划伤了脖子，现在住在急诊科！"袁婉心说道，"我等你们一整天了。"

冯凯还没反应过来什么事，顾红星就一个转头，向楼下奔去。

"哎，等等我！"冯凯和袁婉心一起追着顾红星去了。顾红星跑得很快，在公安部民警干校的时候，从来也没这么快过。

顾红星用百米冲刺的速度冲进了人民医院，猛地推开了一楼急诊科病房的门，把里面正在拔针的护士吓了一跳。

护士厉声说："干什么？当这是你家啊？"

林淑真躺在床上，长发已经被剪短，脖子上缠绕着白色的纱布，纱布上还有殷红的血迹。林淑真微微抬了抬头，一脸幸福地对护士说："没事，来找我的。"

护士会意，笑着白了她一眼，说："小声说话，别牵动伤口。"

"怎么了？谁干的？"顾红星走到病床边，见林淑真气色尚好，放心了一些。

"这是啥口气？你要帮我报仇吗？"林淑真笑了起来。

这时候，冯凯和袁婉心也追了过来。冯凯看了看林淑真，除了脖子上被纱布包裹，并无异样，才对顾红星说道："你以后能不能不要一惊一乍的？"

"昨天晚上我和小林去北门集贸市场买衣服，离开的时候，想起自己原来的衣服丢在集贸市场了，所以回去拿。回来的时候没有了公交车。我们想着走回来也就一个小时的时间，所以就当成是散步了。"袁婉心很少连续说这么多话，"回来的路都是大路，都有路灯，所以也没什么好担心的。可是我们走了没多久，就有一辆自行车从后面追上来，在小林的脖子上划了一下就骑走了。"

"是啊，当时我就感到脖子上火辣辣的，顺手一摸，发现一脖子血。"林淑真说，"不过不要紧，划得不深，没多大事儿，大不了以后脖子上留个疤。只是，可惜了我刚刚在集贸市场买的布拉吉①，穿上不到两个小时，就全被血染了，也不知道回去能不能洗干净。要不是忘拿了东西，就不会那么晚了，也就能躲过此劫。这次算是给了我忘性大这个毛病一个教训。"

冯凯看过一些年代剧，知道布拉吉是这个年代最受小姑娘欢迎、最时髦的衣着了。他回忆了一下，自己认识的岳母，脖子上好像确实有一条淡淡的疤痕。看来她还真是逃不过这一劫啊。

---

① 布拉吉：一种俄式连衣裙。

刀片

"还不要紧？流了那么多血！"袁婉心有些心疼地说道，"王主任都说了，再往前一厘米，就危及颈动脉了。"

"这不是没碰到动脉嘛，又不会死、不会残疾。"林淑真笑着拉起袁婉心的手。

"究竟是谁干的？"顾红星咬牙切齿，拳头捏得发抖。

"你是得罪了什么人吗？"冯凯补充问道。

"不是，公安说，已经有好几个姑娘都受伤了，应该是'变态'干的。"袁婉心从冯凯那里学来了新名词，说，"小林是第四个受伤的，在她受伤之后，距离事发地点不远的地方，又有一个姑娘受伤。"

"伤了五个？"冯凯大吃一惊，说，"怪不得全局的人都出去了。"

"他们好像都在北门那边调查，你们可以去那边找他们。"林淑真说，"天又快黑了，希望别再有姑娘受伤。"

冯凯和顾红星二话不说，跑回了公安局，骑上新买的挎子，向城北开去。

不知道为什么，路上的行人不多，还大多都是男性。接近北门的时候，他们看见两名穿制服的公安，正在询问一个路人，并在本子上记录着什么。

"同志你好，刑侦科的人在哪里？"冯凯停下车，问道。

民警侧头用羡慕的眼神看了两眼冯凯骑着的挎子，说："往前两百米，右转，指挥部就在那里。"

指挥部是征用了一个国营的小饭店，尚局长坐在中央的餐桌前，看着眼前的一张地图。

"你们回来啦？"穆科长看了看门外停着的挎子。新装备配备的喜悦将他脸上的忧虑冲淡了一些。

"什么情况？"冯凯小声问穆科长。

"不知道什么人，专门在路边划姑娘的脸。"穆科长叹一口气，说，"大前天晚上，作案一起。当时派出所认为是寻仇，所以就围绕那个姑娘的社会关系进行调查，调查了一天也没结果。结果前天晚上，连发了两起，案子这才移交到我们刑侦科主办。昨天晚上，我们就调动了四个派出所和刑侦科所有的警力上街布控、盘查。没想到这小子神出鬼没，在我们布控的范围之间，又做了两起。"

"我的天。"冯凯揉了揉太阳穴，他知道，这种随机作案的案件，是最难侦破的，更何况是在这个没有监控的年代。

"老马看过伤者，确定凶器是刀片。"穆科长说，"好在受害者受伤都不重，

有两个伤在面颊，可能会留下细疤，其他的都在下巴和颈部，伤都不深。"

"会是什么人干的呢？没人看到他的脸？"冯凯问。

"都是骑车从背后追上来，不下车，划一下就蹬上车跑。"穆科长说，"夜间作案，又挑了路灯照不到的地方。五个受害者都只是看到了背影，说是一个瘦瘦高高的年轻男人，平头，骑着二八大杠。有一个受害者只是瞥见了一下他的脸，但是记忆模糊，都不具备辨认条件。"

"那是怎么瞥见的？"

"这姑娘反应快，脖子一被划，立即伸手一推，推了那男的。"穆科长说，"那男的因为在骑车嘛，所以顿时重心不稳，开始摇晃了起来，结果扶了路边的电线杆才把重心调整回来，没摔倒。就在摇晃的过程中，那姑娘看到了一下他的脸。可是当时那地方没有路灯，当天又没有月亮，所以光线很暗，姑娘只能说出，是个方脸的男人。"

"扶到电线杆了？"顾红星兴奋了起来，说，"现场有人碰吗？"

"应该保护了吧？"穆科长翻着白眼，说。

"你说你这个老头儿，都什么年代了，一点现场保护意识都没有。都碰到电线杆了，不知道提取指纹啊？"冯凯讥讽道。其实若不是顾红星说，他也没想到。

穆科长带着冯凯和顾红星，骑着一辆挎子，朝电线杆的方向驶去。

"这事情闹得很大，传播很广，人心惶惶。"穆科长揉了揉脸上的褶子，说，"市领导要求限期破案，所以尚局长都来坐镇指挥了。可是，我觉得他今晚不会出来的。一是我们全局能调得动的民警都调动了，到处都是公安，他没机会下手了。二是现在天一黑，小姑娘都吓得不上街了，他也难找得到作案目标。"

"受害者，有什么体貌特征的共同点吗？"冯凯还是想通过寻找一些共同点来总结出规律，从而判断出凶手的心理症结在哪儿。

"有是有。都是年轻女孩，都穿着布拉吉。"穆科长说，"体貌特征倒是没有共同点，高的矮的胖的瘦的，长头发的短头发的都有。"

"你们搞这么大阵仗，他肯定是不会出来的。"冯凯说，"用我以前的办法，假装撤出警力引他出来，也做不到吧？"

"市领导给了这么大压力，现在撤出警力，岂不是找骂？"穆科长说，"而且也不是所有犯罪分子都能中你的欲擒故纵的计谋。更何况，万一撤出了警力，又被他作案一起，就完蛋了。"

"科长，"顾红星问道，"凶手是用哪只手作案？"

"右手。"

"那我有个事情想不明白。"顾红星说，"如果他右手拿刀片，那怎么用右手扶电线杆呢？如果划完了立即把刀片揣兜里，来不及吧？如果握在手里，手会受伤吧？"

"这个问题问得好。"穆科长皱起了眉头。

说话间，摩托车开到了一根电线杆子处。还不错，这一块地方果然是有民警用绳子围了起来。看来现在在他们的倡导下，保护现场已经成了龙番市的常规操作了。

顾红星戴好了手套，走到电线杆旁，说："载体不错，是水泥的电线杆，比木头的好。而且这上面全都是灰尘，只要有人碰，一定会留下灰尘减层痕迹①。"

"嘿！你看你们这些老头子的眼神！"冯凯也戴上了手套，从电线杆旁边的草丛里，夹出了一片刀片，说，"这都没找到？"

穆科长有些惭愧，摸了摸后脑勺，说："小顾分析的是对的，凶手要维持平衡、扶住电线杆，自己又不受伤的唯一办法就是扔了刀片。"

"太好了，有'抓手'了！"顾红星说了一句从冯凯那里学来的"职业俚语"。

"难道你的指纹技术，还真的能把这个头疼的案子给破掉？"穆科长满怀希望地说道，脸上的褶子都浅了些。

顾红星没有说话，他半蹲在电线杆的旁边，眼睛离电线杆只有五厘米的距离。他皱着眉头绕着圈看着电线杆，时不时拿挂在脖子上的相机拍几张照片，神色凝重。

忙活到了天完全黑了，三个人又返回了指挥部。

"今晚都给我打起精神来。"尚局长正在指挥部里发号施令，"每个人负责的区域都给我搞清楚了，在谁的区域出了事，我就下了谁的枪。"

冯凯心想这种高压态势，犯罪分子作案是不可能了，但要想抓住他，也是不可能的。

顾红星没管那么多，找到一盏台灯，就坐到灯下，先用刷子仔细地刷着刀片，然后拿出马蹄镜看了起来。

大家见到顾红星一言不发忙活了起来，目光都集中到了顾红星的身上。毕竟这

---

① 灰尘减层痕迹：指的是将原有覆盖在载体上的灰尘抹去后留下的痕迹。

种高压态势不可能持续多久，民警也需要休息，也有其他工作要做。如果真的能通过指纹破案，那可就算是破案的捷径了。

所以，整个指挥部安静了下来，似乎都在等待着顾红星说出结论。就连一直挤对技术的陈秋灵的眼神里，也充满了渴望。

顾红星也意识到了这种安静，其实是大家都在等待。所以他在看完刀片之后，说："刀片的正面和反面，有两枚指纹。一枚弧形纹和一枚箕形纹，我们知道，左倾弧形纹就是左手的，右倾的就是右手；而箕形纹，如果箕头朝右，就是左手所留，反则反之。依次判断，这两枚指纹，都是右手指纹。"

箕形纹	斗形纹	弧形纹（弓形纹）
上方有诸多平行的类似抛物线的纹路，下方是横线形纹路的指纹。	内部花纹中心有一根以上的环形线、螺形线或曲形线，其上部和两侧外围由较多的弓形线围绕，下部由一些波浪线和横直线组合而成。	由多数弧形线在上部，少数横直线在下部构成。中心花纹与上下包围线无明显界线，而且弧形线弧度较小。自指尖到指节，纹线弧度逐步变小，直至平行。

常见的三种指纹对比示意图

冯凯感觉很无语，在这种气氛紧张的环境之下，这小子居然还有心思来给大家做科普。好在尚局长不忍心打断顾红星的迂腐讲解，若碰上个脾气更火暴的局长，他帽子都能给骂掉了。

"每根手指的指印形态也是不同的，比如拇指就是上窄下宽的圆锥形，食指是上部尖圆的不规则矩形，中指是瘦长的椭圆形，环指是上宽下窄的大头长圆形……"顾红星还在滔滔不绝。

穆科长的急性子终于先忍不住了，说："你直接说结果。"

"哦。"顾红星摸了摸脑袋，说，"刀片的正面是一枚右手食指指纹，反面是一枚右手拇指指纹。"

大家纷纷开始比画起来。

"那不正好是这样捏着刀片行凶吗？"冯凯说。

顾红星点了点头。

"好，那就好办了。"尚局长说，"现在我们不仅要有足够的人保障各个区域的安全，还要安排一支精锐力量，围绕城北这个区域，进行调查。凡是有自行车的年轻男子，有失恋经历，或者和布拉吉有关经历的，都要采集指纹。"

原来尚局长他们早就对凶手的特征进行了刻画。

"还有，"顾红星举了举手，说，"我们曾经因为其他的案件，对城北的十个生产队的所有人员右手拇指指纹都进行了提取，取了三四千份。"

"哦？那就是一个指纹库喽？"尚局长说，"有可能在这中间比对上吗？"

"有可能。"顾红星说，"这人的拇指箕形纹很有特征，所谓的箕形纹就是内部花纹中心有一根以上的箕形线，其上部……"

话还没说完，顾红星就注意到了尚局长又瞪了起来的眼神，连忙打住，说："这个人的箕形纹形态有点像弓形纹，比较有特征，我记得以前在看那几千份指纹的时候看过一个类似的，我需要回去找一下。"

"好，你马上就给我回去找！"尚局长说道。

"不过，还有个事情。"顾红星吞吞吐吐地说道。

"快点说。"

"就是我对现场的电线杆进行了勘查，那上面全都是灰尘，如果是近期有人触碰过，一定会留下痕迹。"顾红星说，"可是，我在电线杆上，并没有找到任何一枚灰尘减层指纹。"

"那，说不定是那姑娘看错了？"穆科长说。

"不，没有指纹，但是有痕迹。"顾红星说，"电线杆上，有一处新鲜的擦拭痕迹，符合骑车的人用手触摸的高度。可是，这处痕迹不是手印，而是手套印。"

"手套？"尚局长皱起了眉头。

"是的。"顾红星说，"如果凶手是戴着手套作案的话，那么刀片上的指纹，

就有可能不是他的。因为这种刀片就是刮胡刀里的刀片，随处可得。"

冯凯意识到，顾红星已经不仅仅是吸取到了郭金刚被杀案中血指纹的教训，更是完全理解了潘冬教员对他的谆谆教诲。任何指纹，都不能孤立去看，而是要结合现场情况。有的时候现场情况，就能印证指纹在证明犯罪过程中，是否可靠。

"你是说，凶手很有可能是戴手套作案。而这枚刀片，是他从别人那里偷来的或者是拿来的？"尚局长思忖着。

顾红星使劲点了点头，说："不过，只要找出指纹的主人，就能极大地缩小侦查范围。毕竟能拿到别人的刮胡刀的人数，很有限。"

"有道理，你先回去看看你的抽屉里，看能不能找出这枚刀片的主人吧。"尚局长拿了一张纸，写了一个电话号码，说，"回去一旦有所发现，立即给指挥部报告。"

4

2021年8月19日　阴

今天是陶亮昏迷的第五天。

单位给了我长假，除了必要的睡眠，我一直守着他、看着他。

医生说他颤动着的眼球，只能说明他在做梦，而并不是苏醒的征兆。

他是在梦见我吗？他想我吗？

我相信他一定会醒来。

说起来简单，做起来难。

毕竟顾红星的抽屉里，有三四千份指纹，上次看完，他也花了几天的时间。虽然顾红星对那枚目标指纹有印象，但毕竟是在几千份指纹中寻找，找起来还是有种遥遥无期的感觉。

冯凯理所当然地被尚局长派回来协助顾红星，可是他看到那一抽屉的指纹卡，立即有种头痛欲裂的感受，更何况他们白天还骑了一整天的摩托。在这种时候，冯凯不由得想到了顾雯雯。在 2021 年，比对指纹已经不需要人肉寻找了，有了电脑技术的加持，顾雯雯能在很短的时间内，精确地对指纹进行比对。生活在科技先进的时代，雯雯比她爸要幸福多了。

刀片

可是现在没有办法，只有用慢办法、笨办法。看着顾红星认真、细致的模样，冯凯也不能总闲着。于是他问清楚目标指纹的特殊性所在，也开始帮起忙来。

时间一个小时一个小时地过去，冯凯几次都差点趴在马蹄镜上睡着，但都因为看见身边瞪着通红的双眼还在孜孜不倦地工作的顾红星而清醒了过来。是啊，这就是肩上责任的体现吧。他们绝对不能让凶手再去伤害第六个人了。

"找到了！我就说嘛！"顾红星突然叫了一声，在万籁俱寂的夜晚格外刺耳，但让人兴奋，"就是这个刘万川！"

冯凯抬起头，感觉头皮都累得很紧，说："世界上真的有这么巧的事情。"

"三四千份的指纹卡就能发挥出这么大的作用了，要是以后有了几万、十几万，岂不是更有用！"顾红星兴奋地说，"这次，确实是咱们运气好。但是破案本身也就需要有运气嘛。"

"高兴早了啊，你都说了，凶手可能只是刘万川的一个关系人，而不是刘万川。"冯凯说。

"范围缩小了，我就坚信案子能破。"顾红星说完，拿起了科里的电话机，向前线汇报工作。

虽然很疲劳，但是让冯凯二人现在回宿舍睡觉，他们肯定是做不到的。毕竟自己的战友们，还全部都在前线熬着。冯凯在派出所的时候总结过，警察为什么总是主动放弃休息时间。那是因为只要有一个人休息，就会有其他战友顶上去，如果你总休息，就会总是要欠人情。时间长了，从开始的不好意思，慢慢地就到习惯性放弃休息了。

既然睡不着，又因为有了挎子而避免了屁股受苦，两人还是换上了干净的便装，骑上了挎子，重新返回了城北的指挥室。

和市公安局的静谧形成强烈的反差，指挥部里所有人都在忙忙碌碌。有的人在研究地图，有的人在盘问被前线民警带来的形迹可疑的人。尚局长则是不停地在接电话。

"如果因此能破案，我要给你们记功。"尚局长见两人进来，放下电话，说，"刘万川的情况现在已经摸清楚了，是一个老实巴交的庄稼人，49岁。通过外围秘密的调查看，刘万川这两天晚上都是老老实实在家里待着的，没有作案时间。而且，他也没有自行车。"

"看来凶手是戴了手套的。"顾红星若有所思。

"所以你分析得非常准确！你的准确分析，有助于破案。如果我们只是根据指纹抓了刘万川，那么肯定就打草惊蛇了。"尚局长说，"目前前线正在排查有可能接触刘万川，尤其是有可能偷拿他的刀片的人。"

又等了两个小时，天很快就要亮了，各路调查的线索都汇总了上来。

"这样看，符合有自行车的年轻人，且能接触刘万川这样的条件的，有三个人。"尚局长看着统计结果，说，"一个是刘万川的邻居，刘金，25岁，农民，单身，经常去刘万川家串门。一个是刘万川的侄子，刘邦度，农民，27岁，有妻有子，每个月都会去他家里一趟。最后一个是刘万川的大儿子，刘阿金，农民，24岁，和刘万川不住在一起，但是不远。最可疑的是，根据邻居的反映，刘阿金的妻子杜玲，不久前买了一条布拉吉。"

"这个刘阿金看来是我们的重点嫌疑人啊。"穆科长说。

"是不是可以抓人了？"陈秋灵说道。

"恐怕别急吧，一点证据都没有，要是不交代咋办？"冯凯一反常态地反对了激进的抓捕行动。

"只要是他干的，就有办法让他交代。"陈秋灵说。

"万一不是呢？"冯凯说，"如果把有自行车这个条件去掉，会不会多出来很多符合条件的人？毕竟，自行车是可以外借的嘛。"

"那是要多几个人。"尚局长点着头说道，"这几个人，都有可能去刘万川家里。"

"我觉得这些人，都要从侧面摸一下。"冯凯说，"天快亮了，农民都要起早干活。我们化装成供应社收菜的人，去田间地头再摸排一下，范围还会进一步缩小。"

"这个刘阿金，真的不动？"陈秋灵问道。

"嗯，暂时别动，防止不是他干的，打草惊蛇。"穆科长支持了冯凯。

"他要是恨他老婆，最有可能去侵害他老婆。"冯凯说，"没听说过恨自己老婆，去伤害那些和自己老婆穿着一样的人。"

"那不一定，万一他老婆不喜欢别人和自己穿的一样？"陈秋灵说道。

"把名单上这些人，加上刘阿金老婆的行踪、性格摸一下，也许就都明白了。"尚局长拍了几下手，接着说，"大家辛苦了，现在我们距离破案不远了。趁着距离发案时间不久，群众对每个人的行踪还有记忆，一鼓作气，加油。"

各部门、小组的负责人领命离开了，冯凯和顾红星也不能闲着，他们俩步行离

刀片

开了指挥部，在附近晃悠着，一方面希望清晨清新的空气可以消除掉睡意，另一方面也希望能有一些偶然因素让他们有所发现。

两个人从指挥部步行到了村子里，找到了刘万川家的位置，在附近溜达着，一边见到路人就聊上两句，也下地帮农民干点活，一边远远地观察着刘万川家的动态。上午九点钟的时候，一个年轻人，大概十七八岁的样子，背着书包走去了刘万川的家里。

"那男孩是谁啊？"冯凯踩在泥地里，帮一个老农干着活，问道。

"阿银啊，万川的小儿子。"老农说道，"在城里读高中，平时住校，今天礼拜天，放假回家了吧。"

"哦。"冯凯拍了拍手上的泥巴，跨上了田埂，对顾红星说，"这个刘阿银，为什么今早没有在尚局长的名单里看到？刘万川的儿子，岂不是嫌疑都一样大？"

"不知道。"顾红星说，"今天下午信息汇总，到时候就知道了。"

一直溜达到了傍晚，两人实在是走不动了，也十分困倦，于是回到了指挥部。此时，各路调查结果都差不多反馈上来，尚局长正在愁容满面。

"所有人都排除了。"尚局长说，"案发时间，他们要么在打麻将，要么在聊天，所有嫌疑人都有不在场证据。尤其是刘阿金，三天案发时间都在打麻将，都有村民可以证实。他的老婆杜玲，所有人都说为人善良贤惠，不太可能是因为一条裙子就在家里惹事儿的人。这就奇怪了，难道这名单有问题？"

"要我说，把刘阿金抓来问一下。"陈秋灵打了个哈欠，说道。

"不行，现在就更不能打草惊蛇了。"穆科长说，"专门查了自行车，这村子有自行车的几个人，这些天都没有外借。"

"刘阿银，为什么不在名单里？"冯凯问道。

尚局长抬起头，盯着一名侦查员。侦查员连忙说："刘阿银不可能，他的左脸上，有一大块黑色的胎记，一眼看见，就肯定忘不掉。而我们的目击证人并没有说凶手脸上有胎记。"

"在那种黑暗状况下，胎记能看得到？"冯凯质疑道。

"应该能看到，现场周围都有路灯，即便作案地点不被路灯直接照射，但晚上也不至于伸手不见五指。"侦查员说道。

"天马上就要黑了，我们去现场做个侦查实验怎么样？"冯凯拉了拉顾红星，解释道，"你们技术能做实验，把指纹熏出来，我们侦查也能做实验，看究竟能不

能看得到脸上的胎记。"

说完，冯凯拿了一块抹布，从尚局长面前的墨水瓶里倒出一些墨水在抹布上，对侦查员说："胎记在什么位置？"

侦查员指了指冯凯的颧骨，冯凯把抹布往脸上一抹，说："走，骑辆车，去现场看看。"

从指挥部门口拿了一辆警用自行车，冯凯和顾红星两人一前一后骑车到了发现刀片的现场。冯凯让顾红星站好，然后自己骑自行车从后面追上来，模拟当天晚上的情况，不断地变换着自己的方向和脸部的角度。

"能看见不？"冯凯掉头回来，问道。

"看不见。"顾红星说，"根本就看不见。"

两人兴冲冲地回到指挥部复命，冯凯说："既然所有嫌疑人都排除了，那么这个刘阿银就应该被我们纳入视野。如果他是和自己的嫂子有矛盾，又不敢报复嫂子，是不是就有可能去报复那些和自己嫂子穿着一样的人？"

"一样，没有证据。"尚局长捶了一下桌子，说，"而且刘阿银是北门中学高二的学生，涉及学生，更要谨慎了。"

"可是他也没有自行车啊。"陈秋灵说，"如果他外借了自行车，调查也应该摸上来了。"

老陈说得有道理，冯凯一时不知道该如何解释这个问题。

"要不，我们去他学校看看？"顾红星说，"今天是礼拜天，明早学生们和老师们才会去学校。只要我们让门卫保密，这事儿不会有人知道的。"

"你要去他宿舍密搜？"尚局长说，"不行，天下没有不透风的墙，我们没有证据就密搜，会惹麻烦的。"

"那我们就去学校周围看看吧。"冯凯拉着顾红星离开了指挥部。

"你和局长汇报，他当然不同意。"冯凯单独对顾红星说，"我们随机应变，到了再说。"

两个人骑着一辆自行车，到了北门中学附近。学校很小，里面除了一栋三层教学楼和一栋两层的宿舍楼之外，就是一个不大的操场。因为是礼拜天，学校里静悄悄的。门卫室的灯开着，里面一个老大爷正在扇着蒲扇。

"大爷，我们来办事的，自行车停里面行不？"冯凯喊道。

刀片

"不行，里面没场子停。学校老师的车都停外面墙根。"老大爷用蒲扇指了指门卫室外面的墙壁。

冯凯只能把车推到墙边，见墙边停着一辆黑色的二八大杠。这个礼拜天，学校里既然没人了，那会是谁把车停在这里呢？

"大爷，这是您的车吗？"

"不是。"

"那是谁的啊？"

"我哪知道是谁的？每天那么多车停这儿。肯定是哪个老师坐公交车回家了，没骑车吧。"

冯凯朝顾红星使了个眼色。

顾红星走到那辆黑色自行车边，用手拨弄了一下车锁。车锁应声而开。原来这个车锁就是个摆设，其实已经坏掉了。

顾红星蹲下身来，用手电筒照着车锁，看了一会儿，说："车锁是被螺丝刀撬坏的，这是一辆被偷的车。"

"那就很可疑了。"冯凯小声说道，"如果我是刘阿银，我偷了辆车，放在这里最安全了。这里每天都停着很多老师的车，谁也不会注意到这里面有一辆不起眼的车是被偷的车。"

顾红星没说话，而是拿出放大镜，在手电筒的配合下，检查自行车的车把。

"他戴着手套作案，能留下指纹不？"冯凯一边张望着门卫室，一边说。

"作案的时候戴手套，但是正常骑车的时候不一定戴啊。"顾红星说，"肯定是有指纹的。"

"好事儿！"

"还有更好的事儿。"顾红星说，"你看，这车塑料把手上，有很多细小的划痕。"

冯凯凑过去看了看，说："只有右把手上有，是刀片划出来的。"

"对！"顾红星兴奋地点头，说，"他在准备作案之前，必须用戴着手套的手拿着刀片，还要扶住把手骑车，右手手指夹着的刀片难免和车把手发生刮擦啊。"

"现在就看指纹的了。"冯凯没想到有朝一日他居然会说出这样的话来，"怎么办？"

"最近风声紧，估计刘阿银不会再骑车作案。"顾红星说，"我们把他的自行

车把手卸回去，他也不会发现。"

"就这么办。"冯凯走到门卫室边，说，"大爷，我的车坏了，能不能借我一把螺丝刀啊？"

老大爷都懒得起身，用蒲扇指了指门口的柜子，说："第二格，自己拿。"

"谢谢大爷。"

拿到了螺丝刀，两个人只花了五分钟，就把自行车的塑料把手卸了下来，装在了顾红星的勘查包里。在顾红星的要求下，他们两人没有去指挥部，而是直接骑车回到了局里。

在刚来上班的时候，顾红星听了老马的意见，去局仓库里搜罗了一番，甚至还找到了一台简易的立体显微镜。这种显微镜可以把实物上的细微痕迹放大，起到比对工具痕迹特征的作用。虽然是简易的，但是比对目前的痕迹特征是足够了。

回到了局里，顾红星先是用刷子把把手上的指纹刷了出来，发现是一套完整、清晰的右手联指指纹。他兴奋而细致地制作了指纹卡，然后又用现场提取到的刀片，轻轻地划了几下塑料把手，把把手放在立体显微镜下看着。

"工具痕迹，我们在公安部民警干校学得不多，但很有意思。"顾红星说，"所有的金属工具，因为都是机器制造出来的，所以上面肯定有固有的线条。这些线条非常细小，不用显微镜是看不出来的。不同的工具，就有不同的固有线条，那么这些工具作用在载体上，也会留下不同的细微痕迹特征。"

"所以，这车把上的划痕，是这把刀片形成的吗？"

"刀片太薄了，固有线条不太好分辨。"顾红星说，"我不敢确定是不是这把刀片形成的，但能确定的是，这些划痕肯定是同类刀片形成的。"

"那不就得了！怎么会有那么巧合的事情？"冯凯说，"正好和嫌疑人在一个地点，又正好也用刀片划了把手。如果有了刘阿银的指纹，一比对，不就明白了吗？我现在就打电话汇报。"

冯凯拨通了指挥部的电话，尚局长好像正在休息，声音很是疲惫。冯凯把他们的发现和他们的分析都一股脑儿向局长汇报了。

尚局长沉默了好一会儿，说："刘阿银的指纹倒是好取，明天上学了，找个人去要一本他的作业本就行了。但是，通过自行车把手上的划痕，就定案，是不是武断了？"

"那你觉得还会有其他的可能性吗？"

刀片

"如果是他不小心碰到了真正凶手的自行车呢？"尚局长说。

"那不是胡扯的吗？"

"不仅仅是抓一个学生需要谨慎的问题。"尚局长说，"即便是这样把他抓回来，他会交代吗？他誓死抵赖，我们能定案吗？"

冯凯知道，这还是个口供是王道的时代，如果仅仅靠着这个需要很多联想分析才能判断的证据，零口供是不可能定案的。所以，尚局长的顾虑也是可以理解的。

"这样吧。"尚局长说，"你们出差刚回来，就熬了一天一夜，再年轻身体也受不了。现在我强制你们休息！我这边会安排人明天去取刘阿银的指纹，也会安排人设计下一步的行动方案。你们明天下午再过来，让小顾把勘查包带上。"

虽然案件悬而未决，但再怎么焦虑也抵挡不住冯凯的睡意了。顾红星执意要去病房再探望一下林淑真，而冯凯则迫不及待地回到宿舍，简单洗漱后，就进入了梦乡。至于顾红星什么时候回到了宿舍，他是完全不知道的。第二天一早，冯凯醒来的时候，顾红星已经离开了，桌子上留了张条子，说自己去医院了。

看来这两个人已经不再避讳他们之间的关系了。

午饭后，冯凯和顾红星骑着自行车再次回到了指挥部。顾红星在包括尚局长在内的诸多人的注视下，显现出了刘阿银作业本上的指纹。又在大家的注视下，用马蹄镜进行了指纹比对。

良久，顾红星抬起了头来。

"怎么样？"尚局长关切地问道。

"是他的。"顾红星兴奋地说道。

"那看来还真是八九不离十了。"尚局长踱起了步子，说，"这个小孩，用老师的话说，品学兼优，居然会干出这样的事情。"

"学优就算了，品我看是不优。"穆科长说道。

"但是，这样的小孩，我们就更不能轻易动手了。"尚局长说，"绝对不能办成了夹生饭。"

"那怎么办？"冯凯说，"盯着他？等他再次作案？"

"时间也不能拖。万一不是他干的，而是另有其人。这人再出来做一个案子，就麻烦了。"尚局长说。

"那就没辙了。"冯凯摊了摊手。

尚局长盯着顾红星，朝身后挥了挥手。一名民警抱着一条布拉吉和一顶假发走

了过来。

冯凯顿时明白了过来，说："这是要引蛇出洞吗？"

这种办法，在二十一世纪，一般是不允许使用的。但是在二十世纪七十年代，还是没有那么多限制。

尚局长点了点头，说："不过你这五大三粗的，肯定不行，我看能伪装得像的，就是小顾了。"

顾红星看了看那条裙子，像是看着一只会咬人的怪兽。

"下午我已经安排了引蛇计划。"尚局长说，"传出消息说，因为学校附近较为安全，我们撤回学校附近的民警，请女同胞尽量不要去学校附近路段。这时候出现一个穿布拉吉的人，刘阿银很有可能会忍不住再次行动。只要抓了现行，他就没法抵赖了。我考虑过局里的女同志上，但是危险性比较大，小顾你是公安部民警干校的，总是有两下子的，可以保护好自己。"

军令如山。无论顾红星怎么不情愿，都不得不穿上那条按照他的尺寸买的布拉吉，戴上了假发。顾红星的模样让冯凯笑得直不起腰，说："你要是女的，我就追你！"

按照既定的计划，两组刑警驾驶边三轮，在学校前面的道路两头埋伏。顾红星则独自一个人，在学校周围晃荡。

可能是受到"变态"的威吓，路上并没有什么人，更没有穿着布拉吉的女孩。顾红星很是别扭，如今自己男扮女装穿着一条裙子在大街上走，要是被自己父亲看见，不知道是什么后果。

不仅如此，已经当了公安一年的顾红星，如今一个人走在无人的街上，心里还有一些凉飕飕的。他的心情很复杂，一来害怕这个变态真的来伤害他，而他无力反抗；二来又希望这个变态出现，好尽快抓获他，防止有其他像林淑真这样的女孩受伤。

就这样漫无目的地走着，突然，顾红星有一种被某种目光注视的感受。顿时，他的汗毛直立，不知道这是不是冯凯总说的"直觉"。又走了一会儿，顾红星走上了一条没有路灯的小路，他似乎听见了背后传来的自行车的链条摩擦声。他知道，鱼上钩了。

顾红星不自觉地紧张了起来，竖着耳朵判断着背后自行车的距离。他手拎着一个小布袋，里面有手枪。但是他知道，不到万不得已，他是不能掏枪的。在犯罪分子没有实施犯罪之前，一旦他暴露身份，就无法抓现行了。

顾红星只能聚精会神地听着背后的声音。

刀片

越来越近，越来越近。

在月光的照射下，自行车的影子突然在顾红星视野里出现。他似乎可以看见自行车上的人，一手离开了车把，准备要作案了。顾红星猛然回头，看到了一个正在骑车、戴着手套、脸上有一大块胎记的年轻男孩。男孩右手指缝间夹着的一个什么东西，因为月光的照射，反了光。

可能是因为对方只是个看上去孱弱的学生，也可能是因为他和对方的距离已经非常近，来不及做多余动作了，顾红星并没有像冯凯交代的那样——遇见危险，第一时间掏枪。他反而扔掉了手中的累赘——那个装有手枪的布袋。他蹲着马步，做好了肉搏的准备。

顾红星猛然地回头，做出了应敌的姿态，让刘阿银猝不及防。不知道是不是顾红星那国字脸让他意识到自己上当了，他一个急刹车，想要掉转车头，却被勇猛冲上来的顾红星扑倒在地。

自行车的轮子还在不停地转着，刘阿银手中的刀片也掉落在一边。顾红星完全不在意自己穿着并不方便的裙子，骑跨在刘阿银的身上。在公安部民警干校学到的那些抓捕动作，此时早就被顾红星忘到了脑后，他就用最笨拙的方式，用自己的体重死死地压住了刘阿银，双手掐住了他的脖子，任凭刘阿银四肢混乱地挣扎。

两人的姿势看上去并不像是警察在抓捕，而是两个小混混在打架。

大约只过了一分钟，随着发动机的轰鸣声，两辆边三轮从两个方向包围过来。包括冯凯在内的六名民警迅速支援，冲了上来，按住了正在挣扎的刘阿银的手脚。

"别动！警察！"

"终于抓到你小子了！"

"别蹬了，你跑不掉了！"

随着手铐的合起声，刘阿银挣扎的动作减弱了。

而那枚锐利的刀片，正在月光下闪着寒光。

燃烧的蜂鸟

第十章

燃烧的蜂鸟

1

小小的宿舍里，坐着四个人。

林淑真的伤口还没有拆线，不过因为没有损伤大的血管，所以提前出院了。四个人为了庆祝林淑真出院和顺利破案，在宿舍里举行了一个小小的宴会。

这次，冯凯主厨、袁婉心打下手，做了八菜一汤，把他们两个宿舍所有能盛菜的东西都拿了出来。

"这案子，小顾可真是拼了命！"冯凯说，"不仅两天两夜不睡觉，通过指纹锁定了犯罪分子；而且还主动引蛇出洞，和对手来了个一对一的PK。"

"PK是什么意思？"顾红星有些不好意思，于是故意岔开话题。

"谢谢你帮我报仇。"林淑真甜甜一笑。

"这回是真的让我们科那些瞧不起技术的人心服口服了。"冯凯喝了一大口啤酒，说，"看着他们心服口服的模样，实在是痛快得很啊！"

"我也很开心。"顾红星说，"感谢你们威灵顿和勾践的故事。"

"嘿，你总是对自己不自信。"冯凯对顾红星说，"你看你那一招饿虎扑食，多利索！"

"那是下意识反应了。"顾红星不好意思地挠挠头。

"听说你男扮女装？"林淑真笑着问道。

冯凯一口啤酒差点喷了出来，说："是的，是的，还是布拉吉……"

顾红星涨红了脸，岔开话题道："对了，那个刘阿银，他究竟为什么要干这事儿啊？"

"说是他看见自己的嫂子穿了一件布拉吉，顿时被嫂子的美色迷住了。"冯凯擦了擦嘴边的泡沫，说，"所以，他就趁哥哥打麻将的时间，去找嫂子求爱。结果可想而知，被他嫂子毅然决然地拒绝了。因此，他就恨上了布拉吉。"

"真是变态。"林淑真也学会了新名词。

"据说还是个学霸，呃，就是个学习很好的学生呢。"冯凯说，"他被捕后，他的班主任怎么都不相信他就是那个变态。你看，要不是小顾的指纹发挥作用，再怎么查都查不到他头上。"

"你的判断也很重要。"顾红星谦虚地说。

"所以说，我们俩是绝代双探嘛！"冯凯伸出了手掌，顾红星也伸出手轻轻地拍了一下。

"你们真厉害！"林淑真竖了竖大拇指。

"厉害不厉害的没关系，你没事就好了。"顾红星回以一个暖心的微笑。

"王主任说真皮层破裂，会留疤。"袁婉心小声说道。

"那也没关系，在脖子上，又不是在脸上。"林淑真说，"可惜了小清姐姐，就是和我一天被划的，住我隔壁病房。她长得那么漂亮，又那么有才，伤到脸了，不知道会不会留疤。"

"外科的任主任亲自过来给她缝的，说是缝得好的话留疤的可能性小。"袁婉心就是小清姐姐的管床护士。

"多漂亮？多有才？"冯凯觍着脸问道。

"你不都有对象了吗？"林淑真瞪了他一眼，又看了看袁婉心，袁婉心倒是没有什么反应，于是她继续介绍道，"小清姐姐啊，原来是龙番大学的工农兵大学生，后来因为成绩特别好，留校当教授了。就是她反应最快，推了凶手一把。如果不是她，你们还破不了案吧？"

"还真不好说。"冯凯点点头说。

"真可恨！"袁婉心在一旁心有余悸，又若有所思，"不知道能判几年。"

冯凯知道，这个年代的"流氓罪"最高是可以判死刑的。虽然凶手是个未成年人，但毕竟造成了这么大的影响，这时候即便不判死刑，也不可能是判几年就能解决问题的。

庆祝宴之后，林淑真和袁婉心就回宿舍了。袁婉心晚上要上大夜班，十一点钟接班，所以还得先回去补一觉。

晚饭后，负责洗碗的顾红星有些心事重重。

"碗洗完了，我要回办公室去一下。"顾红星一边擦着手上的水，一边解下围裙，对冯凯说道。

冯凯躺在床上，含着牙签，举起手腕看了看手表，用嘲笑的口气说："八点钟了，去办公室做什么？你就是不需要休息，总是忙不完的吗？和那个那个什么蜂鸟一样？眼睛还特厉害，还能识别别人看不出的东西？"

"有事儿。"顾红星意识到自己和林淑真之前的私房话被冯凯听了去，不好意思地低着头，把围裙挂在墙上，向楼道走去。

冯凯拨弄着牙签，心里分析着，现如今，顾红星心里悬而未决的，只有女工案了。而女工案的调查四处碰壁，如今惊动了市领导，没有确凿证据是无法推进的。现在唯一有可能成为确凿证据的，就是那本白色羊皮封面的笔记本了。只是，龙番市这么大，如果真的是此本系彼本，那也太巧合了吧。

冯凯眨巴眨巴眼睛，发现自己也确实没有什么睡意。在这个年代，连电视机都找不到去哪里看，也不知道能有什么娱乐活动。还不如，也去办公室给顾红星打打下手算了。

不出所料，走进了办公室，冯凯就看见顾红星正用镊子夹住一个棉球，把试剂瓶里的茚三酮涂抹在笔记本的封面、封底和扉页上，然后学着潘教员的模样，拿了一个搪瓷茶缸熨烫笔记本。

"我就知道你在干这个。"冯凯拖了把椅子坐在顾红星对面，说道，"这两件事要是能有交集，那是不是也太巧了？"

"你不都说过吗？事出反常必有妖。"顾红星说，"女工案的笔记本莫名其妙丢失了，这是反常吧？有人莫名其妙悬赏那么多钱去找一本看起来毫不值钱的笔记本，这也是反常吧？所以，这里面必有妖。"

不一会儿，封面皮革上和内页纸张上，开始有蓝紫色的印痕出现了。

"这本子被徐茂保存得很好，在干燥而且阴凉的环境里，指纹就能保存得下来。"顾红星说，"某种程度上，还得感谢这个徐茂，说不定他无意中帮我们保存了关键证据。"

"这么多印痕，看起来有不少手印吧？"冯凯说，"不过也是，一本笔记本，肯定有很多人摸过，手印多也不奇怪。"

"这还叫多？"顾红星笑着说，"三四千枚手印咱们都看过来了，这本子上，能存多少？"

"那三四千，都是右手拇指指印。不像这本子上的，你还得分析是哪只手、哪根指头的吧？"

"那很简单啊。"顾红星像是打开了话匣子，说，"我之前和你说过吧？先看左右手，再看是哪根指头，如果是联指指纹就更简单了。如果是弧形纹，那么左倾弧形纹就是左手……"

"行了，行了，打住，打住。"冯凯挥挥手制止了顾红星的滔滔不绝，说，"我并不想记住这些，你就不用再反复加强我的记忆了。"

顾红星被冯凯烦躁的模样逗乐了，他见笔记本上已经有诸多蓝紫色的纹线出现了，害怕药水会失效、纹线会褪色，所以拿出相机，先仔仔细细地把笔记本前后左右内部都拍了个遍。因为那时候没有数码相机，不能立即看到拍摄效果，为了防止效果不好，顾红星还拿出自己组装制作的翻拍架。

在制造完金属支架后不久，顾红星就自己去买了木头、毛玻璃和日光灯，花了一下午时间把翻拍架组装了起来。一共才花了三十多块钱，财务科给报销了。虽然和成品翻拍架的效果还有差距，但是比直接用相机去拍摄要清晰多了。做成了这个翻拍架，顾红星还高兴了好久。

现在，顾红星用自制的翻拍架，把笔记本又重新拍了一遍，这才开始研究起指纹来。

冯凯跨在椅子上，两臂扶在椅背上，下巴搁在胳膊上，静静地看着顾红星忙活。一个小时很快就过去了。

"你最近咋不聒噪了？"顾红星抬眼看了看冯凯，伸了个懒腰，站了起来，说，"你这么安静我都不适应了。"

"我的路子不好使，所以就看你的了。"冯凯说，"怎么？找到线索了？"

"那还不至于，但是指纹倒是有几十枚。"顾红星走到办公桌旁的档案柜边，在里面翻找了一会儿，拿出来几张指纹卡，说，"这本子，至少有四个人碰过，徐茂夫妇和徐二黑，还有藏本子的人。藏本子的人是谁我不知道，但是徐茂夫妇和徐二黑的指纹我们是有的。女工吴秋月的指纹，我们也是有的。我先把徐茂夫妇和徐二黑的指纹排除掉，再看看能不能找到吴姨的指纹。"

"比吧，加油。"冯凯抬了抬眉毛，继续盯着顾红星的表情。

顾红星揉了揉眼睛，重新坐回座位上。他把马蹄镜一会儿放在笔记本上，一会儿放在指纹卡上，就这样来来回回地看着。

突然，顾红星皱起了眉头，手上的动作也加速了不少。他来来回回看了十几遍，抬起头盯着冯凯，嘴角不自觉地颤抖着。

"果然是女工的笔记本？"冯凯从顾红星的脸上读懂了结论，这确实出乎了他的意料。

顾红星狠狠地点了几下头，说："你等会儿，我再找找。"

"找？找啥？"冯凯把下巴抬离了胳膊，昂着脖子看顾红星手里的马蹄镜。

又过了好一会儿，顾红星重新抬起头来，把手中的马蹄镜重重地磕了一下桌子，说："冯哥，你真牛！事出反常必有妖。这真是至理名言啊。"

冯凯很惊讶，没想到看起来风马牛不相及、时间相隔一年多的女工案和爆炸案，居然还真扯上了关系。

"这本笔记本的封底上，有吴姨的左手联指指纹，封面和扉页上，有她的右手食指和拇指指纹。"顾红星解释道，"这个和她翻看笔记本的动作，是可以吻合起来的。换句话说，这本笔记本，应该就是她的同事口供里提及的那本笔记本。"

"你等会儿，你等会儿，我现在脑子有点乱。"冯凯揉着脑袋，说，"徐茂、徐二黑和玛钢厂一点关系都没有，他们供述的澡堂子距离玛钢厂那么远，这是怎么扯上关系的？"

"徐二黑应该没说假话，这本子上没有他的指纹，但是有徐茂夫妇的。"顾红星说，"除了吴姨和徐茂夫妇的指纹，还有几枚指纹目前不确定是谁的。"

"徐二黑那种虎了吧唧的人，肯定没说谎。可是，这个澡堂子是个国营澡堂子，负责人是生产队干部，和玛钢厂也没有任何关系啊。"冯凯说，"怎么联系上的呢？难道真的就是一个普通顾客藏里面的？难道是玛钢厂的人发现本子里夹了钱，而本子没被老穆他们带走，所以动了歪心思？"

"如果真的是有人抢女工的本子，然后藏去了城西镇的澡堂子，那是不是可以查一查玛钢厂里住在城西镇的人？"顾红星说，"反正生产队干部肯定是要好好问一问了。"

"既然证据在手，就比较方便甄别犯罪分子了。"冯凯说，"关键我们现在不能随意启动案件侦查工作。如果我们自作主张启动侦查，会被批不说，就怕查出来什么也定不了罪。"

"这可不像你啊！"顾红星笑着看着冯凯，说，"不过既然发现了新的证据，重启女工案调查也算是有确凿证据了吧？"

"确凿吗？"冯凯说，"女工死了之后，现场没打扫干净，有人看到本子里夹了两百块钱，就偷走了，不行吗？"

"偷走了，把钱拿了，本子扔了就是。"顾红星说，"没必要连钱一起藏着吧？"

"或许，这个人胆小？大面值的钱不敢带身上、不敢存？"冯凯说。

"一藏就是一年多？"顾红星说，"本子都被人拿走大半年了，才想起来找？而且还悬赏找？"

"也许这人之前不用钱，最近急着用钱，就想起来本子和钱了？"冯凯说，"也许他的悬赏是假的，就是为了找本子的下落？"

"哪有那么多也许？"顾红星抚着额头说道，"你咋现在都不像以前的你了？"

"总之，以我们现在的证据，恐怕说服不了尚局长。"冯凯说，"如果是为了贪本子里夹着的钱，那这充其量就是个盗窃案，尚局长不可能因为一个盗窃案去取全玛钢厂职工的指纹的。而且你那剩下没主的几枚指纹里，还未必有盗窃者的指纹。"

"我觉得这不是盗窃案。"顾红星说，"本子里的这么多东西，我们都看不懂，吴姨那个高小文化①的人，怎么会有这些？而且像她那样的人，怎么会把这么多钱夹在本子里？再者，如果这本子当时就在现场，老穆这种老刑警，怎么可能遗漏？"

"所以你觉得，吴秋月在死亡前或者刚刚死亡后，本子就被人拿走了。"冯凯说，"如果是有人觊觎本子里的钱，为了抢钱而杀人，那他杀完人拿走钱就行了，何必连本子一起带走呢？钱夹在本子里安全，还是揣在内裤里安全？"

"所以未必是为了钱。"

"那就要看看这本子里的内容，究竟是什么了。"冯凯意味深长地说道，"嘿，老穆这个老家伙，说好的帮我们联系大学教授，看看本子里的内容，怎么说着说着就没影儿了？"

"大学教授。"顾红星沉吟道，"刚才小真是不是说了个什么小清姐姐是大学教授？"

"还'小真'，肉麻不肉麻？"冯凯讥笑道。

顾红星是一时情急、脱口而出，此时已经羞得满脸通红。

"她那么年轻，能行不？"冯凯担忧道。

"林医生不是说了嘛，她能力超群，所以被留了校当教授。"顾红星站起身来，说，"虽然不到三十岁，但肯定是有两把刷子的。"

---

① 高小文化：小学五六年级毕业。

"现在还不到十一点，不知道这样高智商的人，睡眠是不是比一般人少？还有，这样打扰人家好吗？"冯凯说。

"丫丫不是大夜班吗？"顾红星抬腕看了看手表，说，"约莫着，她现在正在下楼呢。"

刚刚从宿舍区大门走出来的袁婉心，被站在门口阴影里的冯凯和顾红星吓了一跳。

"哎呀，大半夜的，吓死个人。"袁婉心连嗔怒都很温柔。

"你这一惊一乍的，在公安局旁边有什么好怕的？"冯凯嬉皮笑脸地说道，"有个事情要麻烦你。以你的经验看，你们的小清姐姐，这时候睡觉了吗？"

"怎么？你找她有事？"袁婉心一边快步行走，一边问道。

"如果不是她推了凶手一把，我们现在还在蹲守呢。"冯凯抬了抬右手拎着的一袋苹果，笑着说，"吃水不忘挖井人，我们去感谢感谢她。"

"哪有大晚上去探望病人的？忌讳。"袁婉心被逗乐了，但是脚步没有放慢。

"社会主义社会了，别搞封建迷信。"冯凯快步跟上袁婉心说，"你们护士，是不是走路都快？"

到了医院急诊科，冯凯和顾红星在护士站门口等着袁婉心换装，然后她带着他俩来到了一间急诊病房。

透过门上的玻璃，冯凯看见里面坐着一个二十七八岁、皮肤白皙、身材瘦长、面容姣好的长发女子，给人的第一印象就是端庄。此时她正端坐在镜子边，歪着脸看面颊上的伤口。

"小清姐姐，你都拆线了？"袁婉心拿着血压计走到女子的身边，端详了一会儿她脸上的创口，说，"任主任就是好手艺，我看啊，留不下疤。来，量个血压。"

"她脸上划伤，量血压干啥？"冯凯拎着苹果走了进来，说道。

"这是规范。"袁婉心笑着说，"这两个是我的朋友，公安局的，说是因为你推了凶手一把，才让他们破了案，所以感谢你来了。"

"应该是我感谢你们为民除害才对。"小清的声音清澈得像是小溪里的流水。她看见冯凯二人进来，立即坐直了身体，双手放在膝盖上。

冯凯一阵酥麻，随即清醒了过来，心里默念着顾雯雯的名字，说："我们应该做的，应该做的。"

"人民公安为人民，这句话没说错。"小清笑了，伤口上方有一个好看的酒窝。

冯凯心想，这个时代真是好啊，破不了案子人家理解你，破了案子人家感谢你。还有，这大学教授的涵养就是不一样，说起话来都是一套一套的。

顾红星上前两步，说："小清姐姐，除了感谢，我们还有点事情要拜托您。"

"我就知道你们俩没那么简单。"袁婉心拆下小清臂弯的袖带，说道。

"没事儿，尽管说。"小清整理了一下衣袖，撩了撩头发，微笑着说。

顾红星戴好手套，从牛皮纸袋里拿出笔记本，举到小清的面前，慢慢地翻着，说："请问，您知道这里面写的都是些什么吗？"

小清皱着眉头看了好一会儿，说："如果没有看错，这是一些推算公式。"

"推算什么？"冯凯问。

"推算什么，我不敢妄言。"小清说话依旧是一副文绉绉的样子，说，"如果没有看错，这应该和军工产品有关。"

顾红星猛地一颤，回头看着冯凯。冯凯也在盯着他，眼神里不知道是惊讶还是惊喜。

"对了，你们学校有没有一个男学生，姓陶，学习挺好的？"冯凯犹豫着，壮着胆子想打听一下自己父亲的事情。

"没有。"小清想了想，说道。

"哦。"冯凯低下头，有些失望。

2

第二天一早，尚局长按时来到了办公室，却发现冯凯和顾红星已经等候在了他的办公室门口。

"翻拍架买不起。挎子也不能给你们俩，那是大家共用的。"尚局长一边掏钥匙，一边说道。

"这回真不是找您老要钱的。"冯凯凑上前，拎过尚局长的公文包，赔着笑说道。

"你俩回来才半年，你说你们往我办公室跑多少趟了？"尚局长打开大门，说，"不是来要钱的话，自己泡茶。提到钱就滚蛋。"

"我们是来汇报女工案的。"顾红星说。

"那也滚蛋。"尚局长坐到椅子上，点了支烟。

"这回真的有眉目了。"冯凯说，"我们找回了徐二黑说的笔记本，上面发现了女工吴秋月的指纹。"

"什么乱七八糟的？"尚局长一脸蒙。

作为公安局局长，对每一起案件侦破有督促的责任，但是不可能对案件细节了解得那么细致，所以尚局长并不知道笔记本之说。因此，冯凯示意顾红星将整件事的来龙去脉仔细讲了一遍：他们如何在徐二黑案中发现笔记本，又如何在女工案档案中发现关于笔记本的文字记录，再到如何取到笔记本和提取上面的指纹，最后到如何确定笔记本里面的内容……

听着听着，尚局长的脸色逐渐凝重了起来，等顾红星说完，他拿起桌上的电话，拨了个号码，说："老穆，你去喊政保科的老刁，一起来我办公室。"

过了一会儿，楼道里脚步声响起，老穆带着一个穿着制服的老公安走进了尚局长的办公室，这个老公安应该就是尚局长说的老刁。老刁长得并不刁钻，而是浓眉大眼、国字脸。他四五十岁的样子，皮肤黑黑的，个子很高、肩膀很宽。不知道是不是出于职业习惯，他一进门，就从上到下仔仔细细地把冯凯二人打量了一番。这举动和他高大的外表并不搭配，反而让人觉得神神道道的。

冯凯看到老刁，觉得非常面熟，但是一时半会儿想不起来什么时候见过他。

穆科长一见冯凯二人，立即对尚局长说："不是我让他们来要钱的。"

"哦，老头儿，我就知道要钱是吧？"冯凯不服气地说。

"戴上手套。"尚局长从抽屉里拿出两副白手套，扔给穆科长和老刁，然后又指了指顾红星手上的笔记本。

老刁戴上手套，从顾红星手里拿过笔记本，翻了两页，眼神深邃地说："这是在哪里找到的？"

"啥玩意儿啊？"穆科长也拿过笔记本，看了看，一脸不解。

"这两个小家伙找到的。"尚局长说，"要不要给他们记功？"

"必须要的！"老刁点头说，"我们找了一年多都没找到的东西，被他们找到了。"

"你们在摆什么迷魂阵呢？"穆科长拍了一下老刁的肩膀，"你最喜欢摆迷魂阵。"

"我们政保的案子，怎么会给你们刑侦知道？"老刁白了穆科长一眼，神秘地说。

"现在这个案子，由你们政保和刑侦联合办理。"尚局长说，"你们互相通一下气。当然，这案子仅限于你们四个人知道。"

老刁站在原地犹豫着。

"怎么了？我说的话不好使？"尚局长瞪了一眼老刁。

顾红星连忙开始把刚才和尚局长汇报的情况，又从头一五一十地说了一遍。几乎和尚局长刚才的变化一模一样，老刁的表情也凝重了起来。

"既然这样，我也把我这边掌握的情况说一下。"老刁说道，"去年的六月上旬，一五零八所那边来和我们反映了一个情况，嗯，一五零八所是干什么的，我就不说了，反正是我们龙番市的一个军工企业，具体内容是保密的。总之，他们来反映说，他们的总设计师王璐的一本笔记本丢失了，这本笔记本里面是王总工十几年的心血，是某项军工产品的命脉所在。如果丢了，损失不可估量。更重要的是，如果被外部势力拿到，就更是给敌人做了嫁衣。"

说完老刁扬了扬手中的笔记本，说："好在，没丢。之前，我们经过调查，认定笔记本是在王总工的秘书岳剑手中丢失的，只是这小子为了逃避责任，设计了很多计谋来误导我们。不过，还是被我们识破了。于是我们抓了岳剑，也调查了所有和他有关系的人，包括你们刚才说的王飞凡。王飞凡的父亲是武装部的，当年岳剑进一五零八所就是王父推荐的，因此岳剑和王飞凡关系十分密切，经常在一起活动。从目前看，很有可能是吴秋月受到了外部特务机关的诱惑，让她先勾引王飞凡，然后利用王飞凡的关系接近岳剑，从而盗窃到了笔记本。只不过，我们在对岳剑调查的时候，一直没有查到过这个吴秋月。对其他人的调查，最后都走进了死胡同。"

"如果吴姨是特务，她又是怎么被杀的呢？"顾红星问道。

"我怀疑，吴秋月只是一枚被利用的棋子。"冯凯说，"也许吴秋月拿到笔记本后，坐地起价，让真正的特务不得已而杀掉她，抢回了笔记本。也可能是国外特务机关缺钱，所以杀人赖账。"

"因为岳剑一直没有交代出有用的线索，所以我们的调查一直都处于中断的状态。"老刁说，"本来我们都放弃了希望，没想到你们无心插柳，却找回了笔记本。"

"情况大致明白了。"冯凯转头对尚局长说，"玛钢厂里面是外人进不去的，厂子里就几百号人，挨个排查指纹，就知道是谁从吴秋月手中抢走了笔记本了。"

"不行。"尚局长说，"办反特案件，和你们办刑侦案件不一样。特务有外部

势力的支持，一旦打草惊蛇，他们有无数种办法脱身。这些损害国家利益的人，绝对不能让他们跑了。"

　　冯凯想想也对，毕竟自己是个没有办过反特案件的人。在这方面，还得听听经验老到的尚局长和老刁的意见，虽然这个老刁神秘兮兮的，不一定会教授他。

　　"既然有指纹，有抓手，就有希望，但是不能打草惊蛇。"老刁神秘地说，"现在线索很明朗，我们可以秘密地顺藤摸瓜。"

　　"你是说去找那个在澡堂悬赏的人吧？还可以查查玛钢厂里，住在城西镇的人。"冯凯说。

　　"没有，一个都没有。"老刁说，"玛钢厂里几百号人，我们都顺过，没有城西镇的人，这个我可以肯定。"

　　"那没办法了，就只有去找澡堂负责人了。"冯凯摊了摊手，说，"挎子能用不？"

　　"不能！目标太大，骑自行车去。"尚局长喝道。

　　"你就是舍不得油钱！"冯凯贫了一句，逃也似的跑开了。

　　城西镇公共浴室。

　　老刁带着冯凯和顾红星，把负责澡堂工作的生产队干部罗东风堵在了他的办公室里。

　　"说吧，那人给了你多少钱？"老刁叼起一根烟，还是用他那令人捉摸不透的口吻说道。

　　"领导，这可不能乱说的，你这样乱说，我会被开除的。"罗东风说道。

　　"组织培养你这么多年，就培养成这样了？"老刁不理他那一套，说，"花两百块钱悬赏一本笔记本，有悖常理，既然是反常情况，为什么不向组织汇报？"

　　"我这不是做好事嘛。"

　　"做好事？"老刁冷笑了一下，说，"知情不报，是同罪知道吗？"

　　"我知什么情了？我真的什么都不知道！就是帮忙传个话。"罗东风摸不准老刁掌握了什么。

　　"为犯罪分子传话，是什么性质？"老刁摆摆手，说，"我不为难你，你现在老实交代，严格保密，我可以考虑不向你的上级检举你。"

　　"一定，一定。"罗东风也不管究竟是什么事了，一个劲地用脑袋捣蒜。

老刁从口袋里拿出一沓照片，说："看看吧，找本子的人，在不在里面？"

冯凯一下明白了，老刁还掌握了其他线索，只是没和他们说，他可真是够深沉的。

罗东风唯唯诺诺，认真地看着这一沓照片，看到一半的时候，拿出一张，说："就是这个人，以前经常来我们这儿泡澡，后来有半年没来了，这次一来就说丢了东西，让我找。"

老刁瞥了一眼照片，就把全部照片收了回来，朝冯凯挥了挥手，临走前还瞪了一眼罗东风，说："和谁都别说我们来过，否则你知道后果。"

出了门，三个人跨上了自行车，冯凯立即问道："老刁，我就知道你还有情况瞒着我们。尚局长说我们要互通有无，你这是在抗命。"

"没瞒你。"老刁说，"没有确定的事情，我当然不能和你说。"

"那你现在确定喽，可以说了吧。"冯凯说。

"你小子还怪精的。"老刁白了冯凯一眼，说，"不出我所料，这个找本子的，就是我们之前怀疑的人——胡杰。这个人啊，就是个市井的混子。"

"你们怎么会怀疑到他的？"冯凯问。

"当时本子丢了，一五零八所的领导就找到了我们，希望我们可以尽快找到本子，挽回损失。"老刁一边蹬着自行车，一边说着，"我们当时就想着，这么大的研究所，还有那么多合作厂子，里面那么多人，而我们警力有限，不可能都看管起来，也不可能都逐一搜查。以我们反特的经验来看，获取到情报，这些特务要么自己、要么找别人去边境城市递交。所以，我们就发动一五零八所及其合作厂子的保卫处的同志，与我们的人一起，对火车站、汽车站还有邮局，都进行了布控，重点查找本子。"

冯凯一想也是，在这个年代，交通不发达、邮递业不发达，就那么几个口子，一扎紧，东西和人就还真的不容易流出去。龙番是中部城市，现在这种没有私家车的年代，想自己去到边境城市，也是痴心妄想。

"所以，是你们的努力，把本子留了下来。"冯凯说。

老刁点了点头，说："当然，我们也知道，这种扎紧口袋的高压态势持续一段时间后，特务知道自己出不去，就会找一些捎客。"

"中介是吧？"冯凯说。

老刁不知道他在说什么，接着说："所以，对于那些经常出远门，干一些投机

倒把的勾当的人，我们也派出了一些线人，去获取情报。"

"看来政保也不好干啊，还得有不少线人。"冯凯附和道。

"是啊，不过，我们的线人都还靠谱，只一个月的时间，就是大地震那一天，就摸上来一条线索。"老刁说，"就是这个胡杰，在到处打听，如何去福建。于是，我们就派出专人，对这个胡杰进行了调查和盯梢。经过调查，这个胡杰就是干一些投机倒把勾当的，去边境省份是家常便饭，市面上混的人几乎都知道。如果特务自己出不去，很有可能就会委托这家伙去。可是这家伙是'四进宫'①了，有强烈的反侦查意识，当我们对他盯梢的时候，他就明显有察觉。所以，我们盯了他几个月，他完全没有任何异常的举动。最后我们熬不住了，为了不打草惊蛇，就准备对他密搜。几个月的盯梢，我们知道这家伙最喜欢干的事情就是泡澡，全市的澡堂子几乎都光顾过。因此，我们找了线人，以请他洗澡为由，密取他的钥匙，对他家进行搜查。"

"我想起来了！"冯凯说，"为啥我一直觉得看到你面熟呢，你们在澡堂子密取钥匙的时候，我们俩就在旁边。过年前后的时间，对不对？"

老刁侧脸看着冯凯，点了点头，说："我也想起来了。那一次，我们密取了钥匙，就进行了密搜，希望能找到笔记本或大额的钞票。但是，无功而返。"

"胡杰这么精，既然知道自己被盯梢，肯定不会把本子藏在家里。"顾红星说。

"是啊，这个我们也考虑过。"老刁说，"但几个月的跟踪，我们知道他除了在家里、麻将馆里，就是去泡澡了。我们怎么也想不到，他居然会把本子藏在城西镇澡堂子的躺床夹层里。"

"他也肯定想不到，居然就有那么巧的事情，有人发现了这个夹层。"冯凯苦笑了一下，说，"而且，里面夹着的佣金，成了引诱别人把本子拿走的因素。"

"可是，过年后密搜那一次，直到现在这半年，胡杰哪里去了？"顾红星说，"你们不会一直盯着他这么久吧？"

"密搜失败后，我们也丧失了信心，更没有精力去继续布控盯梢了。"老刁说，"好在密搜的时候，我们搜出了胡杰投机倒把的账本，因此把他抓了，以投机倒把罪判了半年的刑。如果没猜错，他应该是被提前释放了，所以一出来，就悬赏找本子。"

---

① 四进宫：俚语，指四次被关进看守所或拘留所。

"看来徐茂还做了件好事。"冯凯说，"如果不是他昧着良心拿了钱，藏了本子，这胡杰一出狱就拿着本子去边境省份，我们公安还不掌握情况呢。"

"是啊，我们给监狱那边打招呼，这人出狱要提前通知我们。"老刁说，"可显然是时间久了，监狱那边忘记了。"

"所以，我们现在去哪里？"冯凯问。

"去监狱。"

"兴师问罪啊？"

"那倒不是。"老刁说，"监狱里有胡杰的指纹卡，如果能和本子上的对上，我们能再给他抓了。这次是反革命罪了，不怕他不招。"

"你可以啊，这么大岁数，还有这种证据意识，比我们那老陈强多了。"冯凯哈哈一笑。

"我怎么就那么大岁数了？"老刁不服气地说，"我1932年生的，才45。"

"我还以为你1902年生的呢。"冯凯贫嘴道。

"去你的。"

来到了龙番监狱，因为老刁不主动提他们忘记通报胡杰出狱的事情，所以监狱部门也显得十分热情。监狱长亲自派人去档案库找来了胡杰的指纹卡以及他的减刑记录。

顾红星也没浪费时间，在监狱长的办公室，就拿出了马蹄镜和从笔记本上拍下的指纹照片，开始了比对。

"不错。"顾红星看完了指纹，对老刁说，"笔记本的封面和内页，都有胡杰的指纹。这个本子，就是有人委托他作为掮客送出去的。"

"那就妥了。"老刁拍了一下桌子。

"可是，他明显不是主谋，甚至不是特务啊。"冯凯说，"他和玛钢厂没有关系吧？"

老刁低头思忖了下，摇了摇头。

顾红星说："是啊，玛钢厂是外面人进不去的，那他怎么进入厂子抢夺女工吴秋月的笔记本，并且把她拉入了机器绞死？"

"是啊，真正的特务，应该是潜伏在玛钢厂的！"冯凯说道。

3

案件是由政保科牵头负责的，所以审讯也由老刁来主导。

面前的这个胡杰，身材瘦长，但是此时全身抖得像个筛子。这样的形象，和老刁描述的"二流子""老油条"明显不符。因为胡杰心里很清楚，既然自己碰上了危害国家安全的红线，这条命显然就不是他自己的了。

"严重性你也知道了。"老刁神神秘秘的审讯风格，对于胡杰这种老油条来说，也很有用。

"我真的不知道那本笔记本里写的是什么！你说我一个初中文化，哪里看得懂啊？"胡杰说，"我就是收钱干事儿，上家的东西是什么，我也不管啊。"

"那就说说你的上家吧，是个什么人，在哪里工作？"老刁说。

根据胡杰的供述，在大地震前几天，一个神秘的电话打到了他住的胡同口传达室里。电话里是一个男人的声音，问他有一笔好挣的钱，要不要挣。因为他本身就是一个掮客，帮人跑腿办事拿佣金，这种电话也经常接，所以并没有在意，就答应了下来。按照这个男人的指示，他在第二天一早要去龙番公园里，在龙湖西侧第二张水泥石椅下面，找一个被砖头挡住的破洞。破洞里，有一个牛皮纸袋。纸袋里是需要运送的货物和两百元预付款。他只要把这个纸袋带到福建，放到公园假山的山洞里，就算完成任务。事成之后，还会再付五百元的尾款。

这么简单的工作，却有这么高的利润。七百元，相当于一个普通职工一年半的工资了。胡杰觉得自己是碰上了天上掉下来的馅饼，当场就同意了。但是电话那头说，这个事儿是个非常冒险的事儿，现在公安到处在查，带着这个纸袋很难出龙番，需要走"黑道"。这笔生意的前提是，牛皮纸袋绝对不能落在公安的手里，否则不管公安处理不处理他胡杰，这个上家也一定会要他的脑袋。高回报自然就对应了高风险。

胡杰当时并没有当回事。一方面，他觉得自己神通广大，离开龙番去边境是家常便饭，公安查来查去不也就查那么几天嘛，躲过了风头就好了。至于这个威胁要他脑袋的上家，他更觉得是个笑话。他在龙番混了这么多年，还真是没人有这么大口气，说要他脑袋就要他脑袋的。所以，胡杰一直以为是上家为了保障货物的安全而说的大话罢了。

燃烧的蜂鸟

可是很快他就发觉不对劲，因为所有能离开龙番的通道，都会有公安排查，时间过了大半个月，也丝毫没有减弱的迹象。这让胡杰意识到了事情的严重性，可是此时这个烫手的山芋已经在他的口袋里了，他甚至不知道该如何联系上家，推掉这个买卖。在打听离开龙番的"黑道"之后没两天，他就发现自己被盯梢了。为了保证自己的安全，他就把这个烫手山芋藏到了一个熟悉的澡堂里。

万万没想到，他这一被盯梢，就被盯了几个月。在此期间，那个神秘的上家，又一次电话联系了胡杰。胡杰告诉他，自己被盯梢了，所以把货藏起来了。上家则有些暴躁，说要取消交易。但胡杰为了不被公安发现端倪，是把自己拿到的两百元预付金和货物一起藏着的。此时如果取消交易，让这个上家自己去取货物，自己的那两百元预付金也就没了。所以胡杰即便不太想继续干了，但钱的诱惑还是让他对上家好言相劝，让上家给他机会，许诺这几天就一定可以送出去。虽然上家还是坚持要去取回货物，但胡杰果断地挂了电话。没想到的是，第二天，他就因投机倒把被捕了。

直到他刑满释放，第一时间去了城西镇澡堂，他才发现躺椅夹层里的货物和钱都不翼而飞了。他当时第一感觉并不是害怕，而是愤怒。于是假称悬赏两百元找回货物，毕竟本子里本来就夹了两百元，这样的悬赏还是很有可信度的。胡杰想着，只要知道是谁拿了他的货，就能以他混了这么多年结识的这些"二流子"去轮番恫吓骚扰，不怕这人不交出钱和货物。

以胡杰的话说，如果他知道这本子里是国家机密，他说什么也不会做这些，肯定交给政府了。虽然冯凯一点也不相信他的鬼话，但冯凯知道，在法律的威慑之下，这个胡杰应该说的是真话，他确实不知道潜藏在玛钢厂的特务是谁，只知道是个男性。而这么久了，电话记录也无法调查，即便能查出来，也不可能定到某个人的嫌疑。所以，接下来的调查工作，任重而道远。

"我已经安排人联系福建公安协查了，看那边能不能根据胡杰的交代，捣毁一个特务窝点。"老刁说，"但我们也不能指望他们破案后，把潜伏在玛钢厂的特务指认出来。根据我的经验，福建公安有可能也不清楚我们的目标的身份。"

"案子都这么明了了，尚局长还是不同意普采指纹？"冯凯问道。

"大几百号人，采完了指纹，可能目标就会利用我们比对的空隙，逃跑掉。"老刁说，"我们这次抓捕胡杰，都是密捕的，就是怕打草惊蛇。"

"我也觉得不用急。"顾红星说，"笔记本上，排除了其他人的指纹之后，现

在只剩下左手拇指、食指、环指的三指联指指纹，在封面边缘，应该是抢夺本子的时候留下来的。这三枚指纹应该就是我们的目标人物的指纹，有了这个，现在他已经是瓮中之鳖了。"

"所以，你们的计划是，先框定范围或者获取嫌疑目标，然后密取指纹，再实施抓捕？"冯凯说。

老刁点了点头。

"女工案我们刑侦科当年就查过，后来我和小顾也查过，如果能那么容易框定出范围，早就破了。"冯凯说。

"如果这样的话，我们是不是可以考虑引蛇出洞？"老刁说道。

顾红星不自觉地想到了自己男扮女装的窘相。

"你是说，利用当年他在电话里说的'要你脑袋'这句话？"冯凯鬼心思多，很快意识到了老刁的计谋，"假意把消息传进厂子里去，说胡杰涉嫌反革命罪，准备对他抓捕。这样就逼着特务提前动手，除掉胡杰，去找笔记本？"

老刁缓缓地点点头，眯着眼睛说："但是，我担心消息这样传进去，会显得很刻意。我们的这个对手，可能没有我们想象中那么简单。"

"如何显得不刻意，这个由我们来办。"冯凯拍了拍自己的胸口，又拍了拍顾红星的肩膀，说，"如何把抓捕的布袋子布置好，就得你来安排了。"

"你们可以？"老刁半信半疑地说道。

"我保证今天上午把消息传进去，到晚上全厂就能都知道。"冯凯笑着说道。

"这么玄乎？"

"那必须的。"冯凯也故意对老刁神秘了一把，作为报复。

"如果真的可以这样，那倒是有希望。"老刁拿出一张纸，在上面画起了图，说，"既然特务能打电话到胡杰家住的胡同口，就说明他对胡杰的情况很了解。胡杰所住的这个胡同，地势环境有点复杂。"

"有多复杂？"

"四通八达。"老刁说，"这种喜欢干违法事情的人，就喜欢选择住在这种狡兔三窟的地方。他住在胡同中间，是十几条小道的交会点。如果我们想把这一片胡同区域都封锁，至少得有一百名公安。"

"这种大案子，叫尚局长请求军方支援？"冯凯知道这个年代还没有武警部队。

"不行。"老刁说，"人一多，很容易被发现。更何况那么多身姿挺拔的小伙子在这附近突然出现，我们的对手又不傻。"

"那就把他引入了胡杰的家中再动手。"冯凯说，"这样，我们只要控制住中心现场就行。即便被识破了，他也只是认为我们在蹲守胡杰，不会起疑。"

"可是我们不知道对手有没有武器，这样对我们的同志危险性太大。"老刁说。

"没事，我来冒充胡杰，我们身材差不多，只要不开灯他就识不破。"冯凯说。

"太危险了。"老刁说。

"别婆婆妈妈的了，我们公安什么时候这么瞻前顾后的了。"冯凯坦然一笑，说，"你们派人把守好房屋四周，我在房间里等他来。"

"胡杰的房子背靠他邻居的房子，共用一面墙壁。"老刁说，"所以把守好他家的前门和两侧的窗户就行。只要有人进，我们就可以瓮中捉鳖。现在的问题是，我们怎么把消息给传进去。"

"交给我们，你放心。"冯凯笑。

又来到了玛钢厂的门口，还是经过了一样的程序。门卫惠大爷请示过厂长，在冯凯和顾红星登记过之后，放他二人进入了厂子。

制造车间的车床还在轰轰作响，车间主任曹玉兰还是一样热情多话。

"曹姨，上次你们车间做出来的配件真是太好用了，我想再做一套，我带了介绍信过来。"顾红星按照事先准备好的词儿，说得有些不自然。

"喊什么姨啊？喊大姐！"冯凯见顾红星很不自然，连忙接过话茬儿，说，"我们最近案件有点多，自己做的设备呢，不够用，这不又得麻烦您。"

"没大没小的，我和他妈一样大，当然是姨。"曹玉兰喜笑颜开地说道，"案件多吗？怎么我们在厂子里都没听说过？"

"你们一礼拜才回家一两天，当然听不着。"冯凯故作神秘地说，"什么样的案子都有，还有大案子呢！"

"什么大案子啊？"曹玉兰不自觉地压低了声音，"杀人吗？"

"这，不能说。"冯凯作势要进车间看工人做零件。

"和我有啥不能说的。"曹玉兰拉住冯凯说，"我嘴最严了。"

"那也是。"冯凯停下脚步，低声说道，"你敢相信吗？都这个年代了，我们龙番还有特务。"

"真的假的？"曹玉兰瞪大了眼睛。

　　"我们最近发现了一个特务，准备把一个记载了国家机密的笔记本送到境外去。"冯凯说，"我们已经盯住他了，准备明天一早就动手。"

　　"赶紧抓了。"曹玉兰说道。

　　"所以啊，我们要赶紧把这零件做好，就得回去蹲守了。"冯凯说，"这事儿，可不能和外面人说哈。"

　　"不会的，不会的。"曹玉兰摆着手说道。

　　做完了零件，冯凯和顾红星走出了玛钢厂。

　　"你咋知道她一定会说出去？"顾红星担心地问道。

　　"越是说自己嘴严的，越会说出去。"冯凯哈哈一笑，说，"她会觉得反正今天厂里的人都不能回家，即便说给厂子里的人，也不会传出去，不会对我们明早的抓捕造成影响。这么大一个新闻，足够给她当作炫耀自己消息灵通的资本了。退一万步讲，消息即便传不出去，对我们也没有影响嘛。"

　　"你晚上一个人在胡杰家，安全吗？"顾红星担心地问。

　　"有什么不安全的？房子四周都是我们的人，只要他一露头，必然被抓，甚至都不需要我出手。"冯凯自信地说道。

　　消息已经成功放出去了，从傍晚开始，老刁就带着政保科的几个人，在胡杰住所周围蹲守，对他家东西两侧的窗户和大门进行盯梢。另外，还请辖区派出所派出了警力，对各个胡同口进行了布控。

　　最重要的是，一五零八所保卫处的同志们也都全员动员，对玛钢厂周围进行了盯梢。因为这个工作日的晚间所有工人都必须在厂宿舍里过夜，不能回家，所以这个时候如果谁偷偷溜出厂子，就有很大的嫌疑了。老刁在胡杰家附近的一个邮电局坐镇，用电话和前线进行联系。他还特地嘱咐保卫处的同志，不仅要看住玛钢厂的各个出口，对于那些围墙低矮的位置，也要派人蹲守。一旦有人出来，不要惊动他，直接跟踪，如果真的进入了胡杰家的附近，再发信号里应外合进行抓捕。

　　看上去是一张天罗地网了，就等猎物钻进口袋了。

　　夜幕降临了，冯凯躺在黑暗的房间中，也不知道干点啥。他怀里抱着一本笔记本，闭着眼睛，想着已经一年多没见的顾雯雯。他不知道陶亮的身体现在是个什么状态，已经死了？失踪？还是苟延残喘？不知道顾雯雯会不会一直都在伤心，会不会因此而不注意自己的身体？他只知道自己对顾雯雯的思念就像是滔滔江水，充满了他的心扉。

不知不觉中，冯凯的意识开始模糊了起来，在梦里，他重新看到了顾雯雯，和她深情相拥，尽情地闻着她的发香。

一阵窸窸窣窣的声音把冯凯从梦中扯回了现实。他躺着没动，只是微微地睁开了眼睛，努力地识别声音的方向。声音似乎是从堂屋北墙传来的，冯凯的脑子快速地转动，他知道这间小屋是一个由中间堂屋和东西两间卧室组成的平房。而北侧的墙壁和邻居家房子共用一面墙壁，墙壁上有一个小窗，是关闭的。小窗里有类似现代防盗窗的钢筋阻隔，这样既可以让两家保持通风，又可以保证安全性。

难道特务是从隔壁过来了？冯凯这样想着。不对啊，如果是从隔壁过来的，就必须进入隔壁邻居的家。虽然我们的警力都在东西两侧和南侧正门，但也会有人关注邻居家的情况。如果有人要闯入邻居家，肯定会被我们的人发现。而且，小窗上有钢筋，再瘦的人也钻不进来啊。如果要破坏钢筋，那动静早就把他吵醒了啊。

正琢磨着，冯凯突然觉得一条冰冷的绳索套住了他的脖子，并且狠狠地勒住了他。他顿时感觉自己的舌头不自觉地顶到了下颌，一种从未有过的窒息感袭来。很快，他的意识模糊了起来。

2021年8月20日　大雨

今天是陶亮昏迷的第六天。

不知道出了什么事情，刚才他明明还像平常那样在做梦。突然间，监护仪就叫了起来。我从来没有意识到，我能发出那么大的声音，像疯了一样大声喊着陶亮的名字。医生们冲了进来，说他的生命体征突然不平稳了，有生命危险。

我现在守在急救室外面，我不知道怎么办。

我很怕，我怕失去他。

4

昏迷之中，冯凯似乎听见了某个熟悉的声音。

那是一种歇斯底里的动物般的叫喊。

有股说不清道不明的力量涌入了他的身体，他感觉自己从黑暗中找到了方向。在刑警学院练就的一身本领，突然间爆发了，他伸出坚硬的手指，死命地抠入绳索

内，用尽一切力气往外撑开，延缓绳索对他喉咙的压力。

获得短暂呼吸的一刹那，冯凯的脑海里万马奔腾。他不知道自己哪里来的神力，又庆幸自己运气好，对方并没有直接用斧头、锤子来行凶，而是选择了绳索。

手指还在脖子上较劲，冯凯突然感到对方的力量松了一些。

一只手从他的上方伸过来，想要拿走放在他身侧的笔记本。这时候冯凯明白对方的目的不是杀人，而是抢走笔记本。趁着这个机会，他大胆地撤出了绳索里的双手，猛然倒撑在肩上，一个鲤鱼打挺加后滚翻，双脚结结实实地踹在了对方的胸膛上，而自己摔在了对方和床头之间。

绳索松了，冯凯长长地喘了一口气。对方没拿到笔记本，又被狠狠地踹了一下，不禁向后趔趄了几步，从口袋里掏出了一把匕首，准备来个殊死决斗。可是很快他就发现，从床头爬起来的人，并不是胡杰。

对方几乎没有任何思考，直接转头向堂屋跑去。

此时，冯凯的右手已向腰间掏去，他仅仅用了一两秒钟掏枪、上膛、射击，也没有能够击中对方。

冯凯钻出卧室的门，见对方已经从堂屋北侧墙壁上的小窗钻了过去。定睛一看，这个小窗的钢筋都已经被掰弯，中间的空隙刚好够一个身材瘦弱的人钻过。

既然枪响了，外面的支援肯定会立即收拢，所以冯凯没有多想，跟着对方也向小窗钻去。因为冯凯的骨架比较大，费了一些力气才钻过小窗。他双脚刚刚落地，就意识到不好。

邻居的堂屋中央有一把凉椅，凉椅上绑着一个中年男人，应该就是胡杰的邻居了。中年男人手脚都被牢牢拴在凉椅上，嘴里塞着一块破布，叫不出声音。他的身上湿漉漉的，一股汽油味扑面而来。

"不好！"冯凯心中暗叫。

只见阴影中的那个黑影划亮了一根火柴，扔到了男人身上。随着男人嗯嗯啊啊的恐惧叫声，轰的一声发生了爆燃，冯凯的瞳孔迅速收缩。等他再能重新视物的时候，黑影早已不见踪影。

无法再追击黑影，冯凯必须先救人。他知道汽油起火不能用水去扑灭，左看右看，他见门口有一堆沙子和一把铁锹，连忙一脚踹翻了凉椅，一边用铁锹铲了沙子就往满地翻滚的火球上盖，一边喊着："别动！别动！"

好在火并不大的时候就开始填埋，很快火焰就被沙子盖了下去。冯凯蹲下身来，检查邻居的伤情。虽然是大热天，但好在这个邻居穿了长袖，身体裸露部位不多。他的头发眉毛是给烧没了，但皮肤看起来烧伤并不是很严重，只是昏迷了。

几名公安从邻居家大门冲了进来，问道："怎么回事？"

"怎么回事？我还要问你们怎么回事呢？"冯凯没好气地说，"特务是怎么进入邻居家，从邻居家撬窗进来的？"

领头的年轻公安有些沮丧，说："我们见邻居两个人有说有笑进家了，以为邻居家里来了客人。家里既然有两个男人，那么特务就不可能从这边进来了。没想到，居然是特务和邻居两个人进的家。这个邻居老实本分，背景我们都调查过，很清白。特务怎么认识这个邻居的，完全出乎我们意料。"

"他这是瞒天过海啊。"冯凯皱起眉头，说，"赶紧叫医生，这人伤得不重，但昏过去了，估计是过度惊吓。还有，胡同口封锁了吗？"

"这家大门口就是几条胡同的交会点，过了这个交会点，就是更多胡同的交会点。"年轻公安说，"我们警力有限，不可能封锁所有出口，迟了一步，就没办法追踪了。"

"那你们看到，是谁和这个伤者一起进家的吗？"冯凯追问道。

"没有，太黑了，看不清，只能看到是一个瘦弱男人。"

冯凯没好气地又从小窗户钻回了胡杰家里，此时老刁和顾红星都已经冲进了现场。

"真没想到，天罗地网还是给他跑了。"冯凯说。

"这家伙是对胡杰家了如指掌啊。"老刁说，"如果不是胡杰把笔记本藏到了澡堂里，说不准在我们盯梢他的那几个月，笔记本就被拿走了。"

"肯定是冒充什么人，骗入了邻居家，然后绑了邻居，弄开了铁窗。"冯凯说，"奇怪了，玛钢厂那边没动静？"

"没有，这边枪响了，我就给那边打了电话。"老刁说，"他们拍着胸脯说，没有一个人离开玛钢厂。"

"难道不是玛钢厂的人？不可能啊！"冯凯说，"我利用进厂子做零件的机会，查了他们的登记本，女工案事发的那天，除了小顾没有外人进厂子啊，只有可能是厂子内部人干的。"

"没关系，反正已经暴露了，特务已经知道我们是设了计谋。"老刁说，"没什么好藏着掖着的了，我马上请示尚局长让他要求一五零八所的保卫处干部，进厂

子查寝，看看谁不在。"

"那要抓紧了。"冯凯说，"这里距离玛钢厂骑车也就二十分钟的路程，如果骑得快，十几分钟就够了。等他回去了可不好办了。"

"不可能。"老刁说，"如果说是趁他们不注意，特务溜出来，还好解释。现在已经出事儿了，再让特务溜回去，那他们岂不是傻？在查寝之前，还是要布置交警和派出所，到处设卡。我看啊，这个特务肯定是不会回厂子去了。"

"我不太放心，毕竟他不知道我们掌握了他是玛钢厂员工这一线索，回厂子躲风头的可能性也很大。"冯凯说完，转脸对顾红星说，"这个现场需要勘查吗？"

顾红星其实已经在看被掰弯的窗户钢筋了："窗户玻璃上可以看到明显的手套印，特务是戴着手套作案的。钢筋很坚硬，靠人力很难掰开，但是钢筋上黏附着绿色的纤维，应该是用绳索绑住钢筋，再用一根棍子绞住绳子进行转动，利用杠杆原理把钢筋掰弯的。"

"那就是这根绳子了。"冯凯从床头捡起一根绳索，说，"他就是想用这根绳子来勒死我。那他还真是轻敌了，如果直接用刀，可就不好说了。对啊，他为什么不直接用刀？"

"老奸巨猾，肯定是怕血多，留下的痕迹就多。"老刁说。

"那，这根绳子上，能查出指纹吗？"冯凯问。

"尼龙绳，怎么查指纹？"顾红星接过绳子，左右看了看。

"去玛钢厂查哪些人有这种绳子。"冯凯说。

"这我知道，没法查，因为每个车间都有。"顾红星用放大镜看了看绳子的断端，说，"不过，这根绳子的断端是用刀子割断的，不那么整齐，说不定可以做整体分离实验。"

"别说专业术语。"老刁说。

"就是只要找到切断的绳子的另一头，我就可以比对出来，这两根绳子是不是一根绳子截成的两段。"顾红星说，"这是属于工具痕迹学的领域。"

"可是那么多绳子，怎么比呢？"冯凯担心地说道，"不管那么多，尚局长肯定在布置交警和派出所设卡了，我们先骑车去玛钢厂看看。这回动静这么大，不查出来啥，尚局长都坐不住。"

来到了玛钢厂，大铁门是开启状态的。门卫惠大爷正披着一件工厂制服，站在铁门的门口，看着几个打着手电筒向厂宿舍方向走的人。

"出啥事儿了这是？"惠大爷见顾红星和冯凯走过来，一脸迷惑地问道。

"没事儿，抓个赌。"冯凯笑着说道。

冯凯和顾红星跑了几步，追上一五零八所的保卫处干部们。

"你们怎么才进来？"冯凯问道。

"这不是刚刚接到命令嘛，不然哪敢随便闯？"保卫处干部说。

"如果特务利用你们不掌握的通道，这时候早就回寝室了。"冯凯说，"不过不要紧，我们还有笔记本上的指纹，邻居醒了还能指认，只要特务不离开厂子，跑不掉的。"

"都说了我们是刚刚接到命令嘛。"保卫处干部说，"门卫老大爷睡迷糊了，敲了五分钟门才开。"

冯凯顿时停下了脚步，盯着顾红星，像是在回忆着什么。

"咋了？"保卫处干部被冯凯的异常举动惊了一下，说，"你们不会怀疑那老大爷吧？他那颤巍巍的样子，怎么当特务啊？而且，他的门卫室，那么小的两间房子，就一个门一扇窗，被我们的人盯得死死的。要是从门卫室出去，除非能插上翅膀还差不多。"

"你们查寝，我们回去看看。"冯凯拽着顾红星，回头向门卫室走去。

"怎么又回来了？"惠大爷说。

"他们保卫处说是厂子里自己的事情，不让我们公安插手。"冯凯说，"我们拗不过他们，就在这里等他们吧。"

"来屋里坐吧。"惠大爷伸了伸手，热情地说道。

两人跟着惠大爷走进了小屋。门卫室的外间是一间厨房，有一个烧柴火的锅灶，上面有一口大铁锅，旁边的小桌上很整洁。内间是一间卧室，只有一张办公桌和一张床，除了床上的毛巾被是乱的，其他都很整洁。

眼尖的顾红星一眼就看见了床头放着的一卷尼龙绳。他拽了拽冯凯的衣角，使了个眼色。冯凯见惠大爷背对着他们，回头一把把顾红星背上的勘查包带给拽断了，说："你看你，像个什么样子，背个包还是个破包，带子都断了，你这样挎着不难受啊？"

"啊，嗯，没办法，局里穷。"顾红星立即和冯凯表演上了相声，"对了惠大爷，您这儿有绳子吗？我绑一下包带。"

惠大爷迟疑了一下，连忙赔着笑说："有的有的，这儿有绳子。"

他拉开尼龙绳，用剪刀剪了一段，递给顾红星。冯凯东看西看，想找一个能偷走的、上面又可能有惠大爷指纹的物件。可是看来看去，都是半导体、茶杯这样常用的物件，如果这时候被拿走，惠大爷肯定能发现。

"大爷，我们还是先走了，不在这里打扰您了。"冯凯说，"您别出门啊，现在外面乱得很。"

"好的，好的，常来玩啊。"惠大爷还是一脸的慈祥。

走出了厂区，他们见到了正在工厂大门一侧蹲守的保卫处干部。冯凯对他们说："门卫大爷今晚没出过门？"

"没有，厕所都没上。"

"那你们继续盯着，绝对不能让他出门，上厕所也要盯着。"

"好的。"

两人蹬上自行车，向局里骑去。顾红星着急回到办公室，用立体显微镜比对两根绳索的断端。

"惠大爷这么大岁数了，又确定今晚没有离开。"顾红星说，"我们因为他开门慢了就这样怀疑他，有些于心不忍。"

"这个不好说，如果他是幕后黑手呢？那就不需要离开，但有可能提供绳索。"冯凯说，"而且，我绝对不仅仅是因为他开门慢了而怀疑他。"

"还有什么？"

"我突然想到一个问题。"冯凯说，"这大爷今年快七十了吧？估计是一九零几年生人吧？但是你记得吗？他上次给厂长打电话，说自己叫惠建国。惠建国？建的是什么国？民国都是1912年才建的呢。"

"也许是后来改名字的？"顾红星说，"我记得他应该67岁了，但这个岁数，能像你说的那样身手矫健吗？"

"嘿，这还真不一定。"冯凯低着头蹬着车说，"我还真觉得身形有点像。"

两人不再说话，拼命地蹬着车，不一会儿就到了局里。顾红星顾不得把包放下，就打开显微镜，比对起两根绳索的断端。

"绳索纤维粗细度一致，固有特征吻合。各绳索纤维分离线边缘相互吻合，集合起来看，分离面也是吻合的。"顾红星抬起头，说，"可以肯定，是一根绳索截断的！"

"你确定吗？"冯凯觉得自己的头发都立起来了。

"能确定，不会有这么巧的事情。"顾红星自信地说道。

"马上汇报。"冯凯抓起电话，拨通了尚局长办公室的电话。

接到尚局长让他们重新返回的指示后，两个人兴高采烈地骑车往玛钢厂赶。对于他们来说，积压在心底一年之久的案件，此时真相终于浮出了水面，胜利的曙光就离他们一步之遥。

到了玛钢厂，此时的门卫室已经被快一步赶来的派出所民警和保卫处干部围得水泄不通。两人停下了自行车，走进了门卫室。

"人呢？"冯凯一进门，见到里面几名公安正在面面相觑，立即有种不好的预感。

"奇了怪了，插翅膀飞了！"一名保卫处干部说，"我们一直就在门卫室门口守着，他绝对不可能出了这间屋子！"

瞬间，"密道"这个词儿在冯凯的脑海里浮现了出来。他疯了似的掀开床铺，挪走办公桌，又在卧室墙壁、地面上用指关节敲着。都没有异常。只是办公桌的一个抽屉，冯凯记得刚才看还是锁着的，而现在打开了。

冯凯又来到了外间的厨房，掀起了那一口大铁锅，下面锅灶里的炉灰不多，炉灰下面，有一块铁板。

"去他的！居然把我们的地道战给搬过来了。"冯凯吐了口唾沫，用力挪开了锅灶下的铁板，一个地道口跃然眼前，"他本来想回来躲避，却发现我们在搜查，知道自己是玛钢厂的这一点被我们掌握了，自己躲不了，于是带着钱溜了。"

"指纹看过了，是他没错。"顾红星的脑袋还是蒙的，辨认痕迹他很自信，但这个他认识了十几年的、和蔼可亲的老人家，居然是个身手矫健的特务，直到现在，他还不愿意相信眼前的事实。

"还比对个屁指纹！都挖地道了，还从地道跑了，不是他还能是谁？"冯凯双手撑住锅灶的边缘，率先钻进了地道，说，"追！"

冯凯带着一队人，沿着地道向前爬去。这是一条直径不到一米的地道，长度看起来不短。看来这个惠建国还真是花了不少年的心思，来挖通这条地道。匍匐前进了估计有两百米，地道开始倾斜向上，不一会儿，他们来到了地道的出口，是玛钢厂后面的一片小树林。

"这有一把链条锁，是骑车跑了。"顾红星从地道口的一棵大树根下捡到一把链条锁。

此时公安部门都已经动了起来，唯一的吉普车和几辆挎子正在附近轰鸣。冯凯挥手拦下一辆挎子，自己和顾红星坐了上去，对骑车的一名治安科民警说："这条路向南通市里，但他肯定不会往市里去，咱们沿着这条路往北追。"

"他跑不了了，照片已经送去加急冲洗了，估计两个小时就能发到所有巡逻民警的手里了。"治安科的民警说，"火车站、汽车站和各个出城的道路都布控了。"

冯凯没答话，心想还要两个小时。要是到现代，一条微信就解决了。冯凯认定，这个惠建国并不会立即考虑怎么离开龙番，往这一张大网上撞，而是会藏匿起来，等候布控民警疲倦的时候再伺机溜走。

挎子开了十几分钟，到了道路的岔路口。岔路口的前方就是黑黝黝的龙番山了。

"岔路了，怎么追？"治安科的民警停下了车。

"不用开车了。"冯凯眼睛尖，他从挎子的边斗里跳了出来，指着灌木丛中的一辆自行车，说，"他弃车了，就不会沿着路跑了，肯定是进山了。"

"进山就挺麻烦了。"治安科民警扶了扶大盖帽檐，担忧地说。

"我们俩进山找，你去叫大部队。"冯凯对治安科民警说，"龙番山不大，这时候看起来，又没有开发，林子很密，他也跑不快。还是让尚局长请求军方的支持吧，他们有军犬，搜山比较容易。"

"行咧，这就去叫人。"治安科民警开始掉头。

冯凯和顾红星从摩托车斗里拿出两支手电筒，一手握枪、一手拿着手电筒，向山里进发。冯凯在前面开路，而顾红星则用手电筒照射地面上的杂草，寻找着痕迹。

"钻到这种山里，真不是明智之举。"顾红星一边指路，一边说，"满地杂草，根据倒伏情况，就能找到他逃离的路线。"

"主要是他不知道有你这个痕迹专家。"冯凯警惕着往前走。

"这要啥痕迹专家，谁来都能看出来。"顾红星走了几步，头撞在了冯凯的后背上。

顾红星抬头一看，冯凯已经停了下来，手电筒的光芒直射前方。在冯凯的手电筒照射的光圈里，是远处的一棵大树，大树周围杂草有半人多高。在杂草中间，坐着一个人，正在拿着一个玻璃瓶，往自己的脑袋上浇东西。扑面而来的，还是那股熟悉的汽油味。

"别干傻事儿啊！烧死很疼的。"冯凯喊道。

"要是再早二十年，你们追不上我。"惠建国沙哑的声音传了过来，他一边浇着汽油一边说，"我在这里蹲了快三十年，被吴秋月那个风骚的东西给害了。说她又献身、又冒险，说好的两百块不行了，要五百块。可没有想到，上面居然连这点钱都不愿意拿出来！我苦心经营好几年，物色的吴秋月，居然是这种货色。我三十年的坚守，抵不上这几百块钱。"

"你别冲动，后果没造成，你还有机会。"冯凯小声让顾红星想办法稳住他，而自己准备借着夜色绕到惠建国的背后。

"你不能过去，太危险了。"顾红星也小声地说，刚才冯凯遇险的事还让他心有余悸。

"大势已去，大势已去，我坚守的东西，都是扯淡！这些年来，我也怀疑过自己的选择，也许我悬崖勒马，就不至于此。"惠建国扔了瓶子，说，"红星啊，我是看着你长大的，却没想到是被你逼上了绝路。不，也许把我逼上绝路的，是我自己吧。既然是我自己的选择，那我就认命了。你们别费心思了，你们救不了我，就别过来送死了。"

说完，惠建国丝毫没有犹豫，就点着了手上的打火机。

轰的一声，熟悉的爆燃场面，再次在冯凯面前展现。

可能是汽油量更多，或者是因为周围都是可以助燃的杂草，面前的火球瞬间扩大，火舌很快就向冯凯和顾红星这边蔓延过来。

冯凯知道惠建国已经不可能救下来了，问题是，在这种植被茂密的山里，这样的火情是非常严重的事情。根据风向，大火会向他们来时的道路蔓延，而龙番山下，就是龙番市的城市一角，那里住着上万的居民。一旦火情蔓延到山下，就会危及人民群众的生命财产安全。

可是此时的山上，只有冯凯和顾红星两个人，没有水源，没有灭火工具。

"怎么办？等援兵吗？"冯凯不知道该如何是好。

"不行，等火大了，人再多都难灭。"顾红星从旁边的大树上折下一根枝叶繁茂的树枝，当作笤帚，开始扑打火焰。

"这里很快会氧气稀薄，危险！"冯凯虽然这样说着，但也去折了一根树枝来。

"顾不了那么多了。"顾红星奋力地扑打着火苗，说，"无论如何，要把大火控制住。"

毕竟两个人的力量是有限的，火焰还在往他们来时的道路上蔓延着。但是由于两个人的奋力扑救，蔓延得到了大大的延缓。可是，随着火灾面积的扩大，局部氧气稀薄，加之他们吸入大量的一氧化碳和高温气体，两人的窒息感越来越强烈。顾红星终于支撑不住，一个踉跄摔倒在地上，向山下滚去。

冯凯一惊，此时他也几乎体能耗尽，但还是拼尽了最后的力气，扑了过去抓住了顾红星的腰带。冯凯勉强地直起身子，费力地将顾红星拖到了自己的怀里，然后匍匐着找到一棵大树躲避。

冯凯被浓烟呛得连连咳嗽，他摸索着顾红星的口袋，掏出了一块手帕。这是一块绣着绿色文竹的白色手帕，冯凯觉得似曾相识，但也顾不了那么多了。他用手帕擦蹭着草堆里积攒下来的露水，把手帕打湿，然后蒙在了顾红星的口鼻处。

就在这关键的时刻，大量的手电筒光芒照射了过来，援兵到了。

几十名民警和消防队员带着灭火器，打着手电筒从他们来时的路摸了上来，老刁领着头，一边呼喊着，一边向山上爬。

"自焚的，我快呛死了，快给我条湿毛巾。"冯凯朝老刁挥了挥手，简单地说明了两层意思。他知道这个年代不太可能配备消防用的空气呼吸器，只能用湿毛巾来阻隔他自己和顾红星二人继续吸入烟灰炭末，因为他感觉自己的喉咙都快堵上了。

老刁见战友们都已经投入了灭火战斗，于是蹲下身来，撕破了警服，扯下两块布，用腰间带着的水壶里的水浸湿，捂住了两人的口鼻。警服的布料，比手帕厚多了，阻隔烟灰的效果也好很多。

"轻点轻点，没给烟熏死，给你捂死了。"冯凯挣扎着抢过了湿布。

"你小子还能贫，就没事儿。"老刁站起身来，也投入了救火战斗。

不知道过了多久，顾红星从昏迷中醒来。周围的烟已经淡了很多，空气也没有那么炙热了。他看了看口鼻处覆盖的白布，上面已经附满了黑色的烟灰。他拿开湿布，吸了吸鼻子。新鲜的空气让他刺痛的气管和肺部舒适了不少。他看见自己的身边放着那块熟悉的手帕，于是捡起来塞进了口袋里。

身后，灭火战斗已经基本结束，战友们一边咳嗽，一边在寻找还没有熄灭的火星，防止大火复燃。而冯凯正坐在他身边的一块大石头上，双手抱膝，眺望远方。

顾红星费力地支起身子，爬到了冯凯的身边，也坐在石头上，向远方看去。

山下，是密集的平房，大部分房子只能在月光下看到房檐的轮廓。而房屋的轮廓之间，密密麻麻的灯火，像是繁星一样。

"灯都亮了，居民们可能是看见了或者闻见了火情，都起来了。"冯凯说。

"好美啊。"顾红星说。

"我可不是林医生，你别在这儿和我玩浪漫。"冯凯挪了挪屁股，说，"你上次和林医生说什么蜂鸟是把火种带到人间的，你看看我们，为了防止大火波及人间，倒是差点把自己燃烧了。"

顾红星没有说话，也学着冯凯的样子，抱膝坐好，把下巴放在膝盖上，偷偷地笑了起来。倒不是因为冯凯的冷笑话，而是他想到成千上万的百姓可以安然入睡，正是因为有了他们这些公安的保护。

神圣的荣誉感和自豪感油然而生。

"是了，这就是我的，人生价值。"顾红星小声嘀咕着，有一些哽咽。

这一瞬间，同样的一句话在两人的脑海里同时浮现。

"国家安危，公安系于一半。"

燃烧的蜂鸟

尾声

　　天大亮的时候，冯凯和顾红星都已经恢复了过来。两个人跟着大部队，在没有路的山里向山下走去。

　　顾红星左右看看，情不自禁地笑了出来。用"灰头土脸"这个词来形容现在在场的每一个人，那都是再贴切不过了。所有人的脸上都是漆黑一片，只有两个眼珠子转来转去，如果不是靠身形来判断，顾红星甚至无法在人群中找到冯凯在哪里。

　　下到山下，已经是早晨七点多了，路上的行人也开始多了起来。这支满脸漆黑的灭火队伍，时不时地会遇见一个称赞他们的路人。

　　"好样的！"

　　"辛苦了！"

　　"真棒！"

　　这些时不时传来的称赞声，让顾红星更是荣誉感爆棚。

　　是啊，公安工作又苦、又累、又危险，而群众的不吝称赞，则是公安同志们的动力之源。冯凯这样想着。

　　走到山下，大家纷纷上车，有汽车、有挎子、有两轮摩托，还有不少自行车。浩浩荡荡的车队排列着，向市里开去，这阵势一点也不比二十一世纪整齐的警车队伍逊色。

　　挎子就快要开到宿舍，坐在车斗里的老刁对正在骑车的冯凯说道："回去好好洗一把，拾掇拾掇，然后睡一觉。今天下午三点要开全局大会，应该是尚局长要给你们通报表彰。"

　　"表彰不表彰的无所谓，我就想睡一大觉。"冯凯扭动了一下酸疼的腰部。

　　"我就想换身衣服。"老刁扯了扯自己破碎的警服，说，"为了救你们，我现在看起来就是个叫花子。"

　　"好的，感谢你的救命之恩！"冯凯白了老刁一眼，两个脸上黑乎乎的人都乐了。

　　说笑间，冯凯把挎子开进了公安局大院，冯凯和顾红星跳下了挎子，和老刁道别后，向宿舍区里走去。

还没上到二楼的楼道，林淑真突然出现在楼道口，用警惕而又惊讶的目光看着他们。

林淑真打量着眼前的二人，眼睛盯着他们的红领章半天，才畏畏缩缩地说："你们，你们有看见顾红星吗？"

冯凯扑哧一下就乐了，说："顾红星是谁？我不认识。"

"是我啊，小真。"顾红星也笑了。

原来，他们满脸漆黑、衣衫褴褛，一时间林淑真居然没有认出他们。

"你们吓死我了！"林淑真的声音几乎带了哭腔，"我听他们说，你们去追特务了，然后山上好大火，我以为，我以为你们回不来了。"

"你那是剧追多了……啊不，你是看电影《黑三角》看的吧？"冯凯嬉笑着说，"要我说啊，有一句至理名言，就是你越关心某个人，就越会胡思乱想。"

"没事的，我们一点伤也没受。"顾红星有些木讷地安慰着。

"我看看。"林淑真走到顾红星身边，扯着他的警服，上上下下地看着，"你衣服都这么脏了，快脱下来我帮你洗洗。"

"没事，没事，我自己洗。"顾红星有些慌乱，因为和林淑真的距离太近了。

"吓死我了。"林淑真又说了一句，然后突然拥抱住了顾红星。

顾红星顿时不知所措，要不是有烟灰的遮盖，估计能看得出来他那脸红得像猴屁股一样。

"别，别，我身上脏。"顾红星挣扎着，可是林淑真并不准备放手。

冯凯嘿嘿一笑，转头上楼了，留给他们两个人的空间。

冯凯回宿舍拿了一套干净的衣服，来到了走廊尽头的男盥洗室，脱去警服，把凉水浇在自己的皮肤上，那种稍微有一点刺痛的清凉感让他倒吸了一口凉气。林淑真和顾红星的缠绵，充满了他的脑海，他又开始思念顾雯雯了。

生死关头，他曾经听到过某个声音的呼喊。

那是他太想雯雯的幻觉吗？

什么时候才能回去呢？

洗漱干净后，冯凯光着膀子躺在了床上，胡思乱想着。他想着和顾雯雯的点点滴滴，那种欢愉、那种愤怒、那种惊喜、那种沮丧，汇聚成了幸福感和安全感，萦绕在他的心头，久久挥之不去。

　　他闭上了眼睛，任由窗外和煦的阳光透过玻璃洒在脸上，这也不能阻挡他汹涌的困意。不一会儿，他的意识开始迷糊了。

　　迷糊之中，他真的听见了顾雯雯的声音。她的声音像是从很遥远的地方传来，像是在和自己哭诉着什么。他心中一喜，恍惚地想着，难道我这一趟，就是为了撮合林淑真和顾红星？此时任务完成了，是不是就该回去了？小说上都是这样写的啊。

　　他努力地想睁开眼睛，因为他迫不及待地想看到顾雯雯那张让自己魂牵梦萦的面孔。可是，眼睛无论如何总是无法睁开。遥远的地方，似乎还传来了"叮叮当当"的声音，他仔细分辨，那应该是医疗器械撞击的声音。在这些声音之间，还有"嘀嘀嘀"的心电监护仪的声音。

　　他这是在医院吗？

　　半梦半醒之间，冯凯，应该说是陶亮，似乎突然明白了一件事情。并没有任何人可以穿越时空，他只不过是做了一场梦，一场跨越时空的梦境。在昏迷之前，他一直在翻阅卷宗和顾红星的老笔记本，难道是笔记本里记录的过去，被他自己的大脑想象演绎了一番，做了一个几乎和现实无异的梦吗？可是，在这一场漫长的梦境就要结束的时候，他又该如何醒来呢？

　　他想赶紧醒来，因为他还有好多好多话要和顾雯雯说，他还要向顾雯雯道歉，他还要痛改前非，当一个有责任感的男人，一个有责任感的丈夫，一个有责任感的警察。

　　他想念顾雯雯，他想看到她的脸。

　　陶亮开始挣扎起来，为了能继续活下去，为了能和顾雯雯再续前缘。他拼命地想晃动自己的肩膀，想睁开双眼。

　　在不懈努力之后，突然，他睁开了双眼，脑中的那种蒙眬感一扫而光，他大脑瞬间清晰了起来。

　　我醒过来了！

　　一种幸福感涌入了心头，他一骨碌从床上坐了起来，心中一喜，因为身边的环境果真不是那个破旧的宿舍了。可是很快，随着他环视四周之后，他的心情又跌落了谷底。

　　房子很小，是崭新的，可是陶亮知道，那并不是他一直想念的家。周围的家具模样和摆设，和他小时候无异。

褐色的五斗橱上方，贴着一张月历，月历的旁边还有几张奖状。五斗橱的上面，摆着一台老式收音机，还有一台座钟。五斗橱的旁边，放着一个矮柜，矮柜上是一台十四英寸的黑白电视机，电视机上面的两根天线像是比了一个"V"字。房间的另一侧，摆着一个脸盆架，架子上有一个印有红色牡丹的搪瓷脸盆，盆边挂着一条红白相间的毛巾。

陶亮自己躺的，是一张钢丝床，蓝色的油漆刷的床框并不平整。床的正对面是房间的大门，一扇老式的木门，顶端还有一个小小的副窗。门的背后，有一排挂钩，其中一个挂钩上挂着一件警服。

警服是的确良面料的，橄榄绿色，袖口还有黄色的袖线。领口依旧是对称的红领章，但肩膀上多了肩襻，肩襻上挂着蓝色的盾牌。

警帽是挂在另一个挂钩上的，是橄榄绿色的大檐帽，周围镶着红色的牙线。帽墙上有两道黄杠和一道黑色漆皮帽带。帽墙的正中央，挂着帽徽。帽徽已经不再是国徽了，而是沿用至今的警徽。警徽由国徽、蓝色的盾牌、金黄色的长城和松枝组成，象征着人民警察捍卫国家、捍卫人民的神圣职责。

陶亮认识这种警服。这是八三式警服，是1984年正式启用，一直使用到1989年的警服。

陶亮一阵眩晕，他知道自己在梦境中还没有醒来，依旧不能看到顾雯雯那亲切的笑容。

可是，这一次，又是什么时代？他又是谁呢？

黑夜掩不住炽热

蜂鸟从不惧远方

燃烧的蜂鸟

敬请期待

第二季

———————

图书在版编目（CIP）数据

燃烧的蜂鸟 / 法医秦明著. — 北京：北京联合出
版公司, 2022.8
ISBN 978-7-5596-5836-4

Ⅰ.①燃… Ⅱ.①法… Ⅲ.①长篇小说—中国—当代
Ⅳ.①I247.5

中国版本图书馆CIP数据核字(2022)第116828号

燃烧的蜂鸟

作　　者：法医秦明
出 品 人：赵红仕
责任编辑：徐　樟
封面设计：Topic Design
版式设计：刘珍珍

北京联合出版公司出版
（北京市西城区德外大街83号楼9层　100088）
三河市中晟雅豪印务有限公司印刷　新华书店经销
字数414千字　700毫米×980毫米　1/16　印张21.75
2022年8月第1版　2022年8月第1次印刷
ISBN 978-7-5596-5836-4
定价：52.80元
